身捨つるほどの祖国はありや

日本と企業

牛島信

幻冬舎

身捨つるほどの祖国はありや

日本と企業

まえがき

『身捨つるほどの祖国はありや』と題した。寺山修司の１９５７年発表の短歌の一部で、上の句を「マッチ擦るつかのま海に霧ふかし」という。

あの戦争が終わったときに9歳であった少年が21歳になったとき、祖国はそのように存在したのだろう。

だが、果たして祖国はあったりなかったりするのだろうか。

十人十色。私は日本について所与のものと思っている。気に入っても気に入らなくても、そこに生まれ、育ったのだ。選べるものではない。祖国とは先ずなによりも自分の家族である。

もちろん、時として祖国は身を捨てることを要求する。

要求？

しかし、戦艦大和に乗っていた21歳の青年はそう考えなかった（本書５２１頁）。

日本が「敗レテ目覚メル、ソレ以外ニドウシテ日本ガ救ハレルカ（中略）俺タチハソノ先導ニナルノダ」と自分に言い聞かせ、「日本ノ新生ニサキガケテ散ル　マサニ本望ヂヤナイカ」と自ら納得して死んだ。同じ頃の河合栄治郎の思いと共通する（本書324頁）。

日本の現在と未来は、その先にある。

祖国を、日本を、改めて考えなくてはならない時代になっている。新型コロナウイルスは、国以外に頼るものがないことを明らかにした。

しかし、ことはコロナだけではない。外側の世界から我々を守ってくれるものは、日本という祖国以外にない。そう思い知らされる日がついそこに来ている。戦後75年。思えば、安倍政権は嵐の前の長い静けさだった。

この本は2014年9月以来の私の考えの大半を伝える。

『月刊ザ・ローヤーズ』に連載していただいたものを含む。2014年9月から2017年1月。それが止まったのは主宰されていた佐々木一芳さんが亡くなったからだ。二人で話せばいつも時を忘れた。もう叶わない。

大きな部分は『BUSINESS LAW JOURNAL』（レクシスネクシス・ジャパン株式会社）に連載中の「ローヤー進化論」である。現在のご担当は西川直子さんといわれる。いつも懇切丁寧にお世話くださる。

考えたことの相当部分は企業にかかわる。副題を「日本と企業」と名づけた所以である。会社にかかわる日本の弁護士として生きていたからである。読んでいただく際の目印にと目次と見出しのうち企業に関わる文章に★印を付した。森羅万象に興味があるが、焦点があって眺めると明晰度が増すと思っている。いつも「一国の経済は国内に居住している国民のためにある」というロバート・ライシュの言葉（本書95頁、226頁、315頁、375頁）が頭の中にある。

日々を暮らしながら、思うとおりにならないことが無数にあり、いつも私を取り囲んでいる。そのなかで、私はときに愉しく、常に耐えながら、生きてきた。民主主義のもと、法の支配する、平和で、豊かな日本にいたからである。

これは私のなかじきりである。それが総勘定となる前に次の小説を出すつもりでいる。

エッセイ集が8冊にもなるとは。今回も幻冬舎に出していただいた。見城徹さんには1997年の小説『株主総会』以来、感謝の一言に尽きる。今回は箕輪厚介さんと山口奈緒子さんが担当してくださった。木内旭洋さんとのやり取りは楽しかった。

また、私の秘書の白井李奈さん、河村衣里佳さん、大沢千裕さん、秘書だった酒井日和さんにも感謝を捧げたい。

私はたくさんの人々とともに生きている。

目次

◉第2章——2016年〜2017年

◉第3章――――――2018年～2020年

第1章

2014年〜2015年

私がスーツに紐付き靴を履くわけ

「パワー・オブ・アトーニー」『月刊ザ・ローヤーズ』2014年9月号

靴を修理に出していたのを引き取ってきた。一度に4足を頼んでいた。交代で履いていても、そのうちに踵が擦り減ってしまうのだ。減り方には人によって癖があるようだが、私の場合はゴムの外側がことさらに減ってしまう。ゴムの部分が目減りしてしまってその上の革を重ねて作ってある踵本体に食いこんでしまう前に修理に出すことにしている。

「決して踵の革の部分を削ってしまわないで」と頼むことのできる修理屋を見つけるのは簡単ではない。靴の修理を仕事としているのに、平気でゴムと一緒にその上の革の部分にもヤスリを当てて削り取ってしまう人が多いのだ。靴を愛していないのだろうかという落胆を何回か重ねて、今では私も慎重になっている。だから、どこの誰でもいいというわけにはいかない。

最近まで私の希望をよく理解してくれて、とても丁寧な仕事をしてくれていた靴の店が潰れてしまった。それで私はしばらく彷徨い、やっと今の靴屋さんを見つけたのだ。なぜ私が細かいことまで口うるさく言うのかを理解してくれるばかりか、それが靴を愛している人間の当然の要求だと共感してくれる。嬉しい限りである。玄関で踵のゴムを取り替えた靴を履いた朝は、新しい靴を履いたときよりもずっと心が弾む。親友とまた一緒に働けるからである。

どの靴ももう長い間履いている、いわば私の仕事仲間といっていい。それぞれに表情が違う。ストレートチップもあれば、プレーントゥもある。茶色のやつはウィングチップだ。

私の靴にはどれも紐が付いている。紐で結ぶ靴しか履かない習慣になってから、どのくらいになるのか。今、私の靴箱には紐のない、いわゆるスリッポンという靴は一足もない。いや、正確には、平日に履く靴という条件では、ということになる。土曜日や日曜日にはスリッポンの靴であるほうが原則といってよい。

どうしてそんなことになったのかというと、落合正勝氏の本を読んだせいである。私の本棚には落合氏の本が何冊もある。そのなかで最初に読み終わったのが『男の服　こだわりの流儀』（世界文化社、2000）というもので、2001年9月5日に読み終わっている。漠とした記憶では、最も影響を受けたのは、その後、11月16日に読了している『男の服装術』（はまの出版、1999）という本だったような気がする。この本には、明快に「スーツスタイルには、紐付きの靴を履かなければならない」と書かれている（同書82頁）。

落合氏の説くところは、表面的なファッションの格好良さではない。例えば、「靴は、服のスタイルとともに進化してきた」のであり、「靴と服の進化には、常にある一定のルールが存在」

し、「靴は服と釣り合うことが大前提で、これは装いの文化である」といわれ、最後に「羽織袴の下に下駄をつっかけないことと同じ理屈なのだ」となる（いずれも同頁）。なるほどと唸るしかない。

同じ本で、紐なし靴の唯一の例外はモンクストラップ・スタイルだとも教えられた。修道僧（モンク）が履いていたという横向きのベルトで留める方式の靴である。当時私はたまたまこのタイプの靴を持っていて、これがスーツを着たときにも履ける靴なのかと改めて眺め直した。

彼の本を読むまで、私の履いていた靴はどれも実用的なスリッポンだった。日本では、欧米と違い、一日のうちに靴を脱いだり履いたりする機会が多い。和風の料理店に行くと今でも靴を脱がなければならない座敷のところがたくさんある。そうしたところへ欧米の方を招待すると、靴脱ぎで少し驚いた様子をすることがある。

彼らは、朝靴を履いたら夜ベッドに入るまで、決して靴を脱がないのである。もちろん、風呂に入るときには脱ぐのだが、それも朝だったりすれば、文字どおり日に一度だけということになる。

例外はある。私が長い間親しく付き合わせていただいたスコットランド人の公認会計士は、会議のときテーブルの下で靴を脱いでいたものだった。アメリカ人の女性弁護士にも、片方だったが、そういう方はいた。

しかし、例えばイタリア製の靴の踵の内側が小さく削られている理由を聞いたりすると、「へー、そこまで」と感慨がある。靴を履いたままズボンを脱ぐときに、踵がズボンに引っかからないためだというのだ。私の持っている靴にも、そうなったものが何足かある。私には無用である。私は、靴というものは玄関で必ず脱ぐのである。

昔、仕事をしている間は靴を履いたままのことが多い。私が検事をしていたころ、若い検事たちは出勤すると靴を脱いでサンダルに履き替えていたものだった。そのサンダルで大勢の働いている職場を抜け、廊下を歩いて便所にも行った。行けば、同じようにサンダルを履いた先輩に会った。

今でも役所ではサンダルを履いている人は少しも珍しくない。欧米人には奇異な風景だろうが、それが問題視されたという話は未だ聞いたことがない。

どうして服装の本などを読むようになったのか、今ではわからない。ある依頼者の長い間の懸案を片付けることができ、お礼にと報酬のほかにお仕立券付きの背広地をいただいたのが始まりだったような気がする。いわゆる吊るしの背広としか縁のなかった私は、薄い桐の箱に入ったその生地を携えて、生まれて初めてテーラーに行き、仮縫いというものを経験したのである。

自分の好みに従って背広を注文する愉しみを知ったのは、その依頼者のおかげだった。私は、例えばポケットの中のポケットを自分の持ち物に合わせて工夫したりしたのである。

いただいた背広のお仕立券を発行している店が、たまたま当時私が事務所を構えていたビルの1階にあったという事情もあった。私はその店の前を歩くことがよくあり、何度かに一度は顔なじみになっていた店員の方に声をかけられ、店に入って背広の生地を選ぶことになった。そこで、履いている靴が気になってきたのではなかったか。

落合さんに教えられて紐付きの靴を履くようになるまで、私は自分の靴については自分なりに合理的なつもりでいた。もちろん着脱に便利なスリッポンの靴で、底はゴムと決めていた。通勤途中の地下鉄のホームで靴の底が革であったために滑ってしまい、危うく転倒しかけたのである。私は命のほうが靴の底よりも大事だと思い、ゴム底の靴以外は履かない決心をしたのだ。

しかし、そのころのゴム底の靴にはスーツ姿にぴったりのものがなく、私はずいぶん靴探しをしなければならなかった。それでも満足なものは得られず、命あってのモノダネと我慢していたのである。だから、ゴム底の上に質の良い革を使った「ワラジ」という名の靴が発売されたときには、大いに喜んで早速に求めたものだった。

そんな日々を過ごしていたところへ、「ギョウザのような靴」という落合さんの表現に出くわしたのである。なんとも強烈な印象を受けた。落合さんは、手入れをされないままに履き潰されかけたスリッポンの靴の姿を、ギザギザが何重にも入ったギョウザにたとえたのである。

まことにぴったりのたとえで、今でも料理店などの入り口で紳士靴を見ると、ギョウザのように酷使されて押し黙ったままでいるたくさんの靴を見る。可哀想でならない。シューキーパーは高価なものではない。

そんなギョウザ靴を履いていてはいけない、というのが落合さんの主張だった。日本のビジネスパーソンは、それが如何に世界の標準から外れているのか、西洋風の靴と服装の歴史と文化を自覚しなくてはならない、ということが基礎にあった。

問題は靴底であった。良質な靴の底は革底に決まっているのである。私がそれを実践に移せたのは、靴底に薄いゴムを貼ってくれる靴屋さんを見つけてからのことである。命の惜しさと文化とが両立することになったのである。

靴まで世界標準にしなくてはならないという話は、私に岩倉具視の写真を思い出させる。１８７１年、明治４年から２年近くにわたって欧米を訪ねた使節団が５人で撮った記念写真である。岩倉は高く髷を結い紋付袴の姿で靴を履いている。左右の大久保利通も木戸孝允も、フロックコートと思しき服装にモンクストラップのように見える靴をそろって履いている。手にはシルクハットである。

日常の靴にも、日本の西洋化の歴史が重なっているのである。今はこれをグローバル化と言う。

ルネサンスはイスラムに発した

「ローヤー進化論」『BUSINESS LAW JOURNAL』2014年10月号

「何人の天使が針先で踊れるか」というのは、中世ヨーロッパの哲学を揶揄するときに使われる言葉である。スコラ哲学というのは、そんな下らないことを真剣に議論していたというのである。

しかし、実はそうではない。そもそも天使は踊らない。踊るのは悪魔である。

だが問題はそんなことではない。実体があるから場所があるという前提が正しいのか、そうではなく、実体がなくなった場合でも場所は存在し続けるというべきなのかが問題なのである。そんなことは簡単ではないか。場所を考えることは、そもそもの実体なしには無意味である。実体が消滅すれば、その実体のあった場所はなくなってしまうに決まっている。

そうだろうか。

では、実体が動いたら、場所は消えてなくなるのだろうか。動いた後に別の実体が来れば、場所は相変わらず存在しているのではないだろうか。つまり、場所は動かずに一貫して存在していて、実体が動いているだけともいえるのではないか。

天使には身体がない。つまり実体がない。しかし、神ではないから何らかの大きさの場所を必要とする。その場所の大小は分からない。だから、針の先端に何人かが同時にいることは可能かもしれないのである。これが一応の結論である。

私がヨハネス・ドゥンス・スコトゥスの説を持ち出したのは、その中身の話をしようというのではない。彼が住んでいた13世紀のイギリスやフランスにギリシアの知識がどうして伝わったのかということについて、最近知ったところを述べてみたいからである。

古典ギリシア文明はいったん途絶え、アラビアを経由してヨーロッパに入ったというのがその説である。その状況は、江戸末期から明治維新の時代の日本が西洋文明を受け入れたことと似ているらしい。つまり、日本が西洋文明にコンプレックスを持つなら、ヨーロッパもアラビア文明にコンプレックスを持って然るべきなのである。

その経緯に、冒頭の天使の話は関係している。そんなことを考えていたスコラ哲学は、アラビアから輸入したアリストテレスに由来しているからである。アリストテレスであることが肝要である。合理的に考えれば真理に到達できると考えたのである。プラトンはそうではない。プラトンの後継者によれば、人間の知識は神からの「照明（illumination）」によって与えられるのであって、人間が理性だけで獲得できるものではないのである。5世紀にアウグスティヌスが、ゲルマン民族の大移動によるローマ帝国の崩壊時にプラトン的な哲学を選択したことが、ヨーロッパからアリストテレス的な合理主義を排除してしまったのだという。神の「照明」はアウグスティヌスの説である。

ヨーロッパがそのアリストテレスと出会ったのは、イスラム教徒に支配されたスペインであった。時は12世紀である。レコンキスタと呼ばれる、スペインの国土回復運動の途上においてである。

732年フランスの南西部で、トゥール＝ポワティエ間の戦いというのがあった。イスラム教徒がフランク王国に押し寄せたのを、辛うじて防いだ戦いである。その後、イスラム教徒はイベリア半島を長い間占領していた。もっとも、立場によって見方は変わるだろう。イスラム教徒であるウマイヤ朝からみれば、聖戦を中途で阻まれたということになるのかもしれない。

いずれにせよ、そのイスラム教徒から国土を回復しようという戦いが10世紀に始まる。それ以前の対立はそれほどでもなく、共存していたという。一部のキリスト教徒はアラビア化し、モサラベと呼ばれていた。そうした時代、スペインのコルドバにはヨーロッパのキリスト教徒が数多く留学し、アラビア語で文明を学んでいたのだ。逆に再征服されてしまったスペインに残留したアラビア人は、ムデーハルと呼ばれていたという。それほどに二つの文化は融合していたのである。

12世紀、ヨーロッパはアラビア経由で古典ギリシア文明を手に入れたおかげでルネサンスを花開かせることができたというのが、伊東俊太郎氏の『十二世紀ルネサンス』（講談社、２００６）という本の説くところである。それまで、ヨーロッパは一地方文化圏に過ぎず、文明と呼ぶに値するものを持っていなかったのである。「よくヨーロッパの学者は、ギリシア以来三千年の西欧文明とか言うわけですが、とんでもないこと」（同書22頁）なのである。

以上の概要を最近テレビで観て、私はびっくりした。ヒストリーチャンネルという局の番組をたまたま観たのである。すべての古典ギリシアがアラビア語になっていて、それにアラビアの文明が加わったものを、ヨーロッパはスペインの回教国で学んだのである。その番組はこのことを繰り返し伝えていた。私は、グラナダ回教国という名前を思い出し、トレドの美術的価値以外のものに初めて目を開いたのである。

私は、１４９２年、グラナダが陥落したときに同じ回教国である「オスマン帝国」はどうしていたのだろうかと気になって、手元の『世界の民族・国家興亡歴史地図年表』（柊風舎、２０１３）を開いた。オスマン帝国は、いまだアルジェリアにも達していなかった。もちろん対岸のモロッコに回教国はあった。しかし、グラナダを救うことはなかったのである。

私の本棚には八木雄二『天使はなぜ堕落するのか』（春秋社、２００９）もリチャード・E・ルーベンスタイン『中世の覚醒―アリストテレス再発見から知の革命へ』（紀伊國屋書店、２００８）もあった。実は前述の伊東氏の著書も既に棚にあったのである。それどころか、私は半年ほど前に同氏にお会いしてすらいたのである。本項はそれらに拠る。そうした本を買っていたのは横山禎徳氏の教授に負う。猫は小判の横に座っており、不肖の弟子は価値を知らなかったのである。

グラナダはアルハンブラ宮殿という一大観光名所のあるところである。私は名所旧跡の見物には少しも関心がない。しかし、以上の次第でイスラム教とキリスト教の混交したスペイン見物になら行ってみたいものだと珍しく食指を動かされた気がしている。そういえば『アルハンブラの思い出』というギターの名曲がある。建物ではコルドバのモスク「メスキータ」も昔からデザインと配色が気になっていた。なんとも忙しくなってしまいそうである。

自分の作り出した人物は幻影か現実か

「パワー・オブ・アトーニー」『月刊ザ・ローヤーズ』２０１４年10月号

仕事に没頭していて、ふと気づくと季節が変わっている。夏が盛りだったのが、もう秋風が立っている。もちろん、その日その日を暮らしていたのだから、世の中で起きていたことを何も知らないで生きていたわけではない。

例えば、広島での豪雨被害を思う。胸が痛む。我が身が広島の出身だけに、他人事でない思いがしてならなかった。テレビで流れる地名が、どれも耳に親しい。私の身近には被害に遭った方はいなかった。しかし、被災して仮設住宅にいたのはこの身だったのかもしれない、と思わないではいられない。

遠い国では、イスラム国という名の国が誕生を主張し、アメリカは潰滅させないではいないという。そういえば、9・11から13年目になる。日本人であれば、3・11を思い返さずにはいられない。なんにしても、冒頭のような忘我の感慨は初めてのことではない。だが、今年の夏はとても忙しかった。弁護士としての仕事がいくつも重なってしまった。どれもそれぞれの依頼者にとっては、組織の、あるいは個人の重大事である。そのうえに、1年半前に連載を終えた小説を仕上げる締め切りが同じ時期になってしまった。それだけではない。毎年の秋ごろにエッセイ集を出していただくのが慣例のようになっていて、有難いことに今年もそれが巡ってきた。

そうしたことの合間に散歩をしていると、ふと鳴いているセミの種類が変わっていることに気づかされる。いや、つい先日の夜に外を歩いていたときには、もう虫の音がうるさいほどになっていた。それぞれに一生の頂点があり、忙しい時があって、やがて過ぎ行くもののようだ。

仕事に忙しい時間は自分の外側に属し、その忙しい間は自分というものは存在しない。仕事とはそういうものだろう。

だが、小説を書いたりエッセイを書いたりすることは、時間の過ぎ方が仕事とは少し違うような気がする。どちらも一定の期限内に一定の成果を挙げなくてはならない義務だという意味では同じなのだろう。しかし、テレビの旅行番組ではないが、違った時間が流れていると感じるのである。

要するに、自分と付き合う時間だということである。他人と付き合うのではなく、自分の心のなかにある自分の分身と付き合うこと、徹底してその男と話を続けること。

今回の小説は『あの男の正体』という。正体と書いて、ハラワタと読む。あとがきで、ある老大家に「世の中は所詮男と女だよ」と言われたことに触れた。そのとき私は、そのとおりかもしれないと思ったのである。思いはしたが、それでもやはり私には世の中は個人と組織でできているように見えていた。だから、つまるところ性よりも会社が大事だと思いながらその小説を書いてきたということになる。結果は反対になっているかもしれない。

人は個人として生まれるが、組織に関係せずには生きていることができない。しかし、組織と関係するということは大なり小なり自分を殺して生きることを要求せずにはいない。すまじきものは宮仕えということである。数えきれないほどの悲喜劇が、毎日のように起きている。

ところが例外的に、組織を自分自身と重ねてなんの矛盾もなく感じられる幸運な人間がいる。多くの場合、会社を創業し成長させてそこに君臨している人々である。悲喜劇はそうした人々にも起きないではいない。事業の失敗をいうのではない。もちろんそれも悲劇の原因になり得るが、それもまた世間で毎日、無数に起きていることである。

問題は、創業に成功した場合であっても、自分の拡張でしかないはずの会社が、実は自分を超えてしまわないではいないことである。会社が組織であり、組織が個人の集合体である以上、当然とも言える。どんな個人も、人間だからである。人間であれば、奴隷であろうと他人の心を生きることはないからである。

そんなことが頭のなかにぼんやりとありながら、小説の推敲を進めた。いや、それは推敲という程度の作業ではなく、いくつかの点で別の小説を書くほどの情熱を要求せずにはいなかった。連載当時に時間がないままに深く掘り下げないでいたことについて、登場人物たちが、われ先に解決を迫ってくるのである。私が言葉にして文章として書き進めると、「いや、違う。それでは私ではない！」と叫ぶのである。

何度経験しても奇妙な体験である。すべてが私の頭から出て、指先のパソコンのキーボードから生まれているだけのはずなのに、まるで私とは別の人格のように自己主張をしないではいない。

夜、夢のなかに現れてまで、私に書き直しを迫るのだ。

夜中に目を覚ました私は、やれやれ仕方がないなあ、などと呟きながら、手元のメモ用紙に書きとめる。ときには、起きだしてパソコンに向かう。パソコンに向かえば、目は冴え渡らずにいない。朝は近い。若くもない身には、なんとも因果なことである。

因果なのは、自分だけがいるはずの場所である自分の心のなかに、見知らぬ他人がいるからである。その他人には、その他人の心がある。

そこまで考えてくると、どうやら関係が個人と組織に似ていなくもないと気づく。小説の主人公は、中規模の会社を大きな上場会社に育てあげた事業家である。70歳を過ぎて自分の死が避けられない医学的事実として立ちはだかる。思い残すことがある。どうしても解決しないでは、死んでも死に切れないと、切羽つまった焦燥感に囚われる。

そんな作業を続けていると、我ながら何とも滑稽の感に襲われてしまう。私が創り出した男なのである。私の心のなかで、土を捏ねて土偶を作るように創った男なのである。その男と関係のある男たち、女たち、どれも私の頭から出てきただけの、心のなかに住んでいるだけの人間たちなのである。幻影といってもいい、虚像といってもいい。そのはずである。

ところが、幻影などという言葉を使うともういけない。

「そうかね、幻影かね？　では、オマエの心のなかにいる、オマエが現実に存在すると信じている人間たちは幻影ではないのかね？　そうした人々も所詮はオマエの心のなかにだけ存在している虚像ではないのかね？」

そう問い詰められてしまいそうなのだ。問い詰められて、なんとも答えに窮してしまっている自分の姿を外側から想像してみて、滑稽の感に打たれないではいられないということなのである。幻影ではないような気がしてくる。いや、この世はすべて虚像だという気がしてくる。人はすべて死ぬのだ。

シェークスピアがそんなことを言っている。

「この世界はすべてこれ一つの舞台、人間は男女を問わずすべてこれ役者に過ぎぬ」（『お気に召すまま』小田島雄志訳　74頁）

「人生は歩きまわる影法師、あわれな役者だ、舞台の上でおおげさにみえをきっても出場が終われば消えてしまう」（『マクベス』同訳　162頁）

私の小説では、主人公が鷗外の言葉を引用する。

「赤く黒く塗られている顔をいつか洗って、一寸舞台から降りて、静かに自分というものを考えて見たい、背後《うしろ》の何物かの面目を覗いてみたいと思い思いしながら、舞台監督の鞭を背中に受けて、役から役を勤め続けている。この役が即ち生だとは考えられない。背後にある或る物が真の生ではあるまいかと思われる。しかし、その或る物は目を醒まそう醒まそうと思いながら、又してはうとうとして眠ってしまう」（『妄想』）

その男に、小説中のヒロインがたずねる。

「鷗外はずっと、うとうとして眠ったままだったの？」

男が答える。

「いや、違う。彼は、昼間の軍医の生活だけでも大変なのに、睡眠時間を削って、酒も飲まず、夜中に文学者としての仕事をしていた。でも、死ぬ直前の言葉は『馬鹿馬鹿しい』だったという話だ」

二人の問答は架空である。どれも私の心のなかで起きたことに過ぎない。

だが、今となってみると、なにがなんだか分からなくなってくる。彼も彼女も、この世にいたような気がしてくるのである。その証拠に、私の目の前に一冊の本がある。形を持ち、手に取ることのできる物である。そのなかで彼も彼女も生きている。その生は、ひょっとしたら私よりももっと充実したものとして、確固として存在しているのかもしれない。

真夏の夜の夢である。

60でもない70でもない快適な65歳

「パワー・オブ・アトーニー」『月刊ザ・ローヤーズ』2014年11月号

先月65歳になった。この青二才だった自分が65歳とは、と改めて驚かずにはいられない。といっても、誰もがきっと同じ感慨を抱くのだろうが、自分のこととなると格別である。

実は、60歳になったときは、さして何も感じなかったのだ。世間でいう還暦になったのだという自覚はあった。若かったころ、年寄りが赤いチャンチャンコを着ていたのを見たこともある。そういえば、私の父親が60歳になったときには、ゴルフが好きだったから、赤い革でできたハンチングを贈ったような記憶がある。

私のときにも、何の前触れもなしに突然祝いの品をくださった何人もの方々がいた。ありがたいと思いつつも、当人はさしたる老齢の実感を持って祝福を受けとめさせていただいたわけではなかった。それが、どうも65歳は違うようなのである。

一言で言えば、なんとも快適な年齢にさしかかったということなのではないか、と秘かに思っているのだ。なぜなら、65歳とは、60歳を超えていながらも、未だ70歳になっていない年齢だからである。

なんとも当たり前のことだが、その状態は、一方でまだまだ肉体的に使用可能な状態を意味していながら、同時に他方で、精神的には、若いころには考えることもできないほどの経験とそれに基づく余裕に溢れた判断力を与えられているのである。要するに、世の中が、人が、よく見えるなという気がするのである。本当にそうなのかどうか、それは当人には分かりようもない。

だから、心さえ青春であれば、何も変わっていないどころか、ずっと良い状態に進歩しているということになる。もう残りは少しだけかもしれないのだが、実のところ、その意識が逆に日々を貴重なものに思わせてくれもするのだ。

考えてみれば、若いころに比べれば、相対的には金回りも良くなった。望めば、世に言う大人買いもできないではない。学生のころには、夏、本屋から本屋へ外を歩きまわって大汗をかき、なにかで喉を潤したいと思っても、喫茶店に入るなどという贅沢はできようもなかった。

それどころか、路傍の自動販売機の缶コーラを買うことすら叶わなかったのである。

弁護士業を35年間やってきた。一生懸命にやってきたから、それなりにお客様がついてくださって、日々を無事に生きて行くことができる。それどころか、弁護士としての仕事の中身自体がとても興味深く、かつ、少しは世の中の役に立てている気までするのだ。

さらに、今の私の仕事のやり方は、私より若い弁護士さんとチームを組むことが原則だから、自分で知らないことを次々と教えてもらえるという恵まれた立場にある。

時間がないことが不満といえば不満だろうか。しかも、時間は1年に1年ずつ無慈悲に経つ。いやいや、幸いにも1年には1年しか経たないと言っても同じことだ。

5年経つと私は70歳になっている。尊敬していたある弁護士は77歳で亡くなった。そのつい1週間前に、私は仕事の必要があってお会いし、ご指導をいただいたばかりだった。

その方については、文章にしたこともある。強制執行の現場で偶然お会いしたのである。高名なその方が大きなビルの地下街にあるドラッグ・ストアの閉鎖現場のすぐ間近に立っていらした。声をかけると、いつもの微笑で答えてくださった。「大先生がこんなところにまで」と感に堪えない調子で申し上げると、「私は弁護士ですから、どこへでも行きますし、なんでもしますよ」と笑われた。感銘を受けた。


苦労はしたものの希望の大学に入り、司法試験にも無事受かり、事務所も開設し、今も使ってくださる依頼者がある。私には、個人的にはこれ以上望むものは少ない。

実際、大学に入るのには大いに苦労したのである。司法試験についても、そのときはそのときなりに当人は必死だったのである。事務所を開設してからも苦労は絶えなかった。いや、それを言い出せば、今もあまり変わっていない。今も、見通すことのできる将来も、苦労は絶えないだろう。

事務所の経営という観点から見て変化したことといえば、新人の弁護士が採用しやすくなったことであろう。ありがたいことに、やる気に満ちた若い方々が毎年何人も入ってくれる。入ってくれれば、一緒に働くことができる。

思えば、昭和24年（1949年）に生を享《う》けた私は、幸運な人生を送ってきた。日本が戦争に負けて4年後のことである。以来、私は一貫して平和な日本で暮らしてきたのである。

明治維新以来150年。私以前の世代の人たちは誰も戦争と無縁に暮らすことは叶わなかった。ことに昭和20年（1945年）に終わった戦争ではたくさんの人々が犠牲になった。戦場にいなかった民間人もまた死んだり傷ついたりしたのである。

私が幸運だったのは、戦争がなかったということだけではない。私が物心ついたころには、「もはや戦後ではない」といわれた。一人当たりGDPが戦前の経済規模に戻ったからである。その後、高度経済成長がやってきた。私は、自分の努力が未来を決定すると信じることができる幸運な少年時代を送ることができた。日本に、健康な日本人の男として生まれたからである。

その幸運は今も変わらない。私の人生の大半は私が決めることができる。日本でなければ、そうは行かないだろう。といって、大したことを決めているわけではない。夕食のメニューやそのときに飲む酒を考えることもないではない。

しかし、私なりにもっとも重要なのは、時間の配分である。私は、私の決断によって、スケジュールをびっちりと入れることもできるし、ある日は空白の時間を多く取ることも自在である。自由業だということが大いにかかわる。弁護士だからである。空けていたはずが、そこに会議を入れてくれと言われれば快諾する。それはとても喜ばしいことであることが多い。

悲しいこともあった。それは決して私の心から去らない。宇宙の形は歪《いびつ》としか言いようがないほどに、その事実は決定的に私の人生の定義を変えてしまった。誰かを恨むといったことではない。自分の手などには及ばないことである。だが、それが起きてからも、私は毎日をそれ以前と同じように暮らしている。

この先に死がやってくるということは分かっている。死も他人のものなら何度も経験した。そこからすると、どうやら確かなことには、私が死んでしまった後も世界は何の支障もなく動いてゆくようだ。

釈迦でもキリストでもムハンマドでも変えることのできなかった人間の生の様が、同じように続いてゆくのだろう。あたかも永遠に人生が続くかのように、朝目覚め、昼の食事をとり、夜になれば眠りに入る。朝になって目覚めが来ないつもりで床に就く人間はいない。

だが、どこかで私はその世界から離脱することが確かである。いつ？　どこで？　どんな風に？

漠然と想像するのは、70歳を過ぎてから病気にかかっていることが判明し、入院して手術を繰り返し、やはり薬石効なくという結果になるのだろうといったところだろうか。ずいぶんとのんきな想像ではある。

それほど簡単に死なせてもらえるとは限らない。最近ではニュースで認知症の話を聞くことが多い。私は、ある日、忽然と家を出て、どこへ行ったとも知れず、どこへ行ってもどこの誰とも知れず、そのままどこかの施設にご厄介をかけて生きるのかもしれない。

それでも、当面は生き続けている。生き続けている限り、何かを考え続ける。私の場合は、本を友として生きている。愉しみのために読む本と仕事のために読む本との中間には、知ることが嬉しくてならない分野がある。世の中がどうなって行くのか、世界と日本の経済はどうなるのか、その結果はどういう影響を社会に与えるのか。５００年後から振り返った「歴史」への関心である。

そうした影響は、いうまでもなく自らにもはねかえる。しかし、それを予想しながら頁を繰るから、興味が何倍にもなるのである。

挙句の果て、「時間が足りない！」と真夜中に、独り、書斎で叫んでしまうことになる。昔と少しも変わっていない。

それどころか、70歳になっても75歳になっても、何も変わらないのかもしれない。反対に哀れなことになるかもしれない。自分なりにできることはしている。しかし、結局のところは天の決めることと思うほかない。私の人生は私のものではない。

引退して始める絵画の嗜み

「ローヤー進化論」『BUSINESS LAW JOURNAL』2014年11月号

大橋巨泉氏はテレビの司会者としてよく知られた方である。いや、それだけではなく、競馬やマージャン、ゴルフなどなど、行くところ叶わざるはなしという趣の多芸多能の方である。

その巨泉氏が、『知識ゼロからの印象派絵画入門』（幻冬舎、2013。以下『印象派絵画入門』と略す）という本を出したという新聞広告を見たのが、2013年の5月2日のことであった。こちらとしては、まんざら知識ゼロでもないのだがと思いながらも早速購入してみたら、ほどなく読み終えてしまった。大いに堪能したのである。

広告には、「独断と偏見 印象派・画家ランキングつき」ともあった。何につけランキングは今の世の習いである。

1位はゴッホとある。印象派を広くとらえれば異論のないところだろう。以下、マネ、ドガ、モネと続くのだが、面白いのはセザンヌが9位でしかないことだ。「いかんせん絵が下手だった」とコメントするあたり、巨泉氏の独断・偏見の真骨頂というところであろう。7位のゴーギャンに至っては、「後半生は『売らんかな』に堕ちてしまいました」とくる（104頁）。「タヒチ時代の作品を、世界中の評論家がほめそやすのですが、ボクには理解できません」（107頁）というのが巨泉氏のゴーギャン評なのだ。ゴーギャンのタヒチ時代といえば、あの、『我々はどこから来たのか 我々は何者か 我々はどこへ行くのか』という絵があるにもかかわらず、である。

巨泉氏は、「1999年に突然西洋絵画に魅せられ」たという。彼は1934年、昭和9年の生まれであるから、1999年には65歳であったはずである。

カラー印刷と巨泉氏の地の文との組み合わせは、なんとも絶妙というほかない。それだけではない。「年表で印象派を整理しよう！」という見開きは、26名の画家の生没年が横軸の時の流れとともに一覧性あるものとして記載されていて、私のように、歴史上の人物の生年月日を確認しないではいられない者には、我が意を得たりという思いであった。

また、「地図で印象派を理解しよう！」という見開きには、私が以前に訪ねたフランスのモレ・シュル・ロワンについて「シスレー晩年過ごす」とあった。私はシスレーの空が大好きなのである。ノルマンディーのトゥルーヴィルという町の名は、この本で初めて知った。私がかねてから興味を持っているナポレオン3世がいた時代の、パリから6時間で行けるリゾート地だったのだという。

読み終えた私は、著者略歴欄にあった美術シリーズ5冊をすべて買い求め、読み始めた。2013年の6月11日のことである。5巻の『人生が楽しくなる絵画の見かた』（ダイヤモンド社、2012）が最初で、2か月ですべて読んでしまった。いや、絵の多い本だから、眺め終わったというべきかもしれない。その際にはネットに大変お世話になった。本にもカラー印刷の絵がたくさん出ているが、すべては網羅していない。絵の話をしていて絵が見られないとあっては、何がなんだか分からない。しかし、ネットで検索すれば、多くの絵にすぐにお目にかかることができる。

順番にさしたる意味はないのだが、私は5、1、3、4、2巻の順で読んでしまった。尤も「心惹かれた絵は？」と問われると、もちろん答えは難しい。

しかし、たまたまロンドンへの出張を予定したことから、実物を観る機会がありそうだと愉しみにしていたのが、フランス・ハルスの『笑う騎士』である。ロンドンのウォレス・コレクションにあり、なんとそこは宿泊予定のホテルから歩いて行ける距離にあった。さらには、スケジュールの都合で、何日かは空白の日ができるという偶然もあったのである。

しかし、結局私はロンドンへ行かなかったため、この絵の実物を未だ観ていない。

巨泉氏の本の2巻『目からウロコの絵画の見かた』(ダイヤモンド社、２００８)の56頁で、この絵を初めて観たとき、私は騎士の眼に強く惹きつけられた。絵の中の騎士が私に向かって、「俺はオマエを視ているぞ。オマエの一生をすべて」と凄んでいるように感じたのである。運命的な出逢いを感じたといってよい。

画中の人物に見られている感覚は、ラファエロの『小椅子の聖母』にもあった。あの、隣の美しい奥方といった趣の女性も、見ている私が逆に見られている感じを与えた。だが、彼女は優しかった。何にしても、である。

65歳から絵を見ることを愉しみとするようになり「この13年間で世界中のほとんどの有名美術館に足を運びました」とは。「セミ・リタイア宣言をして…時間は掃いて捨てる程ありました」とは(『印象派絵画入門』１４８頁)。弁護士で65歳での半引退宣言をできる人は、多くないのではないか。大きな事務所には定年のようなものがあるから、私の先輩の多くはそれによって顧問となられた。しかし、それも70歳までは現役で働いたうえでのことである。

私も65歳で半引退をするとは想像もできない。それどころか、私の存じ上げている方には80歳を超えてなお、現役を続けていらっしゃる方もいる。人の人生として、65歳定年と生涯現役と、一体どちらが良いのだろう?

所詮は個々の選択であるにしても、弁護士ではなく一般の組織を見渡せば、65歳での引退は遅い部類だろう。弁護士はスタートが遅いからだろうか、それとも年齢が仕事の質を上げるからだろうか。否、一般には組織というほどの組織で働いていないから、下からの圧力が小さいだけなのかもしれない。

個人の生涯としては、一度限りの人生を仕事に終始することと一定の年齢になったら引退してしまうことと、どちらが幸福なのだろうか?

分からない。座るイスがなくなれば、消えるしかないというだけのことなのかもしれない。

そういえば、弁護士もイス取りゲームになりつつある。今の若い弁護士にとっては、先のことではあっても、他人事ではないだろう。ちなみに巨泉氏は、『印象派絵画入門』で「金は現役時代のように稼いではいませんが、毎年海外に行ける程度の余裕はありました」と書いている。

★「専制国家」群に比する「民主国家」群の魅力

「パワー・オブ・アトーニー」『月刊ザ・ローヤーズ』2014年12月号

フランシス・フクヤマ氏が、米国の政治と世界の見通しについて述べた記事に接した。あの、冷戦終了は歴史の終焉を意味すると述べたフクヤマ氏である。11月8日の朝日新聞朝刊のインタビュー欄に、ボタンダウンのワイシャツを着て、雄弁に語りかけている姿があった。

私は、その中身を興味をもって読んだ。しかし、読み終わった私は、あたかもコーポレートガバナンスについての話を聞いたかのような錯覚を覚えた。たぶん、私がコーポレートガバナンスについて考えることが多く、米国の政治や世界の見通しについて考えることが少ないから、フクヤマ氏のインタビュー記事の読者としては、心に特定の傾きがあり過ぎたのかもしれない。

例えば、中国についてフクヤマ氏はこう述べる。

「権力行使に制度的な抑制がきかないため、中国に悪い皇帝（トップ）が出たときには、対処する方法がない」

「中国は、世界で最も早く『近代化国家』を成立させました。官僚制があって中央集権的で、能力本位で、さほど縁故主義的ではない」

その議論は、與那覇潤氏の『中国化する日本』を思い起こさせる。宋における官僚制と皇帝独裁の確立について與那覇氏は述べている。

しかし、フクヤマ氏は、中国には「『法の支配』や『民衆に対する説明責任』という仕組みがない」と言う。「この二つは、国家を縛り、国家権力が公共的な目的で使われることを担保するものです」と。

その事実を踏まえたうえで、フクヤマ氏は米国について触れ、「私が強調したいのは、民主主義国家には、自ら問題を修正する力があるということです」と言うのだ。理由は、「（専制国家と違って）民衆からの圧力に応えなければならないから」だと説明する。

フクヤマ氏の「悪い皇帝のたとえ」と「国家を縛る話」は、コーポレートガバナンスにそのまま当てはめることができそうだと感じるのは、私だけだろうか。

「権力行使への制度的な抑制」とは取締役会、それも今話題の独立社外取締役の仕組みではないか。

「法の支配」とはコンプライアンスであり、「民衆に対する説明責任」とはディスクロージャーであり、さらには今の問題意識から言えばスチュワードシップということもできる。

フクヤマ氏は米国の将来について悲観的である。「米国の文明そのものが衰退しているとは全く思っていません。米国の民間部門は強力で、革新的です」としながらも、「問題は政府部門にあります」として、財政の持続性や人口の高齢化に触れる。日本について述べたかのように聞こえることに啞然としてしまうほどだ。

フクヤマ氏の悲観の程度は、米国の国内よりも国外の問題について一段と大きい。ロシアと中国が問題とされる。両国をフクヤマ氏は「強力な非民主主義国家」と呼び、「今年は、それらの専制国家が領土拡大の野心を示した大きな変化の年であり、地政学がものを言った19世紀や20世紀に逆戻りしてしまったかのようです」とまで述べる。

フクヤマ氏は、その著書『歴史の終わり』で述べた「自由民主主義が最後に生き残るという主張」について、記者から、「中国はいつ民主主義に変わるのでしょうか」と質問を受ける。答はこうだ。

「長期的にみれば、現在の形の中国が持続してゆくのはむつかしいでしょう」

しかし、そう言った彼はすぐにこうも付け加えるのだ。

「ただ、いつ民主化するか予測は困難で、遠い先かもしれません」

つまり、フクヤマ氏によれば、現在の「非民主主義国家」は相当の継続性を持つこともあり得るというのである。

もしそうであれば、そうした米国の基準からみれば「非民主主義国家」であり「専制国家」である国々にも、厳然たる存在理由、正当性があるということにもなるのではないだろうか。

現にフクヤマ氏はこうも言うのである。

「米国で起きることは、世界的にみて重要です。なぜなら、多くの人々はそれをモデルと見るからです。米国のシステムが機能しないとなると、中国などの専制国家のモデルの魅力が高まります。アフリカや他の途上国がまねをするようになるととても危険だとおもいます」

フクヤマ氏は、米国のシステムであるグローバリズムを世界に受け入れさせなくては、世界が専制国家のモデルに傾いてとても危険なことになると言っているのだろうか？

明らかにフクヤマ氏は戦争の危険について述べている。「民主主義国家同士は戦争をしない傾向にあると考えています」としたうえで、「非民主主義国家」たるロシアや中国が有する「領土拡大の野心」について触れているからである。

ロシアや中国が領土拡大の野心を持っているとすれば、その対策は、なによりも「米国のシステムが機能する世界」を作り上げることにあるのだろうか？

日本は、一刻も早く「米国のシステムが機能する国」にならなくてはならないのだろうか？

それは、私には、アメリカ式のコーポレートガバナンスを全面的に取り入れるべきだという意見、警告のように響く。フクヤマ氏の意図はそこにはないのだろう。しかし、「米国のシステム」についての疑いを世界の人々に抱かせてはならないということに賛成するとしても、日本人である私は、留保を付けないではいられない。

なぜなら、「米国のシステム」は米国人だけが作り上げるものだからである。

フクヤマ氏は、「米国政治の大問題の一つは、政治家に献金したり、ロビー活動をしたりする利益団体の影響が増していること」だと率直に述べる。もとより、そこには日本という立場は存在しようもない。米国は米国民の国なのである。フクヤマ氏も米国に生まれた米国人なのである。

そこから、世界の国々はグローバリズムの一環としての米国型コーポレートガバナンスを取り入れるべきだという議論を引き出すのは、私の偏見が過ぎるというものだろう。

だが、米国式でないものは非民主主義的であり専制国家と呼ばれるにふさわしいというところまで議論を拡大してしまえば、その議論の射程範囲ははっきりせず、場合によっては危うい結論にたどり着きかねない。

私は、米国式のコーポレートガバナンスのみがコーポレートガバナンスであると考えたことはない。現に、資産運用受託者にかかわるスチュワードシップ・コードは英国に由来する発想である。米国にはスチュワードシップ・コードは存在しない。

もちろん、コーポレートガバナンスは、米国のシステムの一部分に過ぎないだろう。だが、そこに英国式、さらには日本式のやり方が加わるなら、専制国家に比べての民主主義国家群の魅力は一段と高まるに違いない。

アフガニスタンでの、イラクでのアメリカの失敗を見るにつけ、私は、話はコーポレートガバナンスという狭い分野のことではあっても、日本の「米国のシステム」への寄与は、実は世界にとって大きな意味があるに違いないと考えている。

なぜならば、我々が引きつけなければならないのは、「アフリカや他の途上国」といった、多数の国々だからである。その国々の人たちが、「米国式のシステム」というのは、実はさまざまなヴァリエーションを持つ、柔軟なシステムなのであり、米国式をそのまま厳格に適用することではないと、例えば日本の成功を通じて実感することができれば、「米国式のシステム」について「ああ、あの日本式の」と納得がいって、採用への抵抗は必ずや軽減するに違いない。

以上を綴りながら、ふとこんなことを思った。戦前の日本のことである。もし私が、戦前の日本について、選挙によって反政府派の議員も当選することのある議会が存在した事実、翼賛選挙を無効と宣言するほどの法の支配があった事実を指摘したら、それはヒイキの引き倒しなのだろうか。

しかし、少なくとも昭和天皇がその平和志向にもかかわらず開戦を阻止しなかったのは、立憲主義を重んじたからであるという考えは、多くの人々に支持されている。日本の民主主義、法の支配の歴史は戦前に遡るのである。

弁護士業の広告・マーケティング

「ローヤー進化論」『BUSINESS LAW JOURNAL』2014年12月号

いつ頃から、弁護士がマーケティングをすることが当たり前になったのだろうか。

私が弁護士になった35年前、事務所の代表をしていたアメリカ人は、雑誌や新聞に名前が出ることすら嫌悪しているようだった。夢のようである。今では法律事務所は機会を作り出してでも、自らを売り込まずにはいない。

先日、こんなことを考えていた折、ふと心臓外科の手術で名高いある医師のことを思い浮かべた。彼にとっては、広告を出して患者を募ることなど想像だにできないだろう、と。

いや、弁護士によるのかもしれない。多くの弁護士は、広告を出したり公に自慢話をしたりすることを醜く感じ、そうした弁護士を軽蔑しているのかもしれない。

広告とまでいかなくとも、法律事務所はますます大きくなり、立派なオフィス・ビルに豪華な内装を施し、高価な什器備品を配置する。「まるで投資銀行みたいだな」と言ったのは、私の友人のアメリカ人実業家である。彼の表情は苦々しげであったが、私は「そうした外観も信用に影響するからこそ、莫大な投資をしているということではないのかね」と答えた。初めて法律事務所を訪ねた者は、華美にわたらない限り、上質で高価な諸設備を見れば、予想される請求金額に及び腰にはなりながらも、その反面、安心もするのが人の世なのだ。

すべて弁護士先進国であるアメリカが先行している。

検事を2年やってから弁護士になった私にとって、雇われることになった法律事務所の何とも豪勢な造作は思い出深い。レセプションは他に例を見ないほど大きかった。また、あるネーム・パートナーの部屋は、ドアを入っても彼の姿がすぐには見えないほど広かった。それも窓の外に皇居の見える好立地の部屋である。後になって、その事務所をデザインしたアメリカ人デザイナーは私の依頼者になったのだが、彼は当時、丸の内の各所にたくさんあった外国銀行の日本支店のデザインも数えきれないほど手がけていた。中には、例えば、支店長専用のトイレやシャワールームまで付いたところもあったのである。

シャワールームまであったのは、外国銀行の支店長に限らない。倒産した保険会社を購入すべく、依頼者と訪ねて回った日本の会社の本店には、会長用と社長用と同じような設備が二つ、シャワールームとトイレを含めてしつらえられていた。あれは役所にあらかじめ知らせて実行したことなのだろうが、役所自体もそうしたことを了解する風潮があったのだろう。

今でも、役所では役職が上になれば部屋が変わる。大部屋の中の一人だったものが部下を見渡す場所に座るようになり、そのうち個室をあてがわれる。個室もだんだん大きくなり、入り口には別室と呼ばれる待合室のようなものが付設され、さらには会議室まで自分の部屋の隣に備えられたものになる。椅子も変わる。肘掛がなかったのが付くようになったかと思うと、立派な作りのものになっていく。

確かに、役職が高い人のところには訪ねて来る人が多く、そこでは待ち合わせの問題が起き、会議をすぐ隣でできることも必要になる。どんなに偉い立場の人間であっても、一人には1日24時間しかないからである。

創業者で社長でもある人が君臨する民間の会社には、そうした諸々の設備があるところも多い。上場しているところもある。だが、だからといって誰もとがめない。オーナー社長の存在が、会社の継続にとって欠くべからざるものだと分かっているからである。

一部の弁護士は、成功したビジネスパーソンの物質的な豊さを後ろから追いかけているように見える。ビジネスローヤーについていえば、個人的に好むと好まざるとにかかわらず、そうしたふりをしてみせることが仕事の一環になってしまっているようでもある。いつも贅沢な暮らしをしているトップ・クラスの人にとってみれば、自社の弁護士が貧相なオフィスを構えていると、

「どうもこの弁護士は自分の仲間ではなさそうだ」と感じるからである。少なくとも、弁護士の側はそれを恐れている。「目の前にいる弁護士は自分と同類らしい」と思えば、信頼が自ずと湧き上がってくるということなのだろう。弁護士としての知識と知恵があることは、いわずもがなの前提である。

だが、弁護士としての広告やマーケティングは、そんな次元のことではない。

弁護士として存在していること、これこれの知識と経験と規模で信頼を博していることを絶え間なく発信し続けなければ、現在占めている場所から滑り落ちてしまう。その強迫観念が、紙での、ネットでの発信をせずにはおれなくさせ、友人の弁護士、あるいは見知らぬ弁護士と顔を突き合わせて交流することに駆り立てる。国の内と外とを問わない。組織を立ち上げて役職に就いていることを誇ってみせる。既存の依頼者との、あるいは潜在的な依頼者との接点は決定的に重要である。

こうした弁護士の需要に応ずるための産業が発達してくる素地もそんなところにある。隣が使えば、こちらも無関心ではいられない。その状《さま》は、歯磨きを売ろうとすることと少しも違わない。ビジネスとはそうしたものである。その中では、どう見ても弁護士業は後進産業のように見える。まだまだ発展の余地があるように感じられる。

その結果はどうなるのか？　どういう地点にたどり着くことを目標にしているのか？

誰もが法的サービスにアクセスできることである。豊かな依頼者はそのように、貧しい依頼者もそれなりに。法は万人によって利用されることを待っている。だが、そのデリバリー役は弁護士なのである。もっと、もっと、である。この競争からは降りることは許されない。脱落することは、望まなくとも、頻繁にある。

それだけではない。今や弁護士もビジネスと正面からとらえるべきなのかもしれない。現に、医者の世界では、一方に赤ひげがいて他方には大きな機械設備なしには成り立たない世界がある。MRI一つをとっても、そのことは明らかだろう。だとすれば、弁護士にとっても、未来には市場での資金調達が重要な課題と考えるべきだということなのだろうか。ITが鍵である。

美術界に革命をもたらしたピカソ

「パワー・オブ・アトーニー」『月刊ザ・ローヤーズ』2015年1月号

ピカソといえば、知らない人はいないだろう。あの、横向きの顔に正面から見た目が二つついた、まるでヒラメのような女性の顔を思い出す方も多いかもしれない。『アヴィニョンの娘たち』である。ニューヨーク近代美術館、MoMAにある。

1973年、91歳で亡くなったときの遺産総額は7500億円だったという（『ピカソは本当に偉いのか?』西岡文彦、新潮社、2012 17頁）。それも、3年にして数倍になったというから、今の価値にするといったいいくらだったことになるのか。金儲けを専業とするビジネスマンで、生涯にピカソ以上の富を手にした者は、いたのだろうか。いたとしても、いったい何人いたことだろうか。

「私が紙にツバを吐けば、額縁に入れられ偉大な芸術として売りに出されるだろう」と豪語していたという。数十人分のディナーくらいなら、紙のテーブルクロスにサインすれば払えたともいう。あるいは彼に匹敵するのは、ミダス王だけかもしれない。かの、手に触れるものすべてが黄金となったという、神話上の存在である。

ピカソの作品を好むかどうかは、個人の嗜好である。ピカソよりもモネを、モネよりも古典派のジャン＝レオン・ジェロームを好む者もいるだろう。ただし、本当にそう口にしてしまうとほとんど骨董品のような絵画観の持ち主ということになってしまいかねない。

話す相手によっては気をつけたほうが良い。今の時代、少しでも絵画をたしなむと称するのであれば、やはりロスコあたりがなんとなく気になってね、とでも言ってみせなければ、それらしい尊敬を人々から得ることはできない。

西岡氏の本は、このからくりについて説明した本である。画家のみならず社会現象としてのピカソについて知ろうとして読めば、興味は尽きない。

例えば、フィレンツェにあるダビデ像の値段について著者は説明する。出発点は、作者であるミケランジェロが得た報酬である。今の物価で300万円くらいなのだそうである（21頁）。売りに出ることはあり得ないが、もし売りに出たとしたら数百億、いや数千億円の値段がついてもおかしくない彫像が、あのイタリア・ルネッサンスの大天才がつくった作品が、300万円だったというのである。

私は驚いた。もちろん時代が違うにしても、当時でもそれなりの尊敬を受けていたはずではなかったか。だとすれば、いくらなんでもあれほどの傑作にたった300万円とは、と思ったのである。

しかし、15世紀には「芸術家」というものはいなかったと聞くと、少し分かってくる。「芸術家」という概念が誕生したのは19世紀半ばを過ぎてからである。ミケランジェロは、芸術家ではなく、単なる工事の「業者」に過ぎなかったということなのである。そんなミケランジェロへの払いだから、こういうことになったのである（25頁）。

ピカソの『アヴィニョンの娘たち』は、「ゴッホやセザンヌの絵のように貧困や無理解の中でなお、芸術的な信念を貫いて描かれた作品ではない」（45頁）と聞けば興味はますます津々である。

西岡氏は、ピカソの評価は、ダーウィンの進化論を抜きにしては考えられないと言う（１６６頁）。

なぜなら、進化論以前の世界で、「神が最初に全宇宙を創造したとするキリスト教の世界観に従えば、真なるものや美しいものは、太古にその理形を与えられている」はずだからである（同頁）。

伝統的な美はそうした世界を表現していた。それに揺さぶりをかけるような衝撃、そうした破壊的な衝撃を備えた「前衛」という立場。それは進化論によってこそ支えられるというのだ。確かに言われればそのとおりである。

その結果、変化は正義と同義になる。我々の日常の発想にしても、何につけ変化を良しとする感覚に浸りきっているような気がしないでもない。

なんにしても、進化論によって「芸術が生きのびるためには美が死ななくてはならない」という倒錯した論理に「科学的な根拠」が与えられることになったのだ（１６７頁）。

しかし、『アヴィニョンの娘たち』には、もう一つ決定的な事実がある。近代以降の美術の特徴は、もっぱら美術館に入ることを目的としているという点である。つまり、従前の美術、「古代ギリシア・ローマ時代の神殿美術や、中世ロマネスクやゴシック期の教会美術や、近世ルネッサンス・バロック期の王宮美術や市民絵画のように、神や王の居所を飾ったり、市井の生活を彩ったりするという『用途』から切り離され」ているのである（168頁）。

そうした近代以降の美術のありようを、西岡氏は、「絵画のありようを絵画そのものによって語るという自己言及性」という言葉で説明する。「画家の絵画論を発表するための絵画、ないしは新しい絵画の方向を宣言するための絵画という、絵画が絵画自身について語る論文のような『自分語り』性こそが、美術館入りする美術品にはふさわしいことになる」（169頁）。なんとも、自分の尻尾を呑み込もうとしている蛇のような話である。

マネがその最初である。1907年、ルーブルに入った。奇しくも『アヴィニョンの娘たち』の描かれた年である。ピカソはこの絵に懸け、周到な準備をしたという。

だが、この絵がMoMAに入り、その結果、世界を征服したのはピカソの力だけではなかった。そこには大きな歴史のうねりがあったのだ。

MoMAはアメリカの富の象徴である。それは、ヴェブレンの言う衒示的または誇示的消費にもっとも適した対象として美術品というものが存在していることを抜きには語ることができない。19世紀のアメリカで起きた、膨大な富の創造と支配階層の移動が、誇示的消費を必然のものとした。もはや財産は蓄えられるためではなく、費やすことのできる財力の大きさを示すために存在することになった。その量の格差で旧来の支配階層を圧倒するのである。

具体的には、地主中心の旧ブルジョワに対する産業資本家中心の新ブルジョワの挑戦と勝利である。誇示的消費とは、財力による競争相手への威嚇なのである。

だから、美術品は高額でなくてはならない。しかも、もともと美術品は「見せびらかすこと」が唯一の効用なのだ。これ以上適したものはない。

かくして、アメリカの新ブルジョワは、海の向こうのフランスの美術品を途方もない価格で買い上げることによって、それを武器にアメリカ国内での旧ブルジョワとの闘争に勝利したのである。

先ず、印象派があった。その間の事情は『印象派はこうして世界を征服した』（フィリップ・フック、白水社、２００９）に詳しい。

しかし、ピカソは特別の存在なのである。それは、ＭｏＭＡが『アヴィニョンの娘たち』を用いることで、自らを決定的な意味で美術館の権威の頂点にすることに成功したからである。

ＭｏＭＡは、「青の時代」や「バラの時代」の、商業目的の画商たちが売り込むことに成功したピカソではなく、「むずかし過ぎて、売れ行きがあまりよくなかった」キュビスムのなかでもとびきり難解な『アヴィニョンの娘たち』に着目した。それを主役とした展覧会を開催してみせたのである。そうすることで、商業目的の画商とは隔絶した美術館の学術的な権威を確立したのである。

そこで遂に、商業性も実用性もはるかに見下した「美術館の学術的な権威」ができあがる。1939年から1940年にかけて起きた事件である。いうまでもなく、ヨーロッパは第二次世界大戦のさなかであった。その時、アメリカには戦争がなく、社会現象としての美術革命があったのである。

西岡氏は、ピカソが死の前年に描いた自画像を示し、「その眼差しは、まさに凄惨の一語」という（104頁）。そして、「名声や富は人を幸せにするのか」と問い、さらに「芸術は人を幸せにするのか」と重ねて問う。

私は、青の時代の20歳の自画像のほうを好む。紅い唇が印象的な、若く、未来に富み、そうであればこそ不安に張りつめたその表情は、積極的な意味でも消極的な意味でも、青春という言葉にふさわしい。その絵の男は、その後70年余を生き、10万を超える数の作品を生み出し、たくさんの女性の運命を狂わせて、死んだ。人は誰でも死ぬのである。

ふと、私は、現代の中国はそのピカソをいつ、どこに発見するのだろうかと考える。アメリカの世紀がＭｏＭＡに『アヴィニョンの娘たち』を置いたように、中国は何を、どこに置くのだろうか。それとも、美術館のための美術ではない何かを創りだすのだろうか？

いや、この日本は？　問いはいつも、結局、自分に返らずにはいない。

★コーポレートガバナンス論と日本社会の行方

「ローヤー進化論」『BUSINESS LAW JOURNAL』2015年1月号

コーポレートガバナンス論が沸騰している。

もちろん、コーポレートガバナンスはずっと以前から課題になっていた。ときどき、著名な上場企業にスキャンダルが生じると、大きな問題としてメディアに取り上げられ、しばらく世間を賑わせる。そのまま消えてしまうこともあれば、法改正につながることもある。

だがそうした話題は、経済というよりも社会問題という側面を帯びていることが多い。だから喉元過ぎればなんとやら、という嫌いも大いにあった。

それが、今回は違う。経済成長の問題として一挙に脚光を浴びたのである。

いうまでもない、安倍内閣の「『日本再興戦略』改訂2014」である。2014年6月のことである。

1年前の2013年に「日本再興戦略」が英語で〝JAPAN is BACK〟として華々し

く喧伝された。あのときにスチュワードシップ・コードの話が紹介された。未だ世間にはそんな言葉が膾炙《かいしゃ》していなかった時期であった。

そのスチュワードシップ・コードが、話が出たと思ったらすぐに実現してしまった。日本らしくない、なんとも迅速だなどと論評している間もなく、たくさんの内外の投資家がただちに採用宣言をする運びにもなった。

ほう、政府はやる気だなと思っていると、「『日本再興戦略』改訂2014」が出て、今度はコーポレートガバナンス・コードである。それも、経済成長の大看板としてである。11月末か12月には素案ができる見込みだという。2015年の株主総会シーズンには間に合わせるのだと聞く。早い。なんとも早い。

善は急げという。安倍内閣には急ぐ理由がある。経済成長は内閣の死命を制するからである。株価は目に見えるからである。

私には、コーポレートガバナンス・コードはスチュワードシップ・コードと対をなし、上場企業の内部留保に狙いを定めているように思われる。俗な表現をすれば、サンドイッチのように挟んで絞り出すということだ。「貯めたままにするな。投資せよ。さもなくば株主に返せ」ということである。コーポレートガバナンス・コードは取締役会に社外取締役を送り込み、スチュワードシップ・コードは株主、中でも機関投資家による、企業への建設的対話を通じた影響力に期待する。

経営者は、外からは株主に、内からは社外取締役が力を持った取締役会に挟み撃ちにあった格好である。

そこにはアメとムチがある。

ムチは退任である。例えば、一定のROE（株主資本利益率）を達成できなかった社長は辞任が当然という風潮が、もうチラホラ見え隠れする。

アメは報酬である。日本の上場企業の社長報酬の中央値は約1億1000万円といわれる。イギリスは5億円、アメリカは10億である（年売上高1兆円以上）。社外取締役が中心の報酬委員会ができれば、社内取締役への報酬は増える可能性がある。もちろん、業績次第ということではある。

社長の任期2年を2回とか3回とか務め、その次には会長になって同じことを繰り返すという伝統的なやり方はさせないという声が、大きくなりつつある。業績に対する責任をとることなく、在任を続けることは許されないという考え方である。

最近、そうした日本のコーポレートガバナンスの変化について話す機会がたくさんあった。日本語だけではなく、英語でも話した。この2014年10月にIBA（国際法曹協会）の世界大会が東京であったことから、声をかけていただいたのである。IBAに関係ないところからも依頼をいただいた。コーポレートガバナンス論が沸騰していることを思えば、なんの不思議もない。話すとなれば、事前に考える。何度も繰り返したことである。短い間に同じテーマについて考えることが度重なれば、あやふやだった知識も確固としたものになる。見えなかったことが見えてくることになる。

いま私は、コーポレートガバナンスは実は雇用問題であり日本改造問題だと改めて確信している。

立場による。他人の金を運用している立場に立てば、コーポレートガバナンスとは何よりも株価であろう。長期的投資であろうと短期的投資であろうと、投資ということが株式を意味する以上、そうした人々にとっては、コーポレートガバナンスとは株価の上昇である。

経営者の立場に立てば、コーポレートガバナンスとは社外取締役の委嘱に始まって、良い関係を作り上げ、それを実績につなげて説明することである。場合によっては、報酬が増える可能性があるのだから、愉しみにしている向きもあるかもしれない。

では、従業員の立場からはどうか？

活気のなかった会社が、社外取締役の活躍により、あるいは機関投資家との対話により、元気を取り戻せば給料も上がるかもしれない。

いや、反対に、株主の要求が尊重される度合いが高まれば、給料が上がるどころか、逆に職に留まることが難しくなるかもしれない。殊に、経営者への報酬が、これまでと違って、第三者である社外取締役も関与して決まるとなれば、経営者はボトムライン、すなわち利益を必死に確保しようとすることになる。そうなれば、人件費が真っ先に標的とされるかもしれない。

しかし、問題の本質はそこにはない。

決定的に重要なのは、経営者と従業員の一体感が崩れるかもしれないことである。外部からトップを招聘した場合には、その可能性が無視できない。

それこそが望ましいという立場はあり得る。日本を変えなくてはならないという考え方は、いつの世にも聞かれた声である。

だが、その一体感が日本企業の強みであったのも事実である。それが弱くなってしまうとすれば、何か代わるものが必要である。

労働市場の流動化は、一つの解答である。反対論も根強い。

何が起きるべきなのか。実際には何が起こるのか。

いずれにしても、良いところだけをつまみ食いすることはできない。あそこを動かせば、ここも動かないではいないのが世の中の仕組みである。日本はどこへ行くのか。いよいよ注目しなければならないだろう。

★人類の福祉が資本主義で到達できるのか

「パワー・オブ・アトーニー」『月刊ザ・ローヤーズ』2015年2月号

こんな落語がある。怠け者の親子がいた。夜中、寝ていた家から火が出た。未だ小さなうちに消せばよいものを、どちらも布団から出るのが面倒だからと寝たままでいる。しばらくすると火の勢いが増してくる。子どもが「お父さん、足のほうが熱くなってきたよ」と言っても、父親は「面倒くさいから」などと答えて放置したままでいる。最後には、家全体がまる焼けになってしまい、二人とも焼け死んでしまう。

親子は地獄へ行く。入り口で閻魔《えんま》様が、「そんな奴はこんどは人間に生まれ変わらせるわけにはいかない。なにか他の動物にしてやる」と宣言すると、父親のほうが頼み事をする。「どうか猫にしてください。それも全身が真っ黒な猫にしてください。で、済みませんが鼻の先だけをちょっとだけ白くしておいてください」と言うのだ。

閻魔様が、「どうしてだ?」とたずねると、「体中真っ黒ですと、夜中、鼠には私の姿が見えません。そこに小さく白いものだけが見えます。鼠が私の鼻先の白いところを米粒と間違えて近寄ってくるというわけです。私はそこまで来たやつを、やおら口を開けて食べるという寸法です。手間がかからなくって楽なことこのうえありません」と答える。

実はこの落語は「無精猫」というらしいが、私はその落語を聞いたことがない。子どものころ大先輩から、鼻の先だけ白い猫の話として聞いたのである。確かにそれはそうだ、と思った記憶がある。しかし、そう思いはしたものの、猫に生まれ変わった親子が羨ましくてならなかったわけではない。

そのころ、私は高度成長の前夜にあった日本で、勉強して必ずや福沢諭吉の言う「有用の人」にならなくてはならないと頭から信じ込んでいたのである。戦争が終わって15年、周囲の大人も同じような考えで、そこになんの疑いも抱いていないように見えた。だから私は中学受験をすることを当然のこととして日々励んでいたのである。

それが、どうやら資本主義の精神の小さな発露だったらしいことに気づいたのは、ずっと時間が経ってからである。

私が中学の入学試験を受けたということは、他の受験生よりもより良い成績をとろうとしたということである。そのためには、日夜精進するしかない。これだけの勉強をしたら必ず合格するなどという保証はどこにもない。だから、力の限り頑張るしかないのである。

とはいっても、力の限りやるなどということは実際にはできることではない。それでも、精一杯に近い努力をするしかなかったということである。

競争。もちろん、その向こう側に報酬が用意されている。現代の資本主義の原理そのままである。

「資本主義を正当化する根本の論拠は、利潤追求という人間の悪しき本能から出発して人類の福祉に至る、というもの」だという（『グローバリズムが世界を滅ぼす』のうちエマニュエル・トッド氏の部分128頁）。

その直前には、「経済アクターの行動、企業のミクロ経済上の行動は、資本主義体制においては当然のことですが、最大利潤の追求です」とある。「最大利潤の追求」と志望校に合格したいという願いの間には、規模の大小はあっても、本質的な違いはない。トッド氏によれば、どちらも「悪しき本能」ということになる。

悪しき、といわずにおれないところが興味深い。現在の会社法では、株式会社は株主の利益を最大化させるように経営されなければならないと言われている。それは規範である。したがって、悪しきという言葉とは相いれない。トッド氏の考えは、道徳的には悪いことだが、人間の本能がそうなっているから止むを得ないという発想のように思われる。

入学試験にしたところで、全員を合格させれば良いではないか、という考え方もあるのかもしれない。現に、小学校の駆けっこで、全員が手をつないで同時にゴールインするという話を聞いたことがある。

どうやら争うのは悪いことのようなのである。だが、果たしてそうなのだろうか。

必要は発明の母という諺がある。かの落語の猫には必要というものがない。なにしろ鼻の先が白くて使い減りのしない餌になっているのである。

だが、しばらくはという限定が付く。鼠も馬鹿ではないからである。そのうち、どんなに黒い猫であっても、暗闇のなかであっても、猫の白い鼻先に近づく鼠はいなくなる。猫の側に改善の必要が生じる。例えば鼻先に鼠の好きなお米の匂いでも付けておけば、しばらくはもつだろう。

しかし、それとても時間の問題でしかない。第一、お米の匂いをどうやって鼻先に付けたものか。猫としては大いに工夫し、実験もしてみなければならないだろう。それでは、なんのために閻魔様にお願いをしたのか分からなくなってしまう。

こうした猫の工夫を、トッド氏は「悪しき本能」という。しかし、人は自然淘汰のなかで必死に生き延びようとしている存在に過ぎないという考え方もある。人は、いや動物に限らず生物一般は生存と繁殖のためにのみ生きているように見えるということである。つまり、本能について善し悪しを言ってみても仕方がないということである。

その本能がどう道徳とかかわるのか。問題は、動物のなかで人だけが言葉を持っていることにある。

「あなたが知ることと僕のイヌが知ることとの間には決定的な違いがひとつある。人は、一度知ってしまったら、『それをほかの人に言ってしまう』ことができることである」（『ヒトはなぜ神を信じるのか』ジェシー・ベリング、化学同人、２０１２　２１７頁）

ある人について、他人は目にする情報以外にも別の人から伝達された情報も持つことができる。そうなれば、当人にとっては直接に見られてしまうことだけではなく、どんな「評判」が立っているのかが大事にならざるを得ない。

評判が重要であることの前提は、ある人間について別の人間が知っていることを、第三者が知らないことである。であればこそ、その知っている別の人間はそれを知らない第三者に対して、知っていることとして言いふらすことができるのである。言われてしまえば、「悪事千里を走る」と言われるとおり、ある人間についての評判が定まってくる。

ネットに昔の悪行が書き込まれてしまえば、それは永遠に消えない。忘れられる権利として議論されているところである。ＩＴの時代となってしまった結果、ことはより厳しいものになってしまっているといえそうである。

いずれにせよ、悪い評判が定まってしまえば、その人間の繁殖成功度は低くなるだろう。誰もその人間をまともに相手にしなくなるからである。

どうしたら良いのか？　予防するしかない。それも完璧に。誰かに見られているかもしれないから気をつける、という以上の方法で。悪行をしているところを他の人間に見られない最良の方法は、そもそも悪行をしないことである。それも、見られているかもしれないからしない、という程度の厳格さでは足りない。それでは、見られていないようであればするということになってしまう。

抜本的な策は心の内側である。「良心ってのは、だれかが見ているかもしれんぞとわれわれに警告する内なる声のこと」（『ヒトはなぜ神を信じるのか』によればメンケンというアメリカの風刺作家の言だという。236頁）というところまで来れば、安心である。道徳の誕生である。

そうなれば、心のうちに神が誕生する日も近い。なぜなら、神は「個々の人間についてその『心や魂』についてなんでも知っている」からである。自分の良心は弱い。しかし、神は自分の外側に存在するものである。

もちろん、これは「心の理論」なる心理学に基づく解説に過ぎない。そもそも人間には神について語ることなどできない、というほうが確かそうにも思われる。

トッド氏は、本能から出発して「人類の福祉に至る」のが資本主義だと言っている。その本能はトッド氏の言うとおり悪いものなのか、それとも良いものなのか。

だが、世の中が全体として良くなったためしはない。人類の福祉が資本主義で到達できるのかどうか、誰にも分からない。ただ、さしあたって資本主義しかないのである。

神がいながらどうしてこの世に悪があるのかと問ってみたところで意味のないことに過ぎない。そもそも人間には、神がなにを考えているかを問う能力がないのだと思って、せっせと身の回りを掃除することに努めるしかなさそうである。

現代人を苛む欲求不満と飢餓感

「ローヤー進化論」『BUSINESS LAW JOURNAL』2015年2月号

現代、先進国の多くの人々はなぜ神について語ることを忘れ、経済の成長についてばかり語るのだろうか？　しかも、時として経済成長とは株価の言い換えのようですらある。神ではなく株。いったいどうしたことなのだろうか？　物が不足しているからだろうか？

しかし、周囲を見渡してみれば、視野に入る限り、物質的に何か足りないものがあるから、経済が一刻も早く成長してくれなくては困る、日々の悲惨な状態が耐え難い、という状況ではないように見える。

もちろん、神も株価も比喩に過ぎないのだし、こんなことで神を持ち出すこと自体、いささか不謹慎の誹《そし》りを免れないだろう。だが、それでも、現代の先進国に生きるビジネスパーソンの心の一面を表してはいるに違いない。

今は昔、中世の西洋では、人々は朝から晩まで神について考え、信仰に生きていた。王権が教皇に屈したカノッサの屈辱は1077年のことである。あのミレーの『晩鐘』は1857～1859年頃に描かれた。日本でも、江戸時代には士農工商という序列が職業に付けられていた。幕末、土佐藩の武士が街で狼藉《ろうぜき》を働いたフランス海軍の水兵を射殺し、「皇国のため」と言って進んで切腹をしたのは1868年のことである（拙著『この時代を生き抜くために』幻冬舎、2011 149頁）。

それが、今では人々の心はすっかり変わってしまったように思われる。

はっきりと言えば、これほどの物質的豊かさに取り巻かれながら、ビジネスに携わっている人々のこの飢餓感はいったいどこから来るのだろうか、という疑問である。

日本人に限って話せば、明治維新以来150年、ここまで富国に成功しながら、人々がわれ先にと電車の席を争い、年寄りがいれば蹴飛ばしてしまいかねないような目つきをするのは、どういうわけなのだろうか？

豊かさとは、そうしたことを平然と奨励することだったのだろうか？

違う。誰もがそう答える。

ただ誰もが将来が心配なのである。手元にお金がないわけではない。会社が明日にでも破綻しそうなわけでもない。それなのに、目にするもの身に起きること、どれもが先行きの不安を煽り立てずにおかない。

個人に絞ってみれば、なまじ手元に少しの蓄えがあるばかりに、それで残りの人生を安楽に暮らせるはずだったのが、どうやら当てが外れたらしいと心配になってしまうのである。

誰が悪いのか？

もちろん自分である。今の世に生まれ、そこそこの生活をしている我が身の不幸、不運を呪うほかない。何も失うものがなければ、憂う種はないのである。わずかばかりでも持っているのが、ことの始まりである。

思えば、私の親たちの世代はそうではなかった。親たちは、冷房もなく暖房も乏しく、お湯の出る生活などは夢のまた夢という状況の中で暮らしていた。それでも、今の時代の人々のように、心がささくれ立ってはいなかった。

違いは？

親たちの世代は、変化の時代を生きていなかったのである。上昇を求めたところで、自分の力で生活を豊かにすることは困難な環境だった。生まれた場所で育ち、暮らし、死ぬ。

今の自分は？

生まれた場所は選んだわけではない。しかし、どこで暮らすのか、どうやって死ぬのか、自らの判断で選び取ることができる。

と言って、もっと好い思いがしたいというのでもない。他人を出し抜いてやろうというのでもない。

しかし、知らない間にどうやら自分だけが貧乏くじを引かされてしまうのだけは我慢がならないのだ。だから、四六時中、周囲に油断なく目を配り続け、耳を澄ましていなければ、そんな境遇に陥りかねないという焦燥感に駆られる。

飛行機に乗ろうとすれば、一定の条件に当てはまればお得になるという情報がネットに溢れている。つまり、普通に予約して旅をするのは損なのである。ほんの少し時間と情熱を傾けて割安のチケットを手に入れたときの歓びは、単なるお金の問題ではない。現代に生きるためのスマートさをこの身が持っていることへの満足感である。

しかし、次の瞬間にはホテルの予約が待っている。無限のアリ地獄が続く。旅行をしたかったはずなのに、結果は欲求不満と飢餓感に苛まれることになりかねない。

困ったものである。それなりに豊かで自由な、なんとも贅沢な、申し分のない状態に生きていることにすべての原因があるようなのだ。

そもそもの職業選びがそうだった。親の世代ではあるまいし、一度入社したからには石の上にも三年などという愚かな発想はない。常に未知なる機会への神経を研ぎ澄まし、一瞬でも躊躇することは我が身に苔を生やすことだと自らを叱咤して、新しい世界へ飛び込む。考えてみれば、日本に生まれたからといって日本に居続ける必然性など、どこにもありはしない。

結婚も同じだろう。

では子どもは？

そこで、人生が変わる。面倒をみなければならない、いたいけない者が生まれて、自由な生活への拘束が始まり、苛立たしいと同時に、一方でほっと一息つく。ああ、このために生きてきたのかと感じる。

私は弁護士同士の若い夫婦をよく見る。恋人時代はもちろん、結婚しても生活はほとんど何も変わらない。どちらもが弁護士として、一心不乱に、夜を日に継いで働く。

だが、子どもができると、何もかもが激変する。親の世代と違って、夫婦の子どもなのだから、夫婦で面倒を見るのが当然とお互いに思う。弁護士としては思うに任せないことになる。どうやら女性が一歩下がる例が多い。

それでよいのだろうか？

私の答えは、『現代の正体—深夜の書斎から日本を思い世界に及ぶ—』（幻冬舎、２０１４）17頁に書いた。よくないと思っているのである。一刻も早く社会の規範が追いついて来なくてはならない。文明が進歩するというのは、そういうことである。

★新しい日本型経営は国際的に通用している

「パワー・オブ・アトーニー」『月刊ザ・ローヤーズ』2015年3月号

「日本の経営者報酬には、企業価値を高めるために積極的にリスクをとっていこうという動機づけ（インセンティブ）が足りないのではないか」という問題提起があった（日本経済新聞2015年2月8日）。巨額報酬で知られたアメリカの経営者（年売上高1兆円以上）が平均して年11億5000万円を受け取っているのに比べて、日本の経営者は1億3000万円にとどまり、総額だけを比較すれば米CEOの報酬は突出しているという。ちなみにイギリスはその間である。

しかし、「業績や株価の動向に左右されない『基本報酬』を抜き出すと様相が異なる」とこの記事は言う。

「米CEOの基本報酬は総額の11％にあたる1億2000万円にとどまり、対照的に日本企業は総額の59％、7400万円となり日米の差は急速に縮まる」

続けて、「日本の経営者は業績や株価がふるわなくても報酬が減る恐れが、米国よりも小さい。裏を返せば業績を拡大しようとするインセンティブが不足しがち」とのタワーズワトソンの指摘に言及したうえで、この記事は「今の日本の懸念は、攻めの動機づけを与えられたスーパーCEOが不在であるということではないか」と指摘する。

大方のビジネスパーソンの意見と異なる、しかし、重要な指摘である。

アメリカのような高額報酬について、私は、昨年の秋、以下のように書いた（『現代の正体』幻冬舎、2014 21頁）。

「こうした分野のことについて尊敬すべき見識をお持ちと感じられる方々に質問をさせていただく。すると、例外なく否定的な答が返ってくる。たずねた私自身がいささか拍子抜けするほどに、コーポレート・ガバナンスについての立場の如何を超えて、アメリカ流の高額報酬への支持は存在しない。『日本ではせいぜい今の2倍程度でしょう』と言われるのだ。なかには、内部昇進のトップに対して一人だけ群を抜く報酬を払うことはできないと説明してくださる方もある」

さらに私の文章はこう続く。「初めから経営者として会社に入ったトップについてはどうだろう？　近いうちに業績に連動して飛び抜けた報酬を得る事例が出てくるに違いない。そうなれば、流れは大きく変わるかもしれない」

また、「問題は、上場会社の大半を占める内部昇進のトップが多額の報酬を得るようになるかどうかである。もしそうなれば、日本の会社経営は変わるだろう」とも書いた。

あるいは上記記事は、潮目が変わったと警告しているのかもしれない。「内部昇進のトップに対して一人だけ群を抜く報酬を払うことはできない」ことが理由だとすれば、報酬の決定権を内部昇進のトップから社外取締役に移せばよいということになるのかもしれない。

昨年末のコーポレートガバナンス・コード原案には、「経営陣の報酬については、中長期的な会社の業績や潜在的リスクを反映させ、健全な企業家精神の発揮に資するようなインセンティブ付けを行うべきである」と書かれている。

現状について、上記記事は「経営の観点だけではなく、消費の刺激や雇用拡大といった経済全体の問題としても、企業マネーの有効活用は重要だ」と説く。もちろん、「95兆円の手元資金を抱える日本の上場企業」の姿があってのことである。

ことは報酬だけではない。そうした高額報酬による動機づけの実行が現経営者自身に期待できないとなれば、社外取締役による指名委員会によって、動機づけに応える用意のある者をトップに選任すべきだという議論になってゆくかもしれない。

このような高額報酬による動機づけが必要との考え方の背景には、経営者が会社の業績を左右するという発想がある。しかし、業績連動報酬は、自分が経営者である間の業績が報酬に反映するのだから、短期的な会社の業績で測れば良いのだとは誰も考えていない。コーポレートガバナンス・コード原案の言うとおり、「中長期的な会社の業績」が重要なのである。

なんにしても、それはコーポレートガバナンスの問題では終わらない。雇用の問題にならないではいない。終身雇用をどこまで維持するのかという問題に帰着する。

なぜなら、「そうしたトップは従業員の解雇について躊躇しないだろうと想像されるからである。ボトム・ライン、つまり純利益の額が経営能力の評価を決めるとなれば、結果は見えている。頭数を減らしてでも純利益額を上げたくなる」からである（前記拙著22頁）。

だが、私は、コマツの坂根正弘氏の述べたところをここでも引用しておきたい。

「大手術は一度きり」（『「経営」が見える魔法のメガネ』日経ＢＰ社、２０１３　78頁）

坂根氏は、自らチャタヌガ工場で単純な雇用保護の行き着くところを経験した方である。解雇の容易なアメリカで敢えて不況時に人員整理を避け、余った人員で工場の草むしりをし、次の好況まで乗り切ったのである。地元からは大いに感謝された。

しかし、その結果として坂根氏が直面したのは、設備の増設が必要となったときにチャタヌガ工場への投資を躊躇せずにはおれなかったトップたる自らの姿だったのである。無理もない。チャタヌガ工場での雇用の拡大は、次の不況時を考えれば踏み切ることが困難だからである。

雇用とは、単純に保護することのかくも困難な、不思議な生き物なのである。であればこそ、坂根氏は「日本経済は『非正規』が救う」（同書82頁）と述べ、しかしそこで止まらず、「増産時には三分の一に正規になってもらった」（『経済界』２０１５年3月10日号）と言われるのだ。現実の経営に当たった者の言である。現在の時点での新しい日本型経営の到達点と言っても良い。「社員の連帯力」抜きに日本企業の競争力はあり得ないのだ。

経営者への報酬だけではない。もう一つ、私には未だ答のない問いがある。経営者へのインセンティブを動機づけとして用いるとして、また仮に、そのために社外取締役に経営者の報酬決定を委ねるとして、では、そうした権限を行使する当の社外取締役自身へのインセンティブはいったい何であるべきなのか、という問いである。

ここでも、尊敬する方々へたずねてみた。これまで、一人の例外を除き、社会貢献と名誉であるという回答をいただいた。自ら経営者として大事を成し遂げた者の社会に対する使命として、社外取締役、社外監査役として、会社の成長を通じて日本の発展に寄与することに自分の残りの人生を捧げたいと願っておられるのだ。自らの経験は限られてはいても、どの会社にとっても普遍的なことを経験しているうえ、個別の経営の中身についても説明さえ十分であれば理解は早いと言われる。

実は、アメリカでも同じだと、アメリカの社外取締役協会で深いご経験をお持ちの方にうかがったことがある。なるほどと思った。

しかし、と私の疑問は未だ消えない。もし、社外取締役、社外監査役としての動機づけに社会貢献や名誉で十分だとすれば、どうして経営者にもそれが当てはまらないのだろうか、と思うのである。

いや、費やす時間の割りには悪くない収入なのだよ、と教えてくださった方もあった。年に200時間近くを働いて500万円から1000万円を貰うとすれば、時給としては相当のものだということになるのだという。なにせ、オフィスはもちろんなにも設備らしきものは要らないのだ。元手はゼロである。

そういえば、私は10年ほど前に「社外取締役業を始めては」と小説に書いたことがある（『社外取締役』幻冬舎、2004）。主人公の元大学教授は「五社は最低限やってくれなんていわれてね。それだけあれば、年に二千万くらいにはなりそうだから、君と僕と二人が暮らすには十分過ぎる」（同書文庫版230頁）などというのだ。時代である。

動機づけという問題は重要である。いったい社外取締役、社外監査役はなにを目的として権限を行使するのか、という問いは、会社の命運にかかわるからである。それは株主だけではなく、その他のステークホルダーの運命を左右せずにはおかない。

社外取締役を推進する見解のなかには、単なる監視ではなく、執行側とともに経営に関与すべきであるという考えすらもある。だが、年に200時間を費やす人々が5人、10人集まって、果たして会社の経営ができるものだろうか。

まあ、グズグズとああでもないこうでもないと考えている暇があったら、とにかく動かしてみるのが一番良いのではないか、ということかもしれない。坂根氏が言われる新しい日本型経営は、現実のものとして国際的に通用しているのだ。ちなみに、唯一の例外であった方の意見は、「社外取締役も業績連動の報酬にすべきだ」というものであった。

物書き政治家の引退

「ローヤー進化論」『BUSINESS LAW JOURNAL』2015年3月号

石原慎太郎氏が政界を引退した。22歳で作家デビューした男が約50年の政治家生活に別れを告げ、「サバサバしている」という。

会見の席で、彼は「歴史の十字路に何度か自分の身をさらして立つことができたことは政治家としても物書きとしてもありがたい経験だった」と語った。

その言葉に、私は瞬時にニクソンを思い出していた。アメリカの第37代大統領だったリチャード・ニクソンである。

その回顧録である『ニクソン　わが生涯の戦い』（文藝春秋、1991）の中で、彼は政治家という職業についてこう語っている。

「勝つにせよ負けるにせよ、他人が自分の運命とその国家の運命にかかわる決定をするとき、彼は、自分がサイドラインに立っているのではないという究極的な満足を味わえるだろう。」

ニクソンはドルと金《きん》の兌換《だかん》を停止した。アメリカ大統領の職にあった1971年のことである。それは、第二次世界大戦後のブレトン・ウッズ体制を解体し、外国為替のフロート制を始めることへとつながる、歴史的な決断だったといってよい。「自分の運命とその国家の運命」どころではない。彼は世界を変えたのだ。

もちろん、彼でなくとも同じことをしたのかもしれない。米中の国交回復も、ニクソンでなくとも「したに決まっている」と解説することもできるだろう。おなじみの歴史についての決定論である。しかし、私はそれを信じない。歴史は個人が創るのである。

石原氏がいう「歴史の十字路」が何を指しているのか、私には分からない。だが、彼の履歴を思い返せば、それが「何度か」あったであろうことは、単純に頷ける。ベトナム戦争の現場に立ち会って病気を得た彼は、自分の将来を考え、漁師になるか政治家になるかと思い迷い、政治家になることを決断したのだという。それは、なんと言おうと、一人の人間の見事といってよい心の動きだろう。

政治家としての彼が、志を遂げたかどうかについて、都知事であったことを勘定に入れても、私は否定的だ。彼は日本の総理大臣になることを目指したのであり、であるからこそ、政治家として自民党から選挙に出たのである。

彼が36歳だったとき、私はいまだ「慎太郎刈り」というクルーカットに近い短髪に胸元の日の丸のほかには何も飾りのない、白いブレザーを身に着けた石原氏を見かけたことがある。選挙カーの上に、まぶしいほどに輝いている未来のシーザーがいた。JR日暮里の駅前だった。私はシーザーの『ガリア戦記』のことも思い合せていた。

彼は300万票という大量の票を得て参議院議員になった。その石原氏に、物書きとしての先輩である三島由紀夫がどれほど嫉妬したことか。

いや、そうした過去のことは、もはやほとんど誰の関心も引かないだろう。それから50年近い時が過ぎ去り、結果として石原氏は「あなたが党から出ていけばいいのと違いますか」と若い政治家に言われてしまったのだから。

政治は、常に未来形でしかない。人というものは、より良い未来を運んで来てくれそうな人間にしか興味を持たないものなのだ。他人から見た人生の平均的残り時間は、その要素の一つということになる。もちろん、化け物のような生命力を持つ人物であれば、人々がその未来に懸けることはあるかもしれない。20世紀半ばのフランスで、確かにドゴールはその一人であった。石原氏も、21世紀初頭の日本でそうした位置に立っていた。

その石原氏が、どうして総理大臣になることがなかったのか?

それは、前の戦争の記憶が日本人の心の中に、まだまだ生々しいものとして鮮明に残っているからだという気がする。良い悪いをいってみても仕方がない。彼は早く生まれ過ぎたのだ。吉田松陰もそうだった。

いや、これほどの無いものねだりもないかもしれない。石原氏は1932年、昭和7年に生まれたからこそ戦争が終わったときに12歳になっていたのだ。自ら戦ってはいない。しかし、現実に起きたことを自分の目で見てはいる。だから、あの戦争を敗北の記憶としてではなく、勝つことのできなかった記憶として留めることができたのだ。

後から来た人間たちは、あの戦争について戦争が終わってから作られた記憶を与えられ、それしか持っていない。要するに、あの戦争は平和と民主主義に対する無謀で反道徳的な挑戦でしかなかったということだ。

我々はそこから出発したのである。

これからどこへ行くのか?

もう政治家の石原慎太郎氏はいない。

いや、「死ぬまで言いたいことを言い、やりたいことをやって、人から憎まれて死にたい」と引退会見で述べた彼のことだ。その発言は今後も、政治的影響力を常に持つことだろう。誰が総理大臣になるべきかについて、一定の影響力を持ち続けるに違いない。

言うまでもなく、物書きとしての石原氏はこれからも死ぬ瞬間まで活躍し続けることだろう。

石原氏の『エゴの力』（幻冬舎、２０１４）には、「たった一度しかありえぬ人生に満足できずに死んでいくほどつまらぬことはない」とある。

私は、ときどき思うことがある。石原氏にとって、政治家と物書きとどちらが本質なのだろうか、と。彼の本質は、詩人なのではないか、と。強靭な筋肉とたくましい頭脳の奥では、いつも繊細な魂が震えているのではないか、と。

無意味な問いに決まっている。彼は物書きであり政治家なのだ。物書きとして世に出て、政治家にもなった。その経歴は19世紀イギリスの宰相ディズレーリを思わせる。ディズレーリは議院内閣制のイギリスにいた。日本も同じ議院内閣制である。もし、日本が大統領制だったら？

石原氏は若くして大統領になっていたに違いない。それも歴史に残るような。すると、彼は早過ぎただけではなく、ところも得なかったのだろうか？

しかし、日本人でない石原氏は想像することもできない。

将来、日米同盟が消える日が来たら、その時になって我々はうろたえ、周囲を見回すのだ。もうどこにも政治家の石原氏はいない。我々の涙は地に吸い込まれるほかない。石原慎太郎氏とは、そういう政治家だったのである。

裁判官は昼食後には寛大になるのか

「パワー・オブ・アトーニー」『月刊ザ・ローヤーズ』2015年4月号

ボノボというのは小型のチンパンジーである。昔、ピグミー・チンパンジーと言った類人猿である。

「1960年代までは、ヒトは系統樹で類人猿とは異なる独自の枝を与えられていた」（『道徳性の起源』フランス・ドゥ・ヴァール、紀伊國屋書店、2014 79頁）

「だが、DNAに基づく系統樹では、ヒトはゴリラやオランウータン以上に、チンパンジーやボノボに近い位置に配されている」（同頁）という。DNAに基づく系統樹では、先ずオランウータンが分枝し、さらにゴリラが分枝した後も、ヒトは未だボノボやチンパンジーとひとまとまりであり、その後になって初めて分枝したのである。ヒトの次がボノボ、さらにチンパンジーと分枝したというのである。

なんとも驚くべきことである。ヒトが最高だから当然最後だと素朴に信じていた身には、にわかに信じがたいことである。

それだけではない。「ヒトと類人猿のＤＮＡには、初期に交雑が起こった形跡がある」（同書78頁）というのだ。参ったというほかない。

この本を読むと、いったい人間というのは何だったのかと思わずにはいられない。著者は霊長類の社会的知能研究における第一人者で、２００７年には『タイム』の「世界で最も影響力のある１００人」に選ばれた学者だそうである。扉のすぐ後には、予想どおりボノボやチンパンジーの写真が何枚か挟まれている。しかし、それだけではない。なんと、ヒエロニムス・ボスの『快楽の園』という題の絵が、こちらは色刷りで綴じこまれているのだ。読んでいるうちに、なんどもこの絵に戻る仕掛けになっている。

最も印象に残ったのは、イソップ物語のような、キュウリとブドウの話である。

何頭かのオマキザルに同じ課題を出し、一頭にはキュウリを一切れ与え、別の一頭にはブドウを一粒与えると、報酬に差があるとして、課題をこなすことを断固拒否するというのだ。キュウリを貰ったサルは、初めは満足そうにむしゃむしゃと食べていたのが、別の一頭がブドウを貰っているのに気づくと癇癪を起こすのだという。

「ウォール街占拠運動はけっきょく、ブドウが転がりこんでくる人たちもいるのに、そうでない人たちはキュウリばかりで生活しなくてはならないから起こったのだ」（同書292頁）。著者のこの言もあながち的外れとも思われない。はっきりしているのは、報酬に差がつくのはオマキザルにも人間にも耐え難いらしいということである。

クリントン政権の労働長官でもあった経済学者のロバート・ライシュが「この三〇年間、経済成長による利益のほぼ全てがトップ層にわたっている」（『格差と民主主義』東洋経済新報社、2014 7頁）と言っている。気になるところである。ライシュによれば、「これほど過度な富の集中は、南北戦争直後の一九世紀終盤に起こった好況期である『金メッキ時代』以来」だそうである。なんと「富裕層上位四〇〇人だけで、下半分の所得階層にあたる一億五〇〇〇万人の勤労所得を全て合算したよりも、さらに多くの富を手中にしている」（同書8頁）とある。

『道徳性の起源』の著者は、こうも言っている。

「他者のほうが良い目を見ているからといって、申し分のない食べ物をきっぱり拒むところは、最終通牒ゲームでの人間の振る舞いに似ている」（同書同頁）

最終通牒ゲームとは、二人のプレイヤーが、ある額のお金を分け合うゲームである。だが二人がともに自分の取り分の額を受け入れた場合にしか、お金は貰えない。著者によれば、「一般に、私たちの種は均等な分割を好むが、それはおそらく、分割を提案する側が、不公平な申し出をしたら受け容れられないのを承知しているからだ」ということであり、「私たちは一次の公平性（取り分が少ないことに対する抗議）を示すだけではなく、他者も同じ反応を示すことを見越し、それを未然に防ごうとするからだ。そのために、積極的に公平性の促進に努め、それによって『二次の公平性』に到達する。二次の公平性とは、公平性にたいする一般的な好みだ」。

この記述は、ずいぶん昔に、一種とんち話として聞いた話を思い出させる。コップのジュースを、秤や物指しを使わないで二人に等しく分けるにはどうしたら良いかという問いであった。答は、片方に分けさせ、もう片方に選択させるという方法である。その時には、なるほどと感心もしたが、なんだか少しはぐらかされた思いも残ったものだった。

著者の分析は続く。「経済学者に言わせると、何もないよりは何かあるに越したことはないのだから、この反応は『不合理』ということになる。そして、サルは他の状況では食べるであろうものを拒むべきではないし、人間はどれほど少ない額を提示されても拒否するべきではないと彼らは言う。お金はお金なのだ」

どうだろうか。著者のこの点についてのコメントは興味深い。

「いずれにせよ、こうした反応が不合理であるというなら、それは種の垣根を超えた不合理性だ。サルにもありありと見てとれるのだから、人間の公平さの感覚とは、私たちが誇る合理性の産物ではなく、基本的情動に根差したものであることがよくわかる」(292頁)

人間について著者は、集団のレベルを気にかけること、すなわち正直で信頼できるという評判を築き、ずるい人や非協力的な人を非難し、追放さえすることを強調する。著者によれば、「私たちの目的は、全員に規則を守らせ、自己中心的な利益よりも集団の利益を優先させることだ」。

「道徳律は上から押し付けられるものでも、熟慮のうえでたどりついた原理から来るものでもない。むしろ原初から存在する根深い価値観から現れ出てきた。最も根本的な価値観は集団生活の生存価に由来する。集団に所属し、仲良くやっていき、愛し愛されたいという願望があるから、私たちは全力を挙げて、自分が依存する人たちと良好な関係を保とうという気になる」（287頁）

しかし、「集団が大規模化したときに大きな神、つまりタカのように頭上から私たちの一挙手一投足を監視する神が必要になった」。したがって、「道徳は宗教に先行」しているのである。「私たち人間は、小さな集団でサバンナをうろついていたころからとても道徳的だった。社会の規模が次第に大きくなり、互恵性や評判の規則が揺らぎ始めてからようやく、道徳を説く神が必要となったのだ」（278頁）

神についてのこのような見方は、以前読んだ『ヒトはなぜ神を信じるのか』（ジェシー・ベリング、化学同人、2012）を思いださせる。

そういえば、著者は裁判について面白いことを言っている。「裁判所の判事は昼食の前よりもあとのほうが寛大であることを示す研究」（218頁）があるというのだ。本当に裁判官は腹が一杯になると寛大になるものだろうか。著者はそれを肯定し、

「ヒトという種の基本的な欲求や願望、こだわりを避けて通ることはできない。私たちは血と肉からできているので、食物、セックス、安全を筆頭に、特定の目標を追い求めるように駆り立てられる」からであると言う。パスカルは、「心には独自の理屈があるのに、理性はそれについて何一つ知らない」（218頁）と言っているともいう。

私には、裁判官が昼ご飯を食べたかどうかで寛大さの度合いが違うという話は、にわかには信じがたい。まさか、それを勘定に入れて期日の決定に応じている代理人がいるとも思えない。

第一、考えてみれば、民事裁判では裁判官が寛大になることが原告と被告のどちらにとって有利なことか、すぐには分からないのではなかろうか。寛大に賠償金を奮発されてしまっては、請求された側としては困りものである。厳格に差し止め命令を拒否されても、歓迎するかどうかはどちらの側の代理人として裁判所に来ているかによるだろう。

テロリストへの糾弾にまとわりつく微かなためらい

「ローヤー進化論」『BUSINESS LAW JOURNAL』2015年4月号

2015年1月7日、パリで週刊新聞編集者などがイスラム過激派によって殺害された。いや、イスラム過激派という言い方は適当ではなく、テロリストに過ぎないと整理すべきなのかもしれない。テロリストがたまたまイスラム教徒であった、と。それどころか、「イスラーム世界」は19世紀に「ヨーロッパ」によって創造された概念なのだと聞く（『新しい世界史へ』羽田正、岩波書店、2011　212頁）。

どうも日本のメディアの論調には、フランスで大統領が先頭に立って370万人の反テロリズムのデモがあったことや、それに近隣各国の首脳までも参加した事実を報道しながらも、どこかに、微かながらも微妙な戸惑いがあるような気がしてならない。

いったい、民主主義の不倶戴天の敵であるテロリストを糾弾することに、どんな躊躇があるというのだろうか。

ところが、そう言っている私の心の奥底にも、どこか引っかかっているものがある。欧米先進国が、過去において自ら作り出した末の鬼子ではないか、という声が遠くで響いているような気がするのだ。

だが、歴史の進展はそんな曖昧な感覚など踏み潰してしまう。テロ被害にあった週刊紙は、今度はムハンマドの風刺画を表紙に使ったという。どうしてそこまでと感じなくもない。いや、もちろん、ここで怯んでは言論が暴力に屈したことになってしまう、ということは分かっている。分かってはいても、そうか、そうなのかと、遠い極東の国で暗澹たる思いに浸されるのだ。

実は、事件の第一報を聞いたとき、私はフランツ・ファノンについて自分が過去に書いた文章を思い出していた。

「アルジェリア独立戦争に際して、解放派つまり当時他方からはテロリストといわれた人々の理論的指導者だった男だ。パリのカフェーにプラスティック爆弾をしかけて爆発させ、罪のない女性や子ども、幼児までも殺傷した行為を非難されたとき、彼は『機関銃があったらどんなに便利だったか。もし飛行機があれば、フランスがアルジェリアでしているように、空から爆弾の雨を降らせることもできた』と言ったと伝えられる」（拙著『「雇用」が日本を強くする』幻冬舎、２０１３　１７５頁）

それは、米国の進化生物学者ジャレド・ダイアモンド氏を日本人のジャーナリストがインタビューした本からの引用部分に続く文章だった。その引用はこうであった。

「消費量の低い国は高い国々に対して敵意を持ち、テロリストを送ったり、低いほうから高いほうへと人口移動が起こるのを止められない。現在のように消費量の格差がある限り、世界は不安定なままです。ですから、安定した世界が生まれるためには、生活水準がほぼ均一に向かう必要がある」（『知の逆転』吉成真由美／インタビュー・編、ＮＨＫ出版、２０１２　30頁のジャレド・ダイアモンド氏の発言部分）

どちらもどちら、ということなのだろうか。それとも、自分たちだけ高い生活水準を享受しながら、テロリストを排除しようとは虫が良過ぎると言われなければならないのか。そうなれば、豊かな側にいる身としては、他人事と澄ましているわけにはいかなくなってしまう。いやいや、とんでもない。我々の国には法の支配があって、暴力は法律に裏付けられた正当なもの以外、行使してはならないのだ。

もっとも、今回の事件は少し違うのかもしれない。少なくとも、表現の自由の問題としている側から見れば、大いに違っている。テロリストまたはイスラム過激派から見れば、ムハンマドの風刺画を描いて広く報道することは侮辱以上のものだろう。しかし、政教分離(ライシテ)を信条とする側からは、言論に暴力で対抗してはならないのがルールだ。

結局のところ、この問題の本質は、もう欧米が武力でテロを根絶することが難しくなっているという現実なのかもしれない。

歴史学者の山内昌之氏は「米欧が頼りにできる地上兵力はクルドしかいない」と言う(読売新聞2015年1月18日付け朝刊)。

アメリカの無人航空機「ドローン」による攻撃を思う。戦争の前提は、お互いに死傷の可能性が存在することだそうだ。無人航空機では、その相互性が完全に消えている。だからそれは戦争ではなく、虐殺だといわれる。テロリストであると一方的にみなされた人間は、あるとき、空から爆弾が降ってきて、次の瞬間には命が消えている。事前の説明も警告もない。いわんや、テロリストではないという反論の機会もない。いや、たとえテロリストであっても、裁判を経なければ生命・身体への侵害はあり得ないというのが、法の支配ではなかったのか。

欧米の過去の帝国主義の清算は、欧米と植民地であった地域に住んでいる人々の問題に過ぎない。日本人は無関係だ、と言ってしまうことができるだろうか。確かに日本は中近東へは行かなかった。しかしほかへ行っているのだ。

歴史の歯車は容赦がない。

「すでに進行していた世界的なデフレは、1928年頃まではアメリカの株式ブームで表面化することはなかった」（『グローバル経済史入門』杉山伸也、岩波書店、2014　198頁）という。中東に西欧が勝手に国境線を引いたサイクス＝ピコ協定は1916年のことである。そのころ、グローバリズムは既に存在していたのである。

2015年、アメリカの株式市場での「唯一の買い手が非金融法人の自社株買い」（『日米経済の現状と見通し26』中前忠、中前国際経済研究所、非売品　33頁）といわれると、第一次グローバリズムと第二次グローバリズムの驚くほどの類似性に、恐れおののかないではいられない。中前氏は「QEを止めれば、自社株買いを簡単にはできなくなる」（同書36頁）という。もうQE（量的緩和政策）は出口に向かっている。となれば、アメリカの株式ブームは去るのであり、その向こうには荒涼とした光景が広がっているのかもしれない。

なんという時代なのか。

日本人が殺された。同胞である。もはや他人事ではない。我々はどこへ行くのか？　決断のときである。

★コーポレートガバナンスによる国益と職を失う者

「パワー・オブ・アトーニー」『月刊ザ・ローヤーズ』２０１５年５月号

コーポレートガバナンスの話を、尊敬するエコノミストとした。

「資本主義はアメリカ型に収斂する。だから日本もアメリカ型を志向すべきである。したがって、コーポレートガバナンス・コードは大いに評価する」

要旨、そう言われた。

私は、コーポレートガバナンスが国富の増大に役立つという仮定に立って、以下の質問をした。

「国富が増えると個々の国民にとってどんな良いことが起きるのでしょうか？　国富が増える過程で雇用はどうなるのでしょうか？　人は、働く場所を失ってしまうと、自らの人格すら否定的に考えてしまうものではないでしょうか？」

さらに私は以下の補足をした。

「全体として国富が増えれば雇用が増えるという面があることは間違いないでしょう。全体として良いことと言ってよい。しかし、それが一人ひとりの国民に幸福をもたらすとは限りません。変化のスピードが問題ではないでしょうか。人は70年、80年の人生を生きます。そうした生活の速度に見合った変化であることが望ましい。しかし、現実はそうではないことが多い。スピードは外から与えられるもので、勝手に制御できないとしても、速めるのか遅らせるのか、多少の調節は利くのではないでしょうか？」

エコノミストは、率直だった。

「君、馬鹿なことを言ってはいかんよ。みなが必死に頑張って、やっと国際的な競争に取り残されないで済むのであって、そうした競争に負けてしまっては、日本という国自体が立ち行かなくなってしまう」

私もそう思っていなかったわけではない。しかし、私は敢えてこうたずねた。

「でも、国際的な競争に会社が勝っても、そのために日本にある雇用が消滅してしまっては、いったいどんな良いことがあるのでしょうか？　会社は本社を海外に移すことすらできる。会社は利益を上げることが使命ですから、やむを得ないこと、いや当然のことかもしれません。しかし、日本に生まれた人間の多くは日本に暮らして日本で死ぬのではないでしょうか？」

「日本でやるよりも外国でやるほうが効率的な仕事は外国に行くべきだ。日本にはさらに進んだ仕事が生まれるのさ。現にアメリカを見てごらん。もう鉄鋼もテレビも作らない。でも、アップルがありグーグルがあり、フェイスブックが生まれている」

そのとおりだ。しかし、テレビの工場で働いていた人間がグーグルで働くことができるとは限らない。私がそう言うと、エコノミストは、「そもそも、若いときに就いた職業で一生暮らすなどということは、今の世の中ではもはや望むべくもないのだよ」と、にべもなかった。

私は黙り込み、自分の仕事のことを考えた。弁護士の仕事の大半がコンピュータに取って代わられる、と言われていることは承知していた。一部の優れた弁護士だけが仕事にありつくことができる。そうでない弁護士は、弁護士として生きて行くことはできない世の中になる。もっと需要のある仕事に替わることになる。折角取った資格なのに。いや、資格は就業許可であって報酬の保証ではない。現に、弁護士の仕事のうえで不可欠だったタイピストは、英文も和文も、消えてしまって久しい。

辛うじて私が、「それで日本人のすべてが仕事にありつくことができるのでしょうか?」と問いかけると、エコノミストは私の心の底を見透かしたように、「弁護士は、まだまだけっこう食えると思うが、どうかね。オックスフォード大学のフレイ、オズボーン両博士の2013年現在の予測によると、今後10年から20年以内に弁護士の仕事がコンピュータに奪われる可能性は、たかだか3・5%だそうだからね」。

私は、『AIの衝撃』（小林雅一）という本にそのことが書いてあるのを知っていた（45頁）。

エコノミストは快活に続けた。

「でも原則は誰にとっても同じだ。なにかしらの働きをしないと食っていくことはできない。その働く場所、雇用の保障は、資本主義の世の中には存在しない。それが資本主義の良さだ」

私は、経済学者にしてクリントン政権の労働長官であったロバート・ライシュ氏の本の一節、「経済の成功を失業率で測ることもできない。…失業率は賃金の下落を考慮に入れていないからだ」（『格差と民主主義』103頁）を思い出していた。ライシュ氏はこうも言っていた。「アメリカ人の大半の購買力が高まっても…職場が不安定だったり…すれば、裕福になったとは感じられない」

そうだった。彼は「国の経済は居住する国民のために存在すべき」であると言っていた（いずれも同書104頁）。

気を取り直して、私はこう質問した。

「人は長期的には皆死ぬ。ケインズの言っているとおりです。でも、生きている間にどう暮らすことができるかは、政府がどういう政策を取るかで違ってくるのではありませんか？　例えば画一的な税率は、歳入を減らすことを通じて、政府が所得の再分配をする機能を弱めてしまうのではないでしょうか?」

「打ち出の小槌はどこにもない。稼がなければ使うことはできない。金持ちを貧しくしたからといって、貧者が豊かになるわけではない。サッチャーの言ったとおりだ」

私の頭のなかでベルが鳴った。

「『富裕層が雇用を生み出すのではない。雇用は、大多数のアメリカ人がモノを買い、企業が生産能力を拡大して労働者を採用することで創出される』のではありませんか? 現に、『第二次世界大戦から一九八一年まで、超富裕層には七〇%以上の限界税率が課されていた。…それでもあの頃の経済は、その後の時代よりも高成長を遂げた』のではないですか?」

ライシュ氏の受け売りだった(同書143頁)。足りなければクルーグマン氏も用意してあった(朝日新聞2015年4月10日付け朝刊)。

エコノミストは、笑いながら、

「ライシュ氏は一部の人には魅力的なんだな。そうさ。だから、企業の生産能力を拡大して雇用を増やさなくてはいけないんだよ。そのためのコーポレートガバナンスなんだ。君もやっとわかってくれたようだね」と言うと、「君は日本の会社に、いったいどれほどの内部留保が眠っているか知っているだろう。300兆円だ。上場会社に限っても100兆円。それが一部でも投資に回ったら、どんな凄いことになると思う?」。

「でも、投資しなければ株主に返すことになります」

「だから、優れた経営者が必要なんだよ。業績が良かろうが悪かろうが社長の椅子に一定期間座り、必ず内部の後身に道を譲らなければならないシステムはもう廃棄しないとね」

「できる人はいつまでも、できない人は即刻、と？」

「そう」

「できる人にはびっくりするほどの報酬を、ですか？」

「そうだ。日本人の美徳か何か知らないが、自分から『もっと欲しい』とは言い出しにくいから、独立社外取締役に取締役会を動かしてもらう必要がある。少なくとも指名と報酬に関しては、ね」

　私は、コーポレートガバナンス・コードからそういう考えを汲み取る人がいるとは知っていた。しかし、実際にはそこまでのことはコードに書き込まれてはいない。

　話題を転じた。年来の疑問を提起してみたかったのだ。

「執行への報酬、殊に社長、ＣＥＯへの報酬は業績連動にするとして、独立社外取締役への報酬はどうなのでしょうか？　やはり、名誉と社会貢献ということで一定額、それもあまり高くない金額にしておくべきなのではないでしょうか？　でも、そうだとすると、おかしくないですか。二通りの種類の人間がいることになります。人参に釣られる人間と名誉を重んずる人間と。なぜ

ＣＥＯには名誉と社会貢献ではモチベーションにはならないと?」

エコノミストは直接には答えず、「日本は未だその問い以前だよ」とだけ呟いた。

★本を読まずにはいられない

「ローヤー進化論」『BUSINESS LAW JOURNAL』２０１５年５月号

人が本を読むのは、暇な時間があるからなのだろうか。

そんな気はしない。次々と本を読む。どうしてか分からない。少なくとも、暇な時間があり余っているからではない。どうも、一番の答えは、「活字中毒」という、いささか古い病ということに尽きるのではないかという気がする。もちろん今の時代、ネットの助けなしの読書はあり得ない。ことに画像は別天地である。

『フランス人は10着しか服を持たない』(大和書房、２０１４)、『じゅうぶん豊かで、貧しい社会』(筑摩書房、２０１４)、『道徳性の起源』(紀伊國屋書店、２０１４)、『ヒトラーランド』(作品社、２０１４)、『「ニッポン社会」入門』(ＮＨＫ出版、２００６)、『リスク・オン経済の衝撃』(日本経済新聞出版社、２０１４)、『老人と海』(新潮社、２００３)、『アジアの覇権国家「日本」の誕生』(実業之日本社、

2015)、『ケインズ説得論集』(日本経済新聞出版社、2010)、『マキァヴェッリ全集〈6〉政治小論・書簡』(筑摩書房、2000)、『記憶力の正体』(筑摩書房、2014)。

ここ2、3週間ほどの間に読んだ本である。相互に関連性はない。次々と目の前に現れて、読むことを強制する。

それは、まさに強制するという言葉にふさわしい。読み始めると、面白いと感じた場合には、ほとんど休むことがない。もちろん、食事はするし、仕事もする。しかし、そのほかの時間は四六時中、本を手にして、ベッドにも持ち込み、睡魔に襲われて本が顔の上に落ちてくるまで読み続ける。

私は夜中に必ず目が覚める。だから夜中にもまた本に吸いつけられることになる。

どうしてか?

書いてある中身への興味である。吸いつけられたように頁を繰らずにはおれないのである。一刻も早く知りたいのである。

読み終わると、次の本になる。読後感を整理して、どんなことが書いてあったのかを捉え直すこともある。私の場合は、印象に残った頁の端っこを折って読み進めているから、振り返ることは簡単である。ああ、そうだったと読み返すことになる。マーカーをつけたところを拾いながら後戻りすることも多い。こうした習慣に捉えられてから何年になるのか。

確かに、私の生活は読書を中心に回っている。主として新聞の書評欄によって本を選ぶ。読むスピード以上に本が増えていく。

ああ、そうだったのだ。本を手放すことがないようにして読み進めていくのは、実は本に追いかけられているのだ。

いやいや、最近読んだ本の中に『老人と海』がある。これは、何度目か分からないほど読み返している。私が追いかけたのだ。どうしても『老人と海』を読み返したいという思いがあって、それに従ったのである。今回はとてもゆっくりだった。何か月かけて読んだのだったか。ヘミングウェイの作品である。1951年に書かれた小説である。

新潮文庫版には、末尾に「『老人と海』の背景」と題した文章がある。訳者の福田恆存《つねあり》氏の文章である。

「私は現代アメリカ文学について知るところがほとんどありません」とあるのを見て、改めてぎょっとする。あの、シェークスピアの名訳で知られる福田氏である。

「アメリカ人の脳裡には、現実にたいするおおきな信頼があります。（中略）あらゆる社会問題は、かれらにとって解決すべきものであり、解決可能なものとしてのみ存在するのです」として、「ヨーロッパでは（中略）社会問題はむしろ解決不可能なものであってひとはそれにぶつかると、ただちにうしろをふりかえる。つまり個性と時間のなかに逃避せざるをえない」と米欧を比較してみせる。

コーポレートガバナンスの議論を思い出す。福田氏が、「人生は強いものが勝ち、負けることが最大の悪徳だ、といっているようでもある」と書いているのを読むと、ますますその感を深くする。強い会社が勝ち、負ける会社は消滅することこそが望ましいと言っているようだ。アメリカ社会の発想の根本には、そうした社会への信頼がある。福田氏は、それを「人間というものの捉え方の浅さ」と言う。そうかもしれないが、浅くても深くても、アメリカの会社は厳然と存在している。

そうした考え方があるから、経営者の報酬が極端に高いことも当然だということになるのか、と思ったりもする。

福田氏のこの文章には昭和54年という日付けが打たれている。福田氏は1994年に亡くなっているから、死の15年前ということになる。保守派の論客として知られたことも、もはや知る人は少なくなってしまった。

今日は、日本人の友人とある会社のガバナンスについての話をしながら酒食を共にした。50年を超える人生の半分をアメリカで過ごした方である。またアメリカに戻って暮らすのだと言う。仕事の都合というのではない。「アメリカは自由ですからね。日本のようにむやみと協調を強要することがない。それぞれの発想を大事にして生きることが許容されている」と、これからの異国での生活を夢見るような顔つきになる。奥様と二人だと言う。

私は、彼と違って日本以外の国に長く住んだことがない。いろいろな国を旅行者として訪ねたことは数えきれないが、それ以上ではない。しかし、そういう私にも「協調を強要する」日本の社会の、一種湿度の高さのようなものは十分に理解できる。私が日本のなかで多数派の職業に就いていていないことがあって、理解がしやすいのかもしれない。理屈どおりには行かないのが世の中であるのは、洋の東西を問わないにしても、日本ではその程度が、例えばアメリカと比べて、はなはだしいだろう。理屈を言い張ることを使命とする職業人にとっては、違和感は日常的といってよい。

だが、私はそうした日本を好んでいる。日本に生まれて長年暮らし、そうした日本を嫌っている人がいることを知らないではない。しかし、私には日本は好ましい。自分の職業とは親和的でないことが多いにしても、それは人間の暮らしとしては望ましいことだろうと思うことすらある。私が24時間すべてを法律家として生きているわけではないことは、冒頭のリストが示しているとおりである。

★「占領期派宣言」。新コーポレートガバナンスに答えがある

「パワー・オブ・アトーニー」『月刊ザ・ローヤーズ』2015年6月号

佐伯啓思氏の論文を一読、私は「占領期派宣言」という言葉を思いついた。そのご紹介である。「本当の戦争終結は、一九五二年（昭和27）の四月二十八日に発効したサンフランシスコ講和条約によって」であるから、2015年は戦後70年ではなく63年である（佐伯啓思「戦後日本の欺瞞とアメリカ」『WiLL』2015年 32〜45頁）。

佐伯氏は私の同時代人である。生まれた年も1949年という fortyniner 同士でもある。私はなんであれ学者になりたいと思ったことはない。だが、経済学者としてスタートした佐伯氏が日本について憂国の言葉を吐くとき、その思いは私の胸を打つ。一読、日曜の午後の一刻を充てて、敢えて「占領期派宣言」と題した一文をものした所以である。

佐伯氏によれば講和条約締結までは準戦争状態であったという。「天皇及び日本国政府の国家統治の権限は…連合国最高司令官の制限の下に置かれる」とある降伏文書を引用し、日本は事実上の属国であったとする。

したがって、占領期間中の「日本は通常の意味での主権国家とはいえなかった」のであり、日本国憲法は、「押し付けか合作かというより以前に近代憲法としての正当性を持っていない」、つまり、「原則論として言えば、現在の憲法は無効だと言わざるを得ません」ということになる。

しかし、講和条約から後、「占領期間に制定された憲法や教育基本法など、『国のかたち』にかかわる基本構造をそのままに受け入れた戦後が、改めてここに始まった」と考える佐伯氏は、「戦後日本の路線が、まず基本的にアメリカの考え方と方針にしたがって引かれたことを忘れてはなりません」と言う。そして「大東亜戦争が、自由や民主主義や平和を愛する国際社会に対する日本による侵略戦争であったという歴史観です」と説明する。

「日本の戦後はGHQと日本の左翼・進歩派勢力の合作なのです」とする佐伯氏は、進歩派知識人が、一方で慰安婦問題を人権問題として追及しながら、「原爆で被害を受けた広島・長崎の補償をアメリカに要求せよとは彼らは言いませんし、ソ連のシベリア抑留も問題にしません。…アメリカの大量殺戮にも強い態度で出なければならないはずなのに、そうしたことは一切しない」と指摘する。

「朝日の虚偽報道問題は…アメリカ型の歴史観や戦争観を受容して恥じない戦後日本の欺瞞を暴き出したものとして捉える必要があるのです」と言う佐伯氏によれば、「さらに問題は、朝日の持つ歴史観や思想が、戦後日本の『公式的』な歴史観となり思想となってしまったことにあり」、

「政府も基本的にこういう立場に立っている」ということになる。

具体的には「戦前までの日本的なものの否定を意味し、西洋型の自由や民主主義、市場競争などを取り入れることが近代化だという共通認識」を指す。

しかし、冷戦が終了して事態が変わってしまった。各国は独自の価値観を打ち出したにもかかわらず、日本は「グローバル経済を始め、アメリカの構造改革要求を受け入れるなどアメリカ追従をより一層強めていきました」。

「本当は、保守派はグローバリズムの進行に抗して、日本型の経済システムや日本の価値観に基づいた社会システムをつくるべきでした。自前の歴史観というものを回復して速やかに憲法を改正すべきだった」

そう言う佐伯氏の根底には、「もともと自由や民主主義や人権の普遍性を世界化するというアメリカの価値観や歴史観こそが進歩主義にほかならない…グローバル経済のなかで競争力をつけて、市場経済に勝たねばならない。だから規制改革、構造改革を断行し、成長戦略で技術革新を生み出そうとの考えや政策はむしろ進歩主義で、保守とは言えません」という保守派からの発想がある。

であればこそ佐伯氏は明治維新に触れ、その攘夷とは独立であったとし、結局「弱肉強食の国際社会に乗り出すことを意味し…西洋列強との対立を余儀なくされ」、「『やはり戦争』という事態になるのです」としたうえで、福沢諭吉に話を進める。

「文明化の目的は日本を西洋化することなどではなく、あくまで日本の独立を保つ点にこそある、と説きました」と福沢を位置づけ、「我輩の主義とするところは戦いを主張して戦いを好まず、戦いを好まずして戦いを忘れざるのみ」と福沢の『通俗国権論』から引用する。

佐伯氏は、三島由紀夫についても述べる。

「外国の金銭は人を走らせ…偽善の団欒《だんらん》は世をおおい…なべてに痴呆の笑いは浸潤し…ただ金よ金よと思いめぐらせば人の値打ちは金より卑しくなりゆき…」と『英霊の聲』を引き、死の直前に書かれた『果たし得ていない約束―私の中の二十五年』に及ぶ。

私自身、11年前、このエッセイの連載初回に引用した、人口に膾炙した文章である。「日本はなくなって…そのかわりにからっぽな…経済的大国が極東の一角に残るのであろう」。私は、経済的大国が残るという点で、あるいは三島は楽観的に過ぎたのではないかと書いたこともある。

現状に対する佐伯氏の憂情は深い。

「政治にしても、もっぱら財政構造改革や政治改革といった話に終始し、本来あるべき国家の姿やアイデンティティに関する議論はほとんどなされないまま…安倍政権ですら、いまだに対米従属の外交姿勢であり、アメリカ型のグローバリズムにのめりこんでいってしまっているように感じます」

佐伯氏は「安倍首相を責めても仕方がない面があります」とも言う。それは「日本の戦後というものがアメリカに埋め込まれてしまって…最終的に国民の意識が変わらなければならない」と佐伯氏が考えるからである。

では、佐伯氏はどこへ向かうべきだと言うのか。

「日本人が持っていた伝統的な精神の核になるような価値観を回復して我々が何を大切にしたらいいかを、もう一度、考え直す必要があるのではないでしょうか」としたうえで、佐伯氏は、なんと「それは、自由や民主主義や人権主義などというものとは全く異なるものです」と言い切ってみせる。

そして、「日本人が『一身独立、一国独立』の気概を持つことである、たとえば武士道や日本人のなかにあった義の観念、哲学者の西田幾多郎が唱えた『無の精神』や『無私』、そして無常観といったものだと私は思っています」と説く。

「こうした日本人の感性は、経済発展し、経済成長し、物を増やしていけばいい、富を蓄積して金持ちになればいい、という考え方とは対極にあるものです。私はそういう日本人の考え方が自分のなかにもあることを感じますし、多くの人が本当はそれを求めていると思っています」

もちろん、私は佐伯氏の言うことのすべてに賛成しているわけではない。例えば、私は日本の価値として武士道に触れる話を聞くごとに、武士の人口が日本人全体の約10分の1以下でしかなかったといつも思う。また、現在、日本を世界のビジネスで力を持っている国として捉えるがゆえに、商人道を説いた石田梅岩を思い、松下幸之助を思う。

これまでにも述べたが、私は日本人のアイデンティティは、非白人で最初に近代産業国家を作り上げたことにあると思っている。その結果が第二次世界大戦であったとしても、その後、我々の先輩はさらに豊かな経済的大国を造り上げたのである。そこに、欧米先進国にはない、人類の大半を占める人々への貢献の可能性を感じるのである。

具体的には、上場会社による資本主義を所与のものとしての、発展途上国による日本型の選択の可能性である。日本型と言ったが特段の意味はない。向こうから見て自分たち用だと感じるかどうかである。だから私は、新しいコーポレートガバナンスにおいて日本企業の社長の報酬がどうなるかに注目している。私は、戦後の日米問題と、現在の日本の文明の問題とは、重なっているところはあっても、後者が重要であると考える。早い話が、古今東西、金は臭わないとされていることの含意である。

ついでにいえば、やっと日本も自らの伝統について保守として語ることができるのかと思えば、私はいささかの感慨を禁じ得ない。伝統を守ろうという主張が現実的であるのは、国が強いときに限られる。明治維新を見れば分かりやすいことである。

もう一つ。多くの人は日本とアメリカと言う。ではインドとイギリスは？　私は、ガンジーに多くを教えられた者である。

ハンニバル、メソジスト派、イノベーション

「ローヤー進化論」『BUSINESS LAW JOURNAL』2015年6月号

「もう一度生まれてくるとしたら、誰のように生きたいですか?」

旧知の週刊誌の記者から、そんな取材申し込みがあったと秘書が伝えてくれた。

「さあて」

と考え始めて、何人かの名前が頭に浮かんだ。

電話を返して、「ハンニバルですね」と答えた。

「ほう、ハンニバルですか」と、電話の先で声がした。

「ええ、カルタゴのハンニバルですよ。ハンニバル・レクターではありません」と言わずもがななことまで付け加えてから、

「ローマ帝国に敗れた祖国を、子どものころ父に連れられて後にし、当時カルタゴの植民地だったスペインに行きました。

成人してから、象を連れてアルプスを越え、ローマに挑みました。そして勝ったのです。でも、ローマが祖国カルタゴを襲ったので、戻ってくるように言われ、戻った。ザマの会戦です。そこで負けましたが、祖国の再建に尽くします。でも、ローマの圧力からカルタゴにいられなくなってしまいます。最後の亡命先が今のトルコにあった国です。そこで、ローマに身柄を引き渡されることを防ぐために、自ら毒を仰ぎました。64歳でした」

一気に話した。それまでに何度も頭の中で繰り返していた、ハンニバルの生涯である。敗軍の将であったハンニバルは、ローマに敗れた祖国の再建にあたった。

それだけでは終わらなかった。私はハンニバルを敬仰して止まない理由をこう述べた。

「ハンニバルは、素晴らしいリーダーだったんですよ。指揮官としての仕事をこなしながら、兵士と比べて特別なことは何もない。食事は兵士と同じもの。寝るのも、疲れたらマントにくるまって地面に転がって眠るだけ。兵士たちは、せめて自分たちのリーダーが少しでも休息できるようにと、彼が横になっている近くでは武器の触れ合う音をさせないように気を遣ったといいます」

「ほう」

「そして最後に自ら死を選んでいる。死ぬべき時を知っていたのでしょう。64歳は、今の私よりも若い」

そう記者の方に告げると、「いいですね、それで行きましょう」という声がした（『週刊現代』2015年4月4日号）。

私の頭の中では、ある一節が響いていた。

「平和な日を送るよりは、悲痛な日を送ることだ。

私は死の眠り以外の休息を願わない。私の一生に満たし得なかったあらゆる欲望、あらゆる力が私の死後まで生き残って私を苦しめはしないかと思うと、愕然とする。

私は、私の心の内で待ち望んでいたものをことごとくこの世で表現したうえで、満足して、あるいは絶望しきって死にたいものだ」

フランスの小説家アンドレ・ジイドの『地の糧』の一節である（訳は今日出海）。

異国で死んだハンニバルには、その34年後にローマとの間に三度目の戦端が開かれカルタゴが敗れること、そしてカルタゴは滅びてしまうことが見えていたのだろうか。異国で客死しなければならない己の人生について、どんな感慨を抱いたのだろうか。

また私は一枚の絵を思い浮かべてもいた。『馬の鞍こそ私の説教壇』という題の絵で、馬に跨った説教師が決然とした表情で両の手で傘をさし、帽子をかぶりレインコートを着て、激しく吹きつける雨をものともせず森の中を進んでいる。直前に読んでいた『反知性主義』（森本あんり、新潮社、2015）に出ていた絵である。19世紀初めのアメリカでは、「雨風をものともせずに旅を続ける」巡回牧師がいて、そうした人々がメソジスト教会を広げたのだ。

「ひどい嵐の夜には、『こんな時に戸外にいるのは、カラスかメソジストの説教師ぐらいのものだ』と言われた」

メソジスト教会の創始者フランシス・アズベリーは、「夜は寝床があればましな方で、野宿もすればノミだらけの皮布一枚を敷いて寝る時もある」暮らしを送った。「開拓者の家族がまだ幌馬車から荷物を降ろしている頃、最初にやってきて挨拶をしてくれるのはメソジストの説教師だった」

森本氏は、こう書いている。

「説教は、学校で勉強すればできるというものではない。神学を学べば牧師が育つと考えるのは、牧師を医者や弁護士のような世俗の職業と同列に考えることである」（以上、同書147、148頁）

森本氏は、こうも言う。

「アメリカ人にとって、宗教とは困難に打ち勝ってこの世における成功をもたらす手段であり、有用な自己啓発の道具である」（同書267頁）

そうしたアメリカのキリスト教が、ビジネスと裏と表になっていることは、当然のことといえよう。森本氏は、ヨーロッパの伝統的な契約概念はアメリカに入ってから微妙な変化を遂げたという。「神の一方的で無条件の恵みを強調するための概念」「人間の応答は、それに対する感謝のしるしでしかない」ものから、「神と人間の双方がお互いに履行すべき義務を負う、という側面を強調するようになる」（同書23頁）。

私は、ここで経済学者ケインズの「アニマル・スピリット」という言葉を思い出す。シュンペーターでいえば「イノベーション」ということになる。経済とは、合理を超えた何か、だということだ。それは、現在の日本でアベノミクスの求めるもの、すなわち「稼ぐ力」「攻めの経営」に直結している。経済学者の吉川洋氏が触れる「ディオニュソス的なもの」が経済には必要なのである（『いまこそ、ケインズとシュンペーターに学べ』吉川洋、ダイヤモンド社、２００９　２２８頁）。

それが、アメリカにはある。日本には決定的に不足している。アベノミクスはそう言う。

約２２００年前、異郷で自死したハンニバルは、強大な隣国ローマに亡ぼされるだろう祖国の未来を思って涙したに違いない。

今の日本人には、ハンニバルを思い返す理由があるのである。

★最先進国たる英国エリートたちの人権活動

「パワー・オブ・アトーニー」『月刊ザ・ローヤーズ』2015年7月号

つい先日のこと、美味しい和食と日本酒をいただきながら、コーポレートガバナンスのガバナンスという言葉には、多国籍企業を国際的に規律しなければならないという発想があるのだと教えていただいた。だから、サプライ・チェーンの考え方は人権と一体になっていなければならないということだった。

話をうかがっているうち、私は、ああコンゴのことだと思い出していた。以前、公認会計士の方から米国のドッド・フランク法1502条の話をうかがったことがあったからである。コンゴ民主共和国（昔のベルギー領コンゴ）で採れる鉱物資源を使用した製品を販売する会社に対し、その鉱物の取得が人権抑圧的な組織からのものではないことを報告させるのだということだった。そのとき私は、実はビジネスの根本の部分が人権とつながっていると思わなかったわけではない。

だが、その思いは、詳細な事項についてまで法令によって要求するアメリカらしいやり方に感心するといったところに留まっていた。なんとも中途半端なままであったのだ。その我が身の到らなさを、サプライ・チェーンと人権という言葉の取り合わせをうかがったときに思い知らされ、大いに恥じ入る気持ちにならないではいられなかった。

もちろん、人権と聞けば、弁護士をしている身は、半ば反射的に引き締まらないではいない。日頃ビジネス・ローについての仕事をしていて、直接例えば刑事手続きでの人権侵害行為にかかわることは少ないとはいえ、会社の売上げや利益といった数字が人の世のすべてであるはずもないからである。パワハラという言葉は、日常の仕事にも登場する言葉である。

だが、多国籍企業の鉱物資源の購入という商行為について、国際的な立場から人権問題として取り扱われなくてはならないと世界の人々が考えているのだ。日本にはその自覚が決定的に不足しているというお話は、さらに興味深い中身に分け入って行った。

そうした国際的な課題への働きかけでは、NGOの果たしている役割が大きいということなのだ。しかも、そのNGOの活動にはイギリス人が大きな役割を果たしているという。イギリスのオックスフォードやケンブリッジなどでエリート教育を受けた人々が、積極的に関与しているというのだ。

私は、そうしたイギリス人のエリートが自らの将来の職業として最も望むものが同じ人学の教授職だとあるのを読んだことを思い出していた。同時に、アヘン戦争を始めるについて、イギリスの議会では反対派と賛成派の数が拮抗していた事実も頭によみがえっていた。

「大英帝国臣民は世界のどこにいてもそれにふさわしい取り扱いを受けねばならない」という信念に燃えたパーマストンが、アヘンの密輸で戦争など始めることはできないと反対したグラッドストンを凌いだのである。もし、271対262というイギリス下院での票決が反対だったら、その後の世界の歴史はどうなったのだろうか。

イギリスの民主主義など、インドの富を収奪することを前提としての、イギリス国内での山分けゲームに過ぎないという悪口を聞いたことがある。インド支配を完成させたセポイの乱（第一次インド独立戦争）の弾圧を見れば、そう言いたくなる気持ちも分からないではない。

だが、それはイギリスのすべてではない。そうなのだ。あのイギリスという国はNGOでエリートたちが活躍する、そうした伝統を持っている国なのである。

例えば、ガンジーは英国に対するインドの独立運動について非暴力主義を貫いた。そうした半ば奇跡のようなことが起きた理由の一部は、ガンジーという偉大な個性によるだろう。しかし、そうした信念で行動するガンジーが多くの民衆に支持されたことの相当部分は、イギリスという国が宗主国であったことにも因っているのではないか。私はそう考える。

言い換えれば、これまでに何人のガンジーが、時と場所を得なかったために武力による抑圧に沈黙させられたかということである。それは、今この瞬間にも地球の上に存在している悲劇である。

私はまた、自分が以前引用した文章を思い出してもいた。

「利益第一主義の会社では、賃金労働へのエンゲージメントは情けないほど低いのだが、これに対し、ボランティアや非営利団体での賃金労働への関与は近年劇的に高まっている。…会社で働くことからは得られない喜びや学びを経験できるからだ」（『世界でいちばん大切にしたい会社』71頁）

（拙著『現代の正体』72頁にて引用）

金は人のモチベーションの唯一のものではない。現にオバマ大統領も、ビッグ・ビジネスへのアドバイスを仕事とする一流法律事務所を就職先として選んでいない。

「ポスト産業資本主義とは、おカネを持っているだけでは、利益が手に入らなくなった時代—その意味で、それは、おカネの力が相対的に弱くなってきた時代だと言えるのです」。これは、10年前に産業資本主義の時代の終焉について述べた岩井克人氏の言葉である（『会社はだれのものか』54頁）。

岩井氏はこうも言っている。「おカネの支配力が大幅に低下していくポスト産業資本主義時代にむけて、もし日本型の会社が何らかの歴史的な連続性を持つことができるとしたら、まさにそれは、この伝統を通してであるはずなのです」

岩井氏の言う伝統とは、「戦後における日本型の会社は、幸いにも、株主主権論というイデオロギーから無縁でした。そして、それゆえに、株主の利益には必ずしも縛られずに、組織のなかで複数の個人がお互いの知識や能力を組み合わせていくことを促す、さまざまな仕組みを考案してきました。おカネよりもヒト、いや、おカネよりも組織を重視するという伝統を築き上げてきた」という（同書82頁）ことである。

日本の伝統への期待は、現今の日本では流行らないように見える。逆に、株主の利益に注目することこそ望ましいと言われている。今や日本の上場会社の株式の34％は海外投資家が保有しているのだ。抵抗は、勝ち負けの問題以前に、道徳的に許されない振る舞いのようにすら見える。時代である。

ＮＧＯで働き、多国籍企業に人権を守らせようとしているイギリスのエリートたちは、もし多国籍企業で働くならば個人への報酬は数倍に違いない。それに目もくれないで、ＮＧＯ活動に我が身を駆り立てているのである。

そのイギリスのエリートたちの発想こそが、スチュワードシップ・コードを作ったのではなかろうか。コーポレートガバナンスにコンプライ・オア・エクスプレインという表現を持ち込んだのも彼らではなかったか。

なにが彼らを突き動かしているのか。私には、歴史への使命感だと感じられる。少なくとも19世紀以来、世界が大英帝国の足もとにひれ伏すようになったときから、イギリスの一部の人間は富をかき集め、誇示することに奔走し、別の一部は、倫理に導かれる生活を招来することに夢中になってきたのではないだろうか。

好むと好まざるとにかかわらず、イギリスという国はそのような立場に、近い過去から一貫して位置しているようだ。

では、日本は、日本人は？　日本人である私は、いつもそこに戻ってくる。イギリスが作りあげた19世紀の国際社会に、遅くなって、それでも植民地になることなく独立を維持したまま参加した日本である。

その日本は、19世紀と20世紀において、なんであったのか。21世紀において、なんであり得るのか。

私は、歴史を学ぶ楽しさ、面白さとは、自分を定義し直すこと、新しい自分を発見できることではないかという気がしている。

どんなに長く生きたとしても、私は２０５０年を見ることはないだろう。それどころか、日々生まれつつある歴史に参加して行けるのは、ひょっとしたらもう10年前後ではないのか。

そう思えば、深夜、独りきりの書斎で、こんなことをしてはいられないぞ、という得体の知れない焦燥感に取り付かれてしまう。こんなこととは何か、それ自体が問いである。『人間喜劇』。バルザックも、なんとも大した題の作品群を書いたものである。

世界経済の行く先、そして日本と私の運命は？

「ローヤー進化論」『BUSINESS LAW JOURNAL』２０１５年７月号

「世界経済の現状は、一歩間違えばデフレ局面に陥りかねない低空飛行の実体経済を、急変リスクを抱える金融市場が支えるというきわめて脆弱な状況にある」

２０１５年３月時点におけるエネルギー専門家の診断である（『原油暴落で変わる世界』藤和彦、日本経済新聞出版社、２０１５　98頁）。それは漠然としてはいても、私自身の認識でもある。

新聞の広告で本を求めるのは、私の久しい習慣である。だから、この本をそうやって求めたことは珍しいことではない。しかし、４月９日（木）の日本経済新聞の広告で発見し秘書に購入を頼んだのは、私の生活ルールからして４月13日（月）以前のことではあり得ない。手元に着いたのはその数日後のことであろう。それを19日の日曜日には読み上げていたのは、自分でも驚くほどこの本に惹きつけられたことを示している。一読巻を措く能わず、ということになる。

「中央銀行が常に信用できるかは疑問の余地がある」というサマーズ元財務長官の発言の記事（朝日新聞２０１５年４月９日付け朝刊）が脳裏にあったせいかもしれない。

私は原油価格が暴落したという報道に接したとき、直ちに、これは先進国にとっては朗報に違いない、殊に日本にとっては願ってもないboon（恩恵）になると感じた。1バレル当たり100ドルだったものが半値になったのである。東日本大震災以来、原発が止まり、原油や天然ガスの高値での購入を余儀なくされていた日本には、天から降ってきた恵みの雨に映ったのである。

天から降ってきたと書いた。同書によれば、まことにその感が深い。

「1985年11月の1バレル＝31・8ドルから86年4月に9・8ドルに下落」とあり、その後、「2008年7月に147ドルのピークを迎えたが、リーマンショックで反転、2009年3月に33ドルまで下落したが、短期間で価格が再上昇し、2011年から100ドル前後という原油価格が3年にわたって持続していた」のだという。

なんとも凄い話である。「2014年夏頃の1バレル＝100ドルという石油価格のインフレ調整後の水準は、逆オイルショック（筆者注：1986年の価格下落のこと）を招いた1980年代初めの価格水準と同等かそれ以上であった」というから、当時と比較するにはインフレ調整をして、今回の数字を3分の1にしなければならないということになり、確かに50ドルに落ちた事実は、1986年基準でいえば16・7ドルになったことを意味する。藤氏によれば「下落率は、1986年の『逆オイルショック』（32ドル→10ドル）の場合に近づきつつある」ということになるのである（いずれも同書54、55頁）。

もちろん、私は原油を掘ったり売ったりしているわけでも、金融市場で原油の先物取引をしているのでもない。自分で車を運転するから、ときどきガソリンスタンドで原油から精製された商品を給油してもらう。そのときに価格の上下を実感する程度である。

だが、この本は私を捉えて離さなかった。

「原油安によって短期的には原油輸入国のＧＤＰが押し上げられるのだろうが、原油安がもたらす世界経済のデフレ化が進めば、成行きによっては世界金融危機の導火線になる恐れがある」（同書98頁）と言われれば、なるほど自分の感じたことは半ば当たっていたのかと思いつつも、その反応の鈍さを思い知らされるのである。

冒頭の引用の後には、「世界経済は成長のエンジンを失い、尋常な手段では景気回復をすることが不可能になるのではないだろうか」とある。

それだけではない。藤氏は英国の歴史家ホブズボームに触れ、「米国の覇権は歴史のひとコマ的現象にすぎない。21世紀の世界はバルカン化が予想され、世界戦争が勃発する可能性がある」と引用してみせる。ホブズボームが「国家の不安定化が内戦を招き、これが関係諸国を巻き込んでいく構図になる」と言っているというのだ。そう聞けば、私はそうだったのかと膝を打ち、「アメリカ国民は世界中で一番、武装率が高い。堪忍袋の緒が切れたときの反抗形態は、まちがいなく武装反乱になるだろう」と不気味な予言をする方もいる（『夢の国から悪夢の国へ』増田悦佐、東洋経済新報社、２０１４　４３１、４３２頁）と自ら引用したことまで思い出すのである（『現代の正体』幻冬舎、２０１４　１０８頁）。

まだある。

藤氏は世界システム論で名高い米国の社会学者ウォーラーステインにも触れて、「現在の世界情勢は、欧州で封建主義が瓦解し資本主義にとって代わられた15世紀から16世紀の状況に酷似していると考えているようだ」と述べる。藤氏によれば、ウォーラーステインは「今後誕生する世界システムが現在の資本主義よりもさらに暴力的で搾取的になるとの懸念を抱いている節がある」というから、どれもこれもなんとも暗い未来である（いずれも『原油暴落で変わる世界』１０４頁）。

だが、藤氏は問題への処方箋も準備している。

「米国が、その国力が落ちるにつれて徐々に内向き化していくと仮定するならば、日本は自ら持つ政治的・経済的ツールを総動員して、あらゆる可能性を追求することが必要だ。

その際、大英帝国のグランド・ストラテジーが参考になる」と説く。

「欧州大陸における大規模な陸上戦を避けつつ、大陸から強力な覇権国家が出現するのを阻止するという戦略だ」というのである。大陸の強力な覇権国とは中国であり、自らが「バランサーとして機能する」ために日本が援助すべき「対抗する国々」とは、ロシアでありインドである。

「ロシアと中国は米国の一極支配に対抗するために戦略的パートナーシップを組んでいるが、本来敵対してきた経緯がある。（中略）地政学の観点から見て『中国の台頭』により、日本とロシアの関係は『呉越同舟』になってゆくのではないか」とする藤氏の分析には何とも迫力がある（いずれも同書240、241頁）。

安倍政権の方向はそれに近いように見える。結果は私の運命の相当部分を左右する。したがって、単なる歴史への興味を超えたものがそこには存在するのである。

下り坂の生涯、逐《お》うているのはなんの影やら

「パワー・オブ・アトーニー」『月刊ザ・ローヤーズ』2015年8月号

深夜3時、私は独りきりの部屋で腕立て伏せをする。毎日する。体全体が上下する感覚を感じながら、「ああ、17歳のときとなにも変わっていないな」と思う。深く沈みこまなくてはいけないのだと意識している。腕をほんの少しだけ折り、アゴを突き出したり引っ込めたりしたところで、大した運動になりはしないのだ。

48年前、私は腕立て伏せをして体を鍛えていた。今になっても同じことをするのは、未だ老け

込むという気持ちにどうにもなれないでいるからだろう。「人の生涯はもう下り坂になって行くのに、逐うているのはなんの影やら」と鷗外が自嘲したのは49歳のときである。私も下り坂であることは間違いない。ただ、私の場合にはどうもだらだら坂のような気がしてならないのだ。もちろん、先のことはわかりはしない。高をくくっているのは、いささか身勝手でもあり、いずれにしても滑稽なことだと思わないではない。

実はもうそんな事態ではないのだと頭ではわかっている。だから、申し訳のように定期的に医者に会いに行く。血液でわかる数値はどれも正常値を示している。

真夜中に腕立て伏せをしたあと、どういうわけかよく父親のことを思い出す。17歳の私は両親と姉と同居していた。私は父親が35歳のときの子どもだから、17歳の私が腕立て伏せをしていたとき父親は52歳だった。父親は中年になってから始めたゴルフに夢中だった。朝、目覚めて朝食前にクラブを一振りし、食後出かけるまでにもう一振りする。猫の額のような庭で、紐のついた球を相手に、飽きることなくクラブを振り回していた。

勤務先が近かったしバイクを運転して通っていたから、昼ご飯を食べに自宅へ戻ってきていた。その習慣は、後に会社の車で送り迎えをしてもらうようになってからも続いていた。あのころにはなんとも思わないでいたが、朝、昼、晩と一日に三度の食事を毎日準備し、片付けていた母親にとってどれほどの負担だったのかと考える。

父親が昼自宅に戻ったとき、春や夏の休みであれば私も自宅にいた。昼食前にクラブを振った父親は、昼食が終わるとごろりと畳の上に横になってほんの少しの時間眠る。30分もしないうちにむっくりと起き上がると、庭に出て再びゴルフのクラブを振り始めるのだ。ひとしきり球を打ち続けると、会社に出かけてゆく。

夕方にもクラブと紐付きの球を使っての儀式が続く。夕食前、夕食後、風呂に入る前、風呂上がり、そして人々が寝静まるころまで。一度なぞ、球を打つ音に業を煮やした隣家から「好い加減にせんか」というご主人の怒声が飛んできたこともあった。

そういえば、私の父親は経理や庶務、総務といった仕事だったから、夕食を自宅でとらない夜はほとんどなかった。夕食後、父親に言われて背中に乗ってあんま代わりを務めたのは、いったいいくつのころだったか。父親は浴衣を着ていた。背広にネクタイで外へ出かけても、帰宅すれば直ぐに浴衣に着替えていたような気がする。

父親は95歳まで生きて、亡くなった。タバコを吸わず酒をほとんど飲まず、道楽といえばゴルフくらいだった。しかし、そのゴルフについてはまさに修行僧のようだった。46歳の出家だったということかもしれない。50代でシングルプレイヤーになった。雷が鳴る日に出かけるのを家人が止めると、「雷がきたらアイアンを空に突き立てる。ゴルフ場で雷に打たれて死ねば本望だ」と言い残して出て行った。

一緒に飛行機に初めて乗ったとき、トイレを使ったら手を拭いたあとの紙タオルで洗面のシンクもきちんと拭っておくのだと教えてくれたことがあった。私が大学生のときのことだったと思う。そういえば、まだ家族とともに東京にいた私は10歳のとき、単身赴任先の広島から飛行機に乗って帰ってくる父親を迎えに羽田の飛行場に行ったことがある。6歳上の兄と一緒だった。飛行機に乗って帰ってくる父親がとても晴れがましいような、自慢なような気がしたのを覚えている。そのとき、履きなれない革靴を履いていた私は床が石だったせいで滑ってしまった。とっさに兄が腕を引っ張り上げてくれたが、そうでなければどうなってしまったか分からない。人生はいくつもの幸運に支えられているのだ。

父親は、ほかにも社会人として生きてゆくための作法を教えてくれた。いくつかは身につき、この歳になっても実行している。例えば人と会う前には髪を梳いておくことである。靴の磨き方も教えてくれたが、今では自分で靴を磨くことはなくなってしまったから、役に立たない。鋸は力を入れずに引くこと、鰹節を削るのも同じということも父親に習った。酒を飲むことは父親の日常生活にはなかったから、子どもと酒を酌み交わす夢などはなかったに違いない。それでも、晩酌のようにしてビールを何杯か飲むようになってから、私と乾杯をしてからグラスに口をつけるようになった。

老人になってからは、父親なりに編み出した理想的な歯の磨き方を伝授してくれようとしたが、もう私のほうに学ぶ意欲が欠落してしまっていて、生返事をすることでお茶を濁してしまった。生涯、自分の歯で生きた。生まれつきの幸運が手伝っていたとはいえ、それなりのことがあったのかもしれない。私も、遺伝的には歯が丈夫で、今でも不自由しないでいる。しかし、せっかく鬼の歯を持って生まれたのに、磨き方という金棒を手に入れそこなったのかもしれない。

昭和35年（1960年）から45年（1970年）までの広島。原爆投下から15年後の広島に、こうした生活を営んでいた家族が確かに存在していた。いまはもう、ない。私自身が、両親ともにいなくなってしまっても少しもおかしくない年齢になっているのだ。祖母がいて、両親がいて、母親は専業主婦で、兄と姉と合わせて子どもが3人。ほかにも、広島だけでも10万を超える数の似たような家族がいたのだろう。

その期間は、日本が高度成長を遂げた時期とぴったりと一致する。石油ショックのあった昭和48年、1973年には私は東京の大学に在籍し、広島との間を行ったり来たりしていた。年に三度、学校の休みのたびに渡り鳥のように定期的に、私は国鉄の客となった。今のJRである。学生だった私は、それが両親にとってどれほどの負担だったかを考えたこともなかった。子どもというのはそうしたものなのだ。

同じような子どもとその親が、中国に、ベトナムに、インドネシアに、ブラジルに、アフリカ諸国に、たくさんいるに違いない。明日は今日よりも良くなると疑いもしないで暮らすことのできる幸福な年齢である。

では、私はいつから子どもでなくなったのだろうか。司法試験に受かったのが25歳の誕生日だった。司法修習生というものになって初めて給料というものを手にした。28歳の誕生日の前日に最初の子どもが生まれた。その間に少しずつ大人になっていったのだろうか。そんな気がする。

いや、今でも子どものようだと言われることがある。これでも紳士で通っているのだと言い返してはみても、自分自身が子どものころから少しも成長しない自分を知っている。もうこのまま死んでしまうのかと思うこともある。

今の私からみれば、40歳はひどく若い人である。17歳のとき、私には40歳は際限もない向こうにあり、人生を半ば終えた人の年齢のようにしか思えなかった。

北杜夫が『どくとるマンボウ青春記』に書いている。40歳を余り軽蔑しないほうがいい、いずれ自分も40歳になってしまうのだ、と。65歳になった北氏は40歳についてどんな感慨をいだいたのだろうか。いずれにしても、84歳で亡くなるときには65歳は信じられないほど若いという思いに満たされていたに違いない。

書いていて一つ気になることがあった。栗本慎一郎氏がこんなことを書いていたのだ。あるとき、小学校時代のことがひどく懐かしくなった。なかでも女の子から傘を借りたままになっていることが気になり、矢も盾も堪らず、何十年も経っているのに彼女の自宅へ返しに行った。ところが、それから直ぐに脳の発作で倒れてしまったというのだ。発作の初期症状だった。

幸い、私は返していない傘が手元にあるのか、未だ気になったことがない。

思想家・岩井克人氏の挑戦

「ローヤー進化論」『BUSINESS LAW JOURNAL』2015年8月号

フランシス・フクヤマの『歴史の終わり』は、1992年に出版され、人類の歴史が役割を終えたと高らかに宣言した。歴史とは、自由と民主主義という普遍的価値の実現に向かっての争いを意味しているところ、その争いたる東西冷戦にアメリカが勝利してしまった以上、もう歴史には先がなくなったというのである。

しかし、幸か不幸か歴史は終わっていない。では、こちらはどうだろうか？　「これまで会社システムの多様性などということがまことしやかに喧伝されていた。だが、アメリカ経済とイギリス経済の輝かしき成功によって、事態は大きく変わってしまった。アメリカとイギリスだけではなく、ヨーロッパでも日本でも、会社システムのあり方は一つの『標準モデル』に収束し始めている。それは、新古典派的な株価最大化のモデルである。このモデルに関しては『もはやまともな挑戦者はいなくなった』」

これは、岩井克人氏の『経済学の宇宙』（日本経済新聞出版社、２０１５）からの孫引きである。元はヘンリー・ハイズマン教授（エール・ロースクール）とレイニアー・クラークマン教授（ハーバード・ロースクール）が２０００年に発表した「会社法の歴史の終焉」という「大胆なタイトルの論文」で、「大きな反響を呼びました」とある（『経済学の宇宙』３０８頁）。

しかし、岩井氏によれば、「この『歴史の終焉』宣言にもかかわらず、その後も各所で続けられてきた会社目標に関する国際比較研究は、各国の会社システム間にそれほど強い『収束』傾向が見られないことを繰り返し示してきています」ということである。

岩井氏が「私自身が数年前に作ってみたグラフです」という、同書３１０頁に掲げられた「リーマン・ショック（２００８年９月15日）前後の『単位労働費用』の推移」と題する折れ線グラフは、まことに雄弁である。

「単位費用とは、総労働費用を生産量で割った値で、労働への分配率と近似しています」とあるから、要するに、グラフを見る者は、リーマン・ショック直後のアメリカ企業の反応とドイツや日本の企業の反応との違いを目に見える形で示されることになる。

米国では「利潤を優先するために単位費用を抑え始めています。具体的には従業員の首切りです」ということであり、他方、ドイツや日本では「利潤は犠牲にして、組織内の雇用の確保に努めた」というのである。岩井氏は、「二つの対立する会社システムが、今でも存在し続けている」と結論する。

岩井氏は、会社とは二階建ての建物であるという議論で、法律家にも広く知られている経済学者である。あるいは、個人事業主である青果店の主人は、お腹が減ったら自分の店先に陳列しているリンゴを手にとって食べてしまってもよい、しかし、スーパーの株主が同じことをすれば、窃盗になるという、はなはだ分かりやすい説明で個人と法人の差を説く方でもある。岩井氏の論法を引用すれば、「実は、会社は株主のものでしかないと主張する株主主権論とは、青果店の店主とその店先のリンゴとの関係を、そのまま会社の株主と会社の資産に当てはめてしまった理論的誤謬なのです」ということである。

二階建てとは、二階部分で株主が会社をモノとして所有し、一階部分で、その株主に所有されている会社が、今度はヒトすなわち法人として、機械や設備といった会社資産を所有していることを意味する（同書288頁）。

岩井氏は、「最も重要であったのは、この会社の二階建て構造に行き当たることによって、日本の会社とは、決して資本主義と矛盾しているわけでも会社法の論理と矛盾しているわけでもないということを、ようやく自分でも納得できる形で示すことができたこと」であると語る。

私の能力では、岩井氏の経済学者としての業績をうかがい知ることはできない。しかし、その私にも、岩井氏のロジックを文章で追うことは、なんとも知的興奮を誘う作業である。読み始め、注意深く読み進めていくと、読み終えたときには得心している自分を発見するのである。

岩井氏の会社論は、代表者と会社との信任論につながる。「経済学という学問は、その理論体系から倫理を葬り去ることによって成立した学問であった」（同書361頁）。英国の経済学者アダム・スミスの「見えざる手」である。自己利益の追求が社会全体の利益増進になる、という理屈である。

だが、岩井氏は言う。「会社をいかに統治するかという大問題の核心にも、『忠実義務』という呼び名で厳然と『倫理』が置かれていることを私は発見してしまったのです。資本主義のまさに真っ只中に倫理がある。私は驚き、とまどいを感じました」（同書362頁）。

さらに岩井氏はトマス・シェリング教授（ハーバード大学）に触れる。

「人は自分とは契約できない――これは、社会組織や法哲学における衝撃的な原理である」（同書365頁）。であればこそ、契約では覆うことのできない領域については、信任法によるしかない。

会社は、自分自身である代表者と契約ができない。そう考える岩井氏は、信任法についての体系を作りあげることを決意する。

それが50代後半。68歳の岩井氏の挑戦はなおも続く。

「私は、『言語・法・貨幣論』によって、この【社会実在論と社会名目論の】方法論的対立を超越できるのではないかと考えています」(同書474頁)

この本に聞き手として登場する前田裕之氏によれば、岩井氏の目標は、市民社会、すなわち「法が支配する国家にも、貨幣が支配する資本主義にも繰り込まれていない、第三の領域」、「国家と資本主義との間において新たな権利、新たな価値の可能性を実験し続けることによって、国家と資本主義を永遠に補完していく領域」(同書475頁)である。

前田氏は、「これから『岩井克人の思想史』は佳境に入る」と言う。私は、岩井氏の健康と長寿を、日本と人類のために祈らずにはいられない。なぜなら、500年の後、人々は、他のどこでもない日本に、他の誰でもない岩井氏がいたと思い出すことになる予感がするからである。

★コーポレートガバナンスに通ずる永田鉄山

「パワー・オブ・アトーニー」『月刊ザ・ローヤーズ』2015年9月号

戦に敗れた直後、多くの日本人がスイスのような国になりたいと願った。「日本は東洋のスイスたれ」とすら言われたのである。もちろん、スイスが永世中立国だったからである。1815年のウィーン会議以降だから、その時点で既に130年の歴史を有していた。

永田鉄山は、その戦争の始まる前から、日本はスイスのようでなくてはならないと考えていた。といっても、今では永田の名を知る人は少ないだろう。

1935年、昭和10年に陸軍省の自分の執務室で現役の軍人に斬り殺された、陸軍省軍務局長だった人物である。彼の死の翌年には二・二六事件が起こり、翌々年には日華事変が勃発した。偶然ではない。彼の死が影響している。その死の意味はそれほどに大きかったのである。だからこそ殺されたのである。

歴史は必然か、それとも個人が生み出すのか。永田の死がその後の日本の運命を決めたと聞けば、関心はいやがうえにも高まらざるを得ない。

しかし、私が永田鉄山について書かれた『永田鉄山　昭和陸軍「運命の男」』（早坂隆、文藝春秋、2015）をご紹介したいと思った理由はそこにはない。

陸軍省の中枢にあった彼は、第一次世界大戦を海外に駐在して眺め、これからの戦争は「軍隊がやるもの」ではなくなったこと、既に欧州各国には「戦争は国家全体でやる」という新たな価値観が根付き実践されていることを深く知ったのである。であればこそ、第一次世界大戦を深刻な体験として経験していない祖国の将来に、深甚な危惧を抱かないではいられなかった。

「工業生産分野の充実が国家の命運を決定的に左右する」そして「工業生産を担うのは、軍人ではなく一般の庶民である」（62頁。以下、断りがない限り引用頁は同書）。

そう考えた彼は、「『軍部独裁』ではなく『デモクラシーの時代の軍隊のあるべき姿』」について考え、「『国防を一部の軍人だけが担う』という体制こそ、軍事力が暴走する危険を内包するのであり、『国防は国民全体で行う』という国家の形が実は最も『民主的だ』」と説くに到った（80頁）。

竹やりで戦車に立ち向かわせる、頑迷で滑稽なほどに愚かな軍人像しか持っていなければ驚くかもしれないが、陸軍の軍人はそういう人ばかりの集まりではなかったのである。

「『民主主義』と『総動員体制』の両立の道を如何にして実現すべきか」（65頁）。永田は、「女性の労働力を活用するために『託児所の設立』の必要性を指摘した」という。

また、「工業製品の大量生産を可能にするための『規格統一』の重要性を強調」していて、これは戦後に継続している。工業生産を重視した永田が自動車の国産化を促進しようとしたことは、当然過ぎるほど当然であろう。「日本の自動車産業は、その揺籃期において斯かる軍部の指導があって発展を遂げた」（93頁）。まるで、横須賀の造船所を造った幕末の小栗上野介である。

メディアも然りである。「国民大衆の生活安定」が「国防」につながることを強く意識した彼は、陸軍のパンフレットを1934年、昭和9年に広く国民に配布せしめたのである。しかし、「政界や各種メディアからは、強い反対の声が寄せられた」という。「世論は陸軍に対して冷たかった」のだ（173頁）。真珠湾の7年前、日本はそんな状況だったのである。

「東條ではなく、この男だったら太平洋戦争は止められた」とは、同書の帯広告の言うところである。確かに、永田は東條英機の1年先輩の軍人であり、「東條は生前の永田に心酔し切っていた」とこの本は言う（265頁）。

あるいは、当時の永田の部下であった池田純久《すみひさ》は、「永田中将が存命していたら、支那事変の発生を未然に防ぎえたであろうことが想像される。そうなっていたら、日本の運命は全く違ってきたであろう」（264頁）とすら言っている。さらに永田の妻は、「お父さんが生きていれば、東條さんは押さえられた」と語ったそうである（273頁）。

現に永田は、生前に上海事変の解決に奔走して塘沽協定（1933年）に至らしめ、日中の紛争を一時的にせよ収拾した実績を有している。

私は若いころ、高倉健と吉永小百合主演の映画『動乱』を観たことがある。その中でそれぞれ実際の名前は違うが、永田鉄山を斬った相沢三郎中佐の役をやったのは田村高廣であり、永田役をやった役者は悪役で有名な俳優だった。映画のなかの永田は、純粋な陸軍士官たちに対する冷徹な組織のボスたる敵役だったのであろう。高倉健は、二・二六事件の主犯の一人を演じているのである。

歴史の文脈にのせれば、以下のとおりである。

二・二六事件は、当時の陸軍の二大派閥の一つであった皇道派と呼ばれる過激派が起こしたのであり、それに対する反対派閥が統制派と呼ばれ、その頭目が事件の直前に殺害された永田であった。

しかし、天皇親政を目指した皇道派は、天皇自身をして「朕が最も信頼せる老臣をことごとく倒すは、真綿にて朕が首を絞むるに等しき行為なり」と言わしめ、賊軍として成敗された。

問題は、その時にはもう永田鉄山がこの世にいなかったことである。彼がいない陸軍は、もはや糸の切れた凧になってしまっていたからである。永田は、殺害される10日ほど前、相沢中佐と2時間近く対話している。相沢は永田のことを「悪魔の総司令部」と思っていた。その相沢に永田は、「君のように注意してくれるのは非常にありがたいが、自分は誠心誠意やっている。もとより修養が足りないので、力が及ばないところもある」という趣旨のことを述べ、「自分は漸進的にこの世を改革する」と口にしたという。そして最後に、「ゆっくり話せなかったので、次の機会に会って話すか、手紙で往復して話そう」と丁寧に諭したそうである（203頁）。その直ぐ後に、有無を言わせない凶行があったのである。

私がこの本を手にしたのは偶然に近い。私の最近の本の選択の主たる方法である書評を読んでその中から選んだものではないからである。今年7月の朝日新聞の広告で発見したのである。そこには「たちまち3刷」との文字が書き加えられていた。

早坂氏の『永田鉄山』の本を一読、私は書棚に別に永田鉄山についての本があったはずだと思い出した。川田稔名古屋大学教授の『浜口雄幸と永田鉄山』である。これも朝日新聞の広告で購入している。2009年の4月のことであるから、ずいぶん本棚で眠っていたことになる。2冊とも新聞広告で、それも6年の時を介して買ったということは、私の永田鉄山への関心も、薄いながらも続いていたということなのだろうか。

同書は、これからの戦争には兵士の「自治自律・自主独立の精神・深甚なる責任観念」が必要だという永田の考えを紹介するとともに、「我が国民性」は、「家族制度の下に養成された自然の結果でもあろうが、依頼心強く自治自律の念に乏しいように思われる」との1920年の講演を引用している（『浜口雄幸と永田鉄山』123頁）。

私は、自治自律という言葉づかいに打たれた。これは、現代日本企業のコーポレートガバナンスについて語っているかのように感じたからである。

ちなみに同書は、原敬や浜口雄幸なども、永田と同じ国家総力戦観を持っていたと述べる（125頁）。敗戦後70年、長い間私は、現在の日本がどれほど戦前の日本から断絶しているのか継続しているのかに興味を抱いてきた。早い話が、仕事ではいまだに大審院の判例を検討することがあるのだ。

鷗外の生涯について調べたものは誰でも、戦前の陸軍がどれほど人材の宝庫であったかに気の遠くなる思いがするに違いない。逆に言えば、その人々が、自衛隊を除けばほとんどすべてビジネスに流れ込んでいるのが今の日本の姿ということである。

永田殺害について、永井荷風は「相沢中佐軍法会議」に触れ、「一般国民の自覚に乏しきに起因する」と述べ将来への悲観を筆にしている（『断腸亭日乗』1936年2月14日）。

生前、永田は「『人間は死ぬときには死ぬんだ』とよく周囲に話していたという」（早坂208頁）。その言葉は、私に井伊直弼《なおすけ》を思い出させる。「生涯を通じて、家庭を大切にした」（同書182頁）永田鉄山は、妻と5人の子どもを遺した。51歳であった。

他方、相沢中佐は銃による処刑に臨み、「家内に編んで貰ったこの腹巻毛糸をやって行きます」（261頁）と話したという。47歳であった。それぞれの人生の重要な一部が厳然と存在している。

人はいったい何のために生まれ、生きるのか。私の答えは未だない。

人道主義革命の原因は「本」

「ローヤー進化論」『BUSINESS LAW JOURNAL』2015年9月号

人類はどうやって途方もない暴力から抜け出すことができたのか？　人道主義は、どういう経緯で確立されたのか？

『暴力の人類史（上・下）』（青土社、2015）は、その問いに答える。

その議論の前提は、「何千年も文明の一部として存在していた残酷な慣習の数々は、ほんの一世紀という短い間に、突然姿を消した。魔女の殺害、囚人に対する拷問、異教徒の弾圧、社会規範に従わない者の処刑、外国人の奴隷化など、胸が悪くなるような残忍さをもって行われたこれらの残虐行為はごく短期間の間に、『あって当然』のものから『ありえない』ものへと変化した」という認識である（上巻311頁。以下、断りがない限り引用頁はすべて同書から）。

著者であるスティーブン・ピンカー氏はハーバード大学教授である。

私はこの本を、長谷川眞理子教授の書評（日本経済新聞2015年4月5日付け朝刊）で知った。

「分厚い2冊組でありながら、こんなに夢中になって一気に読んだ本も久しぶりだ」と興奮気味に語る長谷川教授は、さらに「近代の国民国家以前の狩猟採集社会や部族社会では、戦争と略奪は日常茶飯事と呼べるほど」で、「著者は、まずは、本当に人類史を通じて確実に暴力が減少してきたことを立証する。これは事実だ」と評する。

私は、ビル・ゲイツ氏が「わたしが読んだなかでもっとも重要な本の一冊。それも『今年の』ではなく『永遠の一冊』だ」と言っているという帯の広告にもつられ、全１３４９頁の本に挑み始めた。

人道主義革命の原因について、ピンカー教授は、まず「文明化のプロセス」を検討する。具体的には、「農業や略奪より交換のネットワークへの依存度を高めつつある社会で生き延び、繁栄するために役人や商人の考え方を理解する能力を磨こうとしていた結果なのだ」ということになる。衛生観念や礼儀作法でもある。

「だが残念ながら、文明化プロセスと人道主義革命とを時系列的に検証してみると、そこに因果関係があるとは考えられない」。なぜなら、「政府による統治や商業が台頭し、殺人事件数が急激に減少して文明化プロセスが促進された数百年にわたって、残忍な刑罰や君主の権力、異端者への暴力的な弾圧などに異議を唱える者は誰もいなかった」からである（上巻３１５頁）。

次にピンカー教授は、「生活水準が向上するにつれて人びとが他人に対してより同情的になった」という説明が可能かどうかを分析する。

しかし、「時期が合わない」ことから、これも妥当しない。同書に掲載の図によれば、「豊かさが右肩上がりに転じたのは19世紀に産業革命が起きてからのこと」だからである（上巻316頁）。

イギリス史の学者の最近の定説では、「産業革命」なるものは存在しなかったとされていることについては、以前に述べたことがある（拙著『現代の正体』58頁）。しかし、上述の図は雄弁であり、産業革命の存否についての議論を不要とする。この図によれば、イギリスにおける一人当たりの実質所得の増加は19世紀の半ばごろに始まったことが明らかである。他方、「人道的な変化は17世紀に起きはじめ、18世紀にはその最盛期を迎えている」からである。

では、何が原因だったのか？

「産業革命以前に他の分野に先立って生産が増大した技術」である。「本の生産」である。

もちろん、グーテンベルクが１４５０年頃に活版印刷術を発明したからである。その２００年後、印刷と製紙の生産性は20倍以上に増大したという（以下、引用は上巻３１８頁から３２４頁）。

「新しい効率的な印刷・製本技術の登場で、出版は爆発的に増加した」

本は貴族や知識人たちのおもちゃから、多くの人々の手に入るものになった。

どういう本か？

なんと、小説が原動力の一つのようなのである。もちろん、時事問題を扱う新聞や雑誌も読まれた。もっぱら宗教的なものが読む対象であった時代から、世俗的なものも読まれるようになった。それだけではない。集団で読むのではなく、個人で読書するようになったのである。

「印刷物の増加と識字能力の向上こそ、人道主義革命のきっかけとなった最大の外生的要因ではないかと思われる」というピンカー教授の推論は、納得のいくものであるように思われる。

「どんな文化においても、人は親族や友人、赤ん坊に対しては同情的な反応を示すことができるのに対し、隣人や見知らぬ人、外国人など、より大きな集団にたいしては冷淡になりがちだ」

「長い歴史をへて、人間は自分と同じようにその利益を大事にする存在の範囲を徐々に広げてきた。その共感の輪を大きくしたものこそ、識字能力の向上なのである」

「物を読むことは視点取得の技術である」。だから、「他者の書いた言葉を読む習慣をもつことによって、喜びや苦痛を含め、他者の頭の中に入ることが習慣づけられる」。信念から客観的な見方への転換である。

したがって、小説が重要な働きをしたことは当然である。ピンカー教授は、ルソーにあてた退役軍人の手紙を引用する。『新エロイーズ』を読んだのである。

「あなたのお書きになった彼女の物語に、私は我を忘れました。…物語を読むことが私にもたらした影響はあまりに大きく、その至高の瞬間に死んでも悔いはなかったとさえ思うほどです」

もう、『アンクル・トムの小屋』を紹介するまでもないだろう。現代では映画やテレビ番組、さらにはネットがどれほど人々の心を動かしていることか。

どうやら、太陽の下で新しいことが起こるのが歴史のようである。人類は進歩すると言ってもよい。グーテンベルクから500年余、基本的人権を疑う者はいない。

自然人の次は会社ではなかろうか。法人の権利と義務がもっと研究されるのだ。CSR（企業の社会的責任）は先駆けに過ぎない。法人は実在するのか否か。ひょっとしたら私の試みているビジネスロー・ノベルもほんの少し貢献することができるかもしれないと空想してみれば、なんとも心躍ることではある。

日本とイギリスの植民地政策の違いは何か

「パワー・オブ・アトーニー」『月刊ザ・ローヤーズ』2015年10月号

私の恩師は格別の方である。その名を平川祐弘という。比較文学の大家ということになっているが、実はそれどころではない。壮大な文明史家である。

その平川先生が「昭和天皇とヴィクトリア女王」という論文を書かれた（『WiLL』2015年10月号）。早速読み、教えられるところが多かった。恩師は過去だけではなく、現在形、未来形の恩師なのである。不肖の弟子としては何ともありがたいことに、84歳を超えられて大変お元気である。新聞でも雑誌でも、同時代人として教えを受け続けることができるのである。

先生の論文の勘所は、末尾の「昭和天皇の時代はヴィクトリア女王の時代に匹敵する時代だった」というところに凝縮されている。それぞれ、62年間と64年間の長さを誇る君主である。18歳で即位したヴィクトリア女王の時代、「イギリスは世界で最初の近代産業国家となり、七つの海に覇を制した」。25歳で践祚《せんそ》した昭和天皇の時代、日本には「軍国日本の壊滅と経済大国の蘇生」があった。

漱石の研究家でもある先生は、漱石が日本の未来に悲観的な見通しを述べたことに触れる。『三四郎』の広田先生の言葉、日本は滅びるね、である。

日露戦争の勝因の一つは日本海海戦での勝利であった。しかし、「聯合艦隊は旗艦三笠以下、主力艦は概ねイギリス製」だったのである。「明治の日本人はそれだから英国に頭が上がらなかった」と平川先生は喝破する。

「それでは漱石は正しかったといえるのか」。先生は、そう問いかけて、「昭和前期の日本の顚末は見据えていた」と答える。「しかし、漱石も見通せなかったのは、昭和二十年から昭和六十三年にいたる昭和後期の日本の姿です」として、新幹線を例として挙げる。「日本は敗戦後、産業立国に成功し、復興した。そしてなんと、日本の新幹線技術は英国に輸出されて、しかも嬉しいことに英国側に感謝されている」

もっと鋭い言葉が続く。「人間、追い抜かれると口惜しいものです」として、昭和天皇の逝去される間際のイギリス大衆紙の大見出しを引用する。

『Hell is Waiting for this Truly Evil Emperor』（「地獄がこの真に悪逆なる天皇を待っている」と訳出されている）

これには多くの日本人が、体の血が逆流するような感覚を覚えるのではなかろうか。穏健な平川先生は「これは酷い、趣味も悪い、失礼である」と感じたと表現する。

もしヴィクトリア女王の危篤に際して中国の（先生は「清国シナ」と書いている）新聞が同じことを書いたら、１９０１年のイギリス政府や国民がどのように反応したかと問い、「必ずや国際問題に転嫁していたでしょう」と指摘する。

１９０１年、イギリスは南アフリカの金鉱に惹かれボーア戦争を戦っていた。中国から香港を奪ったアヘン戦争の60年後である。インドでセポイの乱を鎮圧してヴィクトリア女王がインド帝国の皇帝になってから24年後のことである。

もちろんその時、世界中のどの国も地域も正面切って「酷い、趣味の悪い、失礼」なことを言い募ることはしなかった。イギリスは世界を支配していたからである。

１９０１年当時のドイツの皇帝ヴィルヘルム二世は、ヴィクトリア女王の孫である。そのヴィルヘルム二世はロシア革命で殺されたニコライ二世ともヴィクトリア女王の次の次の後継者であるジョージ五世とも従兄弟同士である。ヨーロッパの王室は縁戚続きなのである。

第一次世界大戦とは、そういう関係の人たちの間で始まった戦いであった。結果はいくつもの帝国の滅亡となった。日本とは、そういう意味では縁が薄い。しかし、その総力戦となった結果が第二次世界大戦として再現されたという意味では、大いに深い関係を持つ戦争であったのである。

平川先生は、「日本の植民地主義を問題とするなら、英仏蘭米の植民地主義支配こそ問題とせねばならないのではないでしょうか」とも問いかける。私も、先生同様、日本の植民地支配について良くなかった面が多々あったと考える。

しかし、先生は自らの問いにこう回答するのだ。

「サッチャーは『私たちヨーロッパ人は植民地化の事業について何も謝る必要はない』と言っているのに対し、日本の村山富市氏は『私たち日本人は植民地化の事業について謝る必要がある』という趣旨を述べたが、どこかバランスを失してはいないか」

私は戦前の日本について考えるときに、いつもイギリスを思う。インドを支配していたイギリスである。果たしてイギリスはインド支配について「何も謝る必要はない」のだろうか。私にはそうは思えない（拙著『「雇用」が日本を強くする』１００頁）。

だが、イギリスは第二次世界大戦に勝ち、日本は敗れたのである。「負けるような戦争をした日本は愚かだったと思います」と先生が言われるのを聞くと、そうなのだ、そうでしかないのだと改めて思う。ただ思うのではない。涙とともに思うのである。私が日本人だからである。

先生は、「日本は西洋の帝国主義的進出に張り合おうとするうちに自分自身が帝国主義国家になってしまったと私は考えています」と言う。そうなのだろうと私も思う。「なまじい間口を張れたものだから、本人たちは得意になっていたが悲惨なもので、『牛と競争する蛙と同じ事で、もう君、腹が裂けるよ』」とここでも漱石が出てくる。「日露戦争の四十年後に腹が裂けて降伏したた」のである。

文明史家としての先生の真骨頂は以下の部分である。

昭和49年に生還した小野田寛郎少尉について、「かつての敵国をも凌ぐばかりの繁栄を遂げている」昭和の日本で、「このことを無事に生還した小野田少尉とともに祝賀しようではないか、と音頭を取って言う人が出てこなかったことが淋しく思われてなりませんでした」。

当時、日本は我が身のさらなる繁栄のみを視野に入れて背伸びをし、つま先立ちになることに忙しかったのである。現に25歳であった私がそうだった。石油ショックはその前年であった。もっと言えば、日本人は戦争に負けた自分の自画像を描くことに興味が持てなかったのだろう。いや、本当は見たくなかったのかもしれない。

あれから40年余。私が青年だったころの俗謡は「戦争を知らない子供たち」と唄った。最近のエッセイには、「日本国は、大日本帝国が滅亡したあと、『戦後』に建国された国である」とあった（小熊英二、朝日新聞2015年8月27日付け朝刊）。なるほどそう見えるのかと思うほかない。見えるものが違えば考えることが違ってくるのは当然であろう。

先生は、「かつての華夷秩序が復活して東アジアの人々が中国語を強制される日がきたら、それこそ一大事だと思われますが、そんな荒唐無稽の夢が実現するはずもなし」と述べ、「仮にそんな大問題があるとしても、その解決は若い世代の皆さまにお任せしたく思います」と言われる。

私は84歳の先生よりも18年若い。しかし、もはや若い世代ではない。

はてさて、これからの若い日本人は、サッチャーのように、「いかにこの世界の多くを植民地化し——そして私はなんら釈明することなく申し上げます——文明化したかはまことに素晴らしい勇気と才覚の物語でありました」と言うのだろうか。

サッチャーは「ヨーロッパ人」について述べた。日本人は日本についてそう言うことがあるのだろうか？

「西洋植民地主義にも良い面はあった」と述懐される先生は、若い世代にそう期待しているのだろうか。

「台湾人が日本帝国支配のほうがまだましと感じたとしても不思議はない」「日本のコロニアリ

ズムにももちろんよろしくない面があったが、台湾やパラオなどでも日本の評判はいまでも驚くほど良いものです」と書かれる先生のことだ、心の奥底にはそうした期待があるのかもしれない。

いや、「負けるような戦争をした日本は愚かだった」と先生は断じている。「昭和天皇が降伏を余儀なくされながら、その後も君主の地位に留まり、国民の敬愛を受け、廃墟の復興と繁栄を目のあたりにした」と語る先生のことだ、きっと、「ヴィクトリア女王に対し、阿片戦争の戦争責任を追及する人はいない」ことが日本にも当てはまる時代が来ることをこそ見通しているのではなかろうか。

★丑三つ時に「愛」について考える

「ローヤー進化論」『BUSINESS LAW JOURNAL』2015年10月号

「われわれは、じつは、直接知っている相手でなければ愛せない」

イギリスの小説家E・M・フォースターは、現在の日本でどれくらい知られているだろうか？岩波文庫から1996年に『フォースター評論集』が出ていて、2009年には第2刷が出ているところからすれば、それなりに読まれているのだろう。いや、20年ほど前には著作集まで出ている。少なくとも当時には多くのファンがいると出版社が考えたに違いない。

しかし、それは20年前のことである。ITの時代、人々の心はどうなっているのか分かりはしない。

私は40年前に出会ったフォースターに、1年前、久しぶりに邂逅《かいこう》した。経済学者の猪木武徳氏が日本経済新聞の読書欄に「フォースターの健全な懐疑主義」と題した一文を寄せ、『フォースター評論集』に触れていたからである。私は、早速その本を買い求めた。

とは言っても、読み始めたのはつい最近のことである。

昼間のあくせくとした生活の延長のような夜が過ぎたあと、もうやることは明日に備えて眠るだけとなった丑三つ時、ベッドに入った私は、自分の心とひそやかな対話を交わすことのできそうな時間が欲しいのである。これから自分はいったいどうなってしまうのだろう、などと漠然と思い惑いながら、同じようなことを考えた先人の跡をたどってみたいと思うのは、こんなときである。

しばらく私の書架に並んで沈黙を守っていたフォースターの本が、私に語りかけ始めたのは、こんな一夜だったような気がする。

冒頭の一節は、『フォースター評論集』の135頁に出てくる。その前の頁には、「愛は、私生活では大きな力です。最大の力と言ってもいいほどです。ところが公生活では役に立たないのです。それは何度も実験ずみで、中世のキリスト教文明でも、世俗版の人類愛強調運動だったフランス革命でも実験されました。ところが、すべて失敗したのです」とある。

私は不思議な気持ちにおそわれた。

続けてフォースターは、「国家同士で愛しなさい、企業同士であるいは商取引委員会同士で愛しなさい」と言ってみせてから、「ポルトガルで暮らしている人が、まったく知らないペルーの人を愛しなさいという――これはバカげた話で、非現実的で、危険です」と述べる。

私は、EUにおけるギリシャ問題を思った。フォースターの文章を読んでいて、ああEUはドイツに対して、ギリシャを愛しなさい、「国家同士で愛しなさい」と言っているということなのだと、突然の啓示のように感じたのである。ギリシャを救うためには、ドイツ人が祖国ドイツに払う税金がギリシャ人に無償で与えられることに同意しなければならない。だが、それは不可能だ。そういう議論をいくつも聞いていたからでもある。

そうだったのだ。愛は公生活では役立たないものだったのだ。

日本人同士なら、自分の払った税金が見も知らない別の県に住んでいる人に渡されても、大きな不満を感じることはない。お互い日本人だからである。直接知っているというに近いのである。

期待に反して目が冴えてきてしまった私は、続けて、コーポレートガバナンスについても似たことがいえるのかもしれないと考え始めた。社内取締役や従業員ではラチがあかないことが、社外取締役であれば何とかなるだろうと思わなければ、昨今のコーポレートガバナンスは成立しない。日本では、社内取締役も従業員も同じ釜の飯を食べた仲間である。フォースター流に言えば、愛が大きな力であるといえそうな世界である。

そうした世界の流儀を公的世界に持ち込んではならない、とコーポレートガバナンスは考えているのではなかろうか。そういえば、フォースターは企業同士で愛しなさいといってもダメどころか危険だとも言っているではないか。

丑三つ時の思考は、思いもかけぬ方向にさ迷い始めてしまった。

私は、大塚家具の株主総会のことを思い出してもいた。あの件についてメディアにコメントを求められたとき、私の頭に最初にのぼったのも、上場している会社で経営者とそれと対立している大株主とが親子であることは、市場にとっては二次的なことに過ぎないということだった。大事なのは過半数の株主が経営者を信頼できると判断すると思うかどうかだとしか見えなかったからである。親子の情愛や憎しみは、そうした世界とは別の世界の出来事だったからである。

なるほど、上場するというのはそういうことだったのかと、私は、幸いぼんやりとし始めた頭で考えた。上場するというのは、愛情を込めて育て上げてきた会社を、公的な世界、株式市場、投資家の市場という別の世界に置くということなのではないか。そこでは、愛は通じず、お互いがいつもよそ行きで話さなければならない。

ここで眠りに落ちればよかったのだが、さらに先を追いかけてしまった。

会社で働くということ、その会社が製品やサービスを生み出すこと、その過程で従業員が社長の指揮の下、一生懸命、顧客や市場で受け入れられるように、人は「愛情を込める」のではないだろうか。

この先は、現に考えたことなのか夢に見たことなのかはっきりとしない。

私の目の前には、世界最大級の自動車会社の工場の一角が広がり、何人もの従業員がラインに並んだ半製品の車に取り組んでいた。その人々には、自分の愛しい子どもを抱きかかえている母親の目があり、手足をとって教え愛しんでいる父親の表情があった。

やはりあれは夢だったのだろう。

夜明け前に目が覚め、人にとって働くとはどういうことなのか、報酬を得る以上の何かなのではないか、働いて初めて人生の手触りがあるのではないかなどと思い巡らす。

結局、勤労において働く対象への愛情とは何なのか、という疑問は夢のままで、人生とは何かという問いと同様、いまだに答えられていないのである。

★岸信介の正しさを示した戦後の歴史

「パワー・オブ・アトーニー」『月刊ザ・ローヤーズ』２０１５年11月号

目黒のサンマという落語がある。江戸時代の殿様が、たまたま外出先の目黒でサンマを食べた。美味であった。ふだんは鯛などの高級魚しか口にしない身分である。そのサンマの味が忘れられず、城に戻ってからサンマを出すように命じた。家来は大騒ぎである。小骨が殿様の喉に刺さったりしたら、腹を切るということにもなりかねない。

焼いたサンマをさんざんいじくりまわした結果、サンマとは似ても似つかない代物にしたてあがった。そのサンマを食べた殿様は、もちろんこれではない、味が違うと分かる。そこで思わず、「サンマは目黒に限る」と呟いたという話である。

では、マグロならばどこに限るだろうか？　答は、巣鴨である。１９４８年の年末近く、GHQの巣鴨プリズンから釈放されて弟のところに送り届けられた男がいた。弟から、「何を食いたいか」と訊かれて、「マグロの刺身が食いたい」と答えた。3年3か月の収容中、マグロは3、4回、それも決まって二切れしか食膳にのぼらなかった。「これが実に美味かった」という生々しい記憶があったからである。

ところが、用意された「大きな皿に盛ったマグロの刺身…がいっこうに美味くないんだな」と男は感じた。それで目黒のサンマの話を思い出して、「マグロは巣鴨に限る」と明るく笑い飛ばしたのである。太田尚樹氏の『満州と岸信介』（KADOKAWA）に出ている話である（99頁）。岸信介は、もちろん殿様ではなかったが、「商工省時代、魚市場に隣接した築地の料亭通い」をするほどに「生来大変な美食家」であったのだという。

彼の弟というのは佐藤栄作で、当時は官房長官であった。ちなみに、佐藤栄作はその6年後、自民党の幹事長であったときに造船疑獄で逮捕寸前のところを法務大臣の指揮権発動で危うく免れている。その10年後には内閣総理大臣になって7年8か月間政権を続け、さらにその10年後にはノーベル平和賞まで授与されている。

この本には、甘粕正彦も主要人物の一人として登場する。それも、満州の阿片の元締めとしてである（191頁）。

こんな記載もある。

「甘粕は、新京ヤマトホテルの自室で独りしずかに、クラッシックに聞きほれていることも多かった。李香蘭（山口淑子）の証言によると、ベートーヴェンやバッハはもちろん、ラフマニノフ、クライスラーのレコードがたくさん揃っていて、スコッチのホワイトホースを傾けながら、静の時空間を楽しんでいたという」

李香蘭を女優として世に売り出したのは甘粕である。彼はまだ50歳になっていなかった。彼は彼なりに新京（今の長春）を東洋のハリウッドにしようと真剣だったのである。

満州映画協会のトップであった甘粕がこんなことを言っていたともある。

「高い給与を出せば人は必ずよく働きますから、どの会社よりも良い給与にします」（183頁）。まるで75年後のコーポレートガバナンス・コードのようでなくもない。ついでに言えば、人事に「実力制を持ちこんだ」ともいう。

甘粕正彦についての挿話を読みながら、私は、ふと気になって過去に自分の書いた本をチェックしてみた。なんと、最近出した3冊の小説のいずれでも甘粕に触れている。『第三の買収』を書いたのは2006年のことだからもう9年前のことになる。ちなみに、同じく太田氏の『東条英機　阿片の闇　満州の夢』によれば「大杉事件では、甘粕は明らかに替え玉として罪を背負って下獄している」とのことである（同書52頁）。10年の刑期を3年で終え、直ぐにフランスに留学しているが、それは陸軍の金であったという（『望郷奇譚』古川薫、文藝春秋、2006　233頁。『甘粕正彦　乱心の曠野』佐野眞一、新潮社、2010　235頁）。

どうして甘粕を、と考えると我ながら不思議な気がする。小説というフィクションの世界にふさわしい、なんともとらえどころのない男だからなのであろう。満州に渡ったとき、甘粕は未だ

39歳であった。それから15年間を彼は満州で生き、結局54歳で自ら死ぬことになる。

それにしてもいったいなぜ？　とさらに考えて、満州に行きつく。厳密に言えば満州事変ということになる。戦前の日本がなぜアメリカとの戦争を始めたのかという疑問が、いつも私の中にあるのである。

満州事変はもう84年も前のことである。しかし、それが今でも日本を縛って離さない。現に、天皇陛下の新年のお言葉も安倍首相の戦後70年談話も、満州事変に触れている。

その満州は岸信介抜きには語れない。そのころ、「弐キ参スケ」という言葉があった。東條英機、星野直樹、鮎川義介、松岡洋右、そして岸信介である。それぞれの名前の末尾の字をとって、そう呼んだのである。

５人の中でも、今日の視点から見れば岸信介に圧倒的な存在感がある。１９４１年に東條内閣の商工大臣となり、１９５７年に総理大臣となった。１９６０年、日米安保条約の改定を成し遂げて辞任したのは周知のところである。その後は「妖怪」と呼ばれ、90歳の天寿を全うした。

その岸信介が、孟子の「至誠にして動かざる者は、未だ之れ有らざるなり（完全な誠の心があれば、人を動かし得ないものは未だかってない）」という言葉を好きだったという（76頁）。もちろん、吉田松陰を介してである。どちらも長州の出身なのである（拙著『「雇用」が日本を強くする』68頁）。蛇足ながら、相手が動かないのは自らの誠が未だ完全ではないからということでもある。

もっとも、岸は、同じ孟子の「自ら反《かえり》みて縮《なお》くんば、千万人と雖も吾往かん（反省してやましいところがなければ、千万人の反対があっても、自分の道を進もう）」も好きだったという。彼は1960年、国会を取り囲んだデモ隊を見て、国民の声無き声は自分の味方であると傲然と述べたのである。

その後の歴史はどうか。どうも彼が正しかったことを示している。「ソ連に対応するには、アメリカを利用してやっていくより道がない」と考えていたのである（79頁）。

岸は自らを国粋主義者であると言い（76頁）、北一輝に心酔したことを隠さない。「彼の『国家改造案』は大きな魅力だった。…『日本改造法案大綱』に改題されて秘密出版されたとき、ボクは夜を徹して筆写しましたよ」（89頁）と述べている。

北一輝の本のなかには、私有財産の限度額を設けることのほか、労働者の争議・ストライキを禁止すると書かれているという。興味深いのは、「労働者も会社の経営に対する発言権を認める」とある部分である（90頁）。ドイツの共同決定法を思わせるからである。今回フォルクスワーゲンの事件が起きて、この共同決定法になんらかの影響が及ぶのか否か、私は秘かに注目しているのである。

チャーチルとの対話として記されているところもなんとも興味深い。チャーチルは、両親が日露戦争直後の日本で買ったという馬のブロンズ像を岸に見せながら、「名もない一職人が値段も高くはないこの作品を作るのに、ごまかし一つせずに、忠実に最後まで仕上げるということは、容易なことではない」と語りかけたという（242頁）。

つまるところ、日本人というのはそういう人間なのだと、私は誇らしく思う。他に取り柄はあるまいとすら思う。これからの日本人は違うのかもしれない。しかし、過去においてそうだったのである。だから、敗戦の後ここまで来たのである。これからも世界をリードする使命の前提である。

最後に「人は年を重ねて老境に入ると、負ってきた人生に『哀愁』が漂っているものだが、岸は最後まで『まだまだやりたいことがある人の若さを感じさせた』と周囲の人たちは言う」とあることに触れたい（243頁）。「一度総理をやって野に下り…もう一度総理をやった人間は、前よりも大きくなるんだよ」と岸信介が言っていたという。

おや、自分のことを言っているようには聞こえないぞと感じるのは、私の読み間違いだろうか。

★日本の歴史認識と世界の未来

「ローヤー進化論」『BUSINESS LAW JOURNAL』２０１５年11月号

世界は、現状維持が国益にかなう国々と、これからの発展を望むがゆえに現状の変更を主張する国々とに勢力が分かれている。前者は、民主主義と平和を人類普遍の真理であると説く。しかし後者は言う。自国にとって好都合だからそう声高に言い立てているだけではないのか。未来に賭ける側はそんな説に賛成しない、と。

現状維持派の代表選手がアメリカである。では、現状打破派は？

これは現代の話ではない。１９２０年、第一次世界大戦直後の日本のことである。当時の日本では、国際連盟の設立について国内で激しい対立があったのである。

冒頭の一節は、一方の旗頭であった伊東巳代治の主張である。伊藤博文の側近として明治憲法制定に関わり、当時は大正天皇直属の機関として設けられていた臨時外交調査委員会の委員であった。彼はこう言った。

「『アングロサクソン』人種の現状維持を目的とする一種の政治的同盟の成立して、其の以外の列国は将来の発展を掣肘《せいちゅう》せらるるの結果を見るに至るやも亦知るべからず」（『歴史認識とは何か』細谷雄一、新潮社、2015　93頁。以下、引用頁はすべて同書から）

若き近衛文麿は「英米本位の平和主義を排す」という論文にこう書いていた。

「これを要するに英米の平和主義は現状維持を便利とするものの唱ふる事勿《ことなか》れ主義にして、何等《なんら》正義人道と関係なきものなるに拘らず、我国論者が彼等の宣言の美辞に酔うて平和即人道と心得、其の国際的地位よりすれば、むしろ独逸《ドイツ》と同じく現状の打破を唱ふべき筈の日本に居りながら、英米本位の平和主義にかぶれ国際連盟を天来の福音の如く渇仰するの態度あるは、実に卑屈千万にして、正義人道より見て蛇蝎《だかつ》視すべきものなり」（103頁）

牧野伸顕《のぶあき》は国際連盟賛成である。大久保利通の次男で吉田茂の義父である。

「単に側面から大勢を逡巡観測するにとどまって、勢い成るに及んでやむをえずこれに順応するような態度に出るのは、大局上甚だ帝国の前途にとっては不利になることは多言を要しない。そこでむしろこのさい大勢を予見し、少なくとも主義上は進んで国際連盟の成立には賛同することが必要と認められる」（92頁）

しかし、「外交調査会では牧野のような、英米との協調を説く議論は主流となることはなく、むしろ伊東が説くような英米批判の強硬論が大勢となった」のであり、「それは、その後の日本外交が直面する不安を予期させるものであった」（93頁）。

その後を知っている我々からすれば、伊東巳代治や近衛文麿のような見解こそが日本を戦争に引っ張っていったように見える。しかし、例えば近衛の言ったところを現在の新興国のリーダーが読めば、あるいは快哉を叫ぶかもしれない。

私はこの本を1日で読んでしまった。目次の一節が私の目を釘付けにしたのだ。「若き天皇の不安」とあった。

そうだったのだ。私の覚えている昭和天皇は年老いていた。だが昭和天皇は若かったのだ。

その節は、1928年の張作霖《ちょうさくりん》爆殺事件に始まる。「このとき、昭和天皇は即位して一年半しか経っておらず、まだ二十七歳の青年であった」（125頁）

翌年、天皇は「これは『一凶人の仕事』であって、『内閣が責任をとる理由』はないと上奏した」田中義一首相に対して、「怒りを爆発させて田中首相を問責した」。天皇は、「それでは前言と違うではないか、辞表を出してはどうかと強い語気で云った」（126頁）。

5日後、田中は辞職した。

そうした歴史は私も知っていた。この若かったときの出来事について後に昭和天皇には深く考えるところがあったことも知っていた。

だが、「この時期に陸軍の一部の者が『今の陛下は凡庸で困る』といっており、軍部内に『非常に暴動な気運』が起こっている」（127頁）と、西園寺公望の私設秘書であった原田熊雄が書いていたとは知らなかった。

この一節の末尾には、「陸軍の軍紀が乱れ、統制が失われつつあることへの天皇の不安は、予期せぬかたちでこの直後に現実のものとなる。満州事変の勃発である」とある（127頁）。その満州事変に際して、「天皇と牧野内大臣は、陸軍に抵抗することに弱気となり、これに事後承認を与えてしまう」（130頁）のだ。

だが、昭和天皇は二・二六事件を容赦しなかった。「朕自ら近衛師団を率いて、此れが鎮圧に当たらん」とまで断言し、断罪した。

著者の細谷氏は、安倍談話をめぐって「歴史認識問題が大きな政治的争点となる八月以前に出したい」（279頁）と思い、「僅か一ヵ月ほど」で脱稿したという。「国際的認識と日本人の歴史認識との間に大きな齟齬が生じていること」に焦点を当てての力作である。

私はこの本を1日で読んで、天皇陛下の2015年新年の「ご感想」を思い返した。「満州事変に始まるこの戦争」という部分である。そう述べたときの天皇陛下の脳裏には、父君である昭和天皇の万感の思いがあったのではないか。そう感じたのである。

戦後70年の安倍首相談話には、「満州事変、そして国際連盟からの脱退。日本は、次第に、国際社会が壮絶な犠牲の上に築こうとした『新しい国際秩序』への『挑戦者』となっていった。進むべき針路を誤り、戦争への道を進んで行きました」とある。

米国のケネディ駐日大使は「非の打ち所がない内容で素晴らしい」と述べたという（読売新聞2015年8月18日付け朝刊1面）。

私は、コーポレートガバナンスについて語るとき、「日本は非白人で初めて工業化を成し遂げたのだから新興国の見本になる使命がある」と述べることがある。日本がどのようにコーポレートガバナンスを、すなわち世界の有り様を考えているのかは人類にとっての重大事だと考えているのである。

したがって満州事変からの84年は、日本だけの問題どころか、未来の世界の問題なのである。

★マクロ経済学は知的遊戯に変わったのか

「パワー・オブ・アトーニー」『月刊ザ・ローヤーズ』2015年12月号

「公園の土を直径2・2メートル、深さ2・7メートルの円筒形に掘り、その穴の近くにそのまま掘り上げた土を穴と同じ円筒形に固めて置いた」ものを想像することは、少しも難しいことではない。

だが、それを見て、「物凄い現実の物体の迫力に声を失い、立ちつくく」することは、誰にでもできることではないだろう。

その穴と土は、関根伸夫という彫刻家が1968年に造った作品である。『位相―大地』と名づけられている。私は山本豊津《ほづ》という方の書いた『アートは資本主義の行方を予言する』（PHP研究所、2015　引用は88頁）を読んで、先ず口絵でそれに出逢った。もちろん、円筒形の穴とその横に置かれた同じ円筒形の土の塊の写真である。

おかしなことをする人がいるものだ、というのが最初の感想である。しかし、男子用小便器を置いて『泉』と題して展示することもまたアートだというのが現代の常識である。マルセル・デュシャンが1917年にやってみせたのである。第一次世界大戦のさなか、もちろんヨーロッパを離れたニューヨークでのことであった。

だから、円筒形の土と穴だからといって特に驚きはしない。といって、文庫本1頁大の写真を見ても、「物凄い現実の物体」とも感じない。実際にその場で現物を見れば？　なんともご苦労な作業だというくらいには思っただろう。穴を覗きこめば？　怖いに決まっている。

同じく口絵にある、赤いカンバスに大小3つの切り込みを縦にいれたフォンタナの作品もまた、既に目に親しい。

山本氏は李禹煥《リウーファン》氏から、「山本君、作品を見てすぐ理解できるということはありえないんだよ」と言われたという。山本氏が「とくに現代アートは作品の意味や価値がわかりにくい」と説くのを読むと、私は、以前自分が取り上げた『印象派はこうして世界を征服した』という本を思い出す。

ギリシア神話の知識もキリスト教の聖書や歴史についての理解も必要とせず、ただ無心に絵の前に立ち、印象を得ること。加えて途方もない金額の金を払う用意さえあればこと足りる。それが印象派をして世界を征服せしめたのだという。

そういえば、ピカソについてはこんなことを書いたこともある。『アヴィニョンの娘たち』によって、ピカソは「商業性も実用性もはるかに見下した『美術館の学術的な権威』」を打ち立てた。１９３９年から１９４０年にかけてだった。今度は同じ戦争でも第二次世界大戦である。

この山本氏の本の帯広告には、経済学者として名高い水野和夫氏の推薦の言葉がある。

「『資本主義の終焉』を読み解くヒントが、現代アートにここまで隠されていたとは驚きだ！」

いうまでもなく、水野氏の最近の著書の一つは『資本主義の終焉と歴史の危機』である。「グローバル・エリートと称される一部の特権階級だけが富を独占することになる」と予言したのである（拙著『現代の正体』１０５頁）。まことに良い人を得たものである。

「神から離れ、人間の理性に対しても不信感をもつということは、すなわちニヒリズムに直結します」（山本73頁）

ばらばらになった個人の存在が、不安に漂う。

「すべての価値が絶対性を失い相対化する中で、唯一、芸術はその価値の転換を体現しながらも、美という価値によって再び新たな求心力を持ちうる。だとすれば芸術こそ、ニヒリズムの毒によって価値を失うことのない、新しい価値観だということができるかもしれません」

そうだろうか。著者は、こうも言っているのだ。

「最終的に絵の価値は価格で表されると考えています」（174頁）。「資本主義のもとではすべての価値は価格に置き換えられます。…大衆社会においては金額に過ぐる表現はありません」（180頁）

まるで、会社の価値の話をしているようではないか。

企業価値と株価の関係。株価は必ずしも常に企業価値を正確に反映するものではない。しかし、中長期的に見れば、株価にこそ企業価値が示される。そういう議論は、しばしば聞くところである。

人はどうして株を買い、絵画を購《あがな》うのだろうか。金儲けのためである。儲けた金を誇示するためである。どんな高い宝石を手に入れたところで、友人に「見に来てくれよ」などと話すことは恥ずかしくてできない。

しかし、それが流行の絵であれば、「いやあ、つい買ってしまってね」と呟けば、友人のほうから見せてくれとせがんでくる。

最後は、美術館に行きつく。美術館は金がなければ造ることはできない。しかし、それだけではない。金を美術品に費やすという意思が必要である。たとえそれが、画商に連れられて画廊に行き、ここからここまでを全部、という買い方であっても、ただの守銭奴は絵画を買ったりはしない。

資本主義はどこへ行くのか。「フロンティアを失った資本は、自国内に格差を生み出し、そこで資本の収奪システムを確立するか（米国はすでにそうなっているし、日本もそうなりつつあります）、国家間や地域間の摩擦を強め、紛争や戦争によって需要を生み出すか（これも杞憂で済まされない事態になりつつあります）、いずれにしても明るい展望が描けない状況です」という山本氏の考察には、説得力がある。

そこで山本氏の目はイスラム国に向く。「なぜ世界中の若者があの残虐な行為を繰り返す『イスラム国』に向かうのか」と問いかける（184頁）。

答は、「『イスラム国』が全世界にイスラム原理主義を広める野望を持っている点で、1920年代から1930年代の世界的なコミンテルンの運動にも似ているのかもしれません」ということである。

不思議の感がある。コミンテルンに絶望したればこそのニヒリズムではなかったのだろうか。である以上、どうしてイスラム原理主義に未来があると感じるのだろうか？

「すでに『周辺』が存在しない世界では、永続的な資本主義は不可能なのです」「もはや地球上に『周辺』はなく、無理やり『周辺』を求めれば、中産階級を没落させ、民主主義の土壌を腐敗させることにしかならない資本主義は、静かに終末期に入ってもらうべきでしょう」ということではなかったのか（水野207頁）。

水野氏は、「『より速く、より遠くへ、より合理的に』という近代資本主義を駆動させてきた理念もまた逆回転させ、『よりゆっくり、より近くへ、より曖昧に』と転じなければならない」と言う。しかし同時に、「その先にどのようなシステムをつくるべきなのかは、私自身にもわかりません」と結論する（同頁）。

ここで私たちは、「『価格破壊』はやがて『雇用破壊』にいたり、その次には『人間破壊』へいたるだろう」という佐伯啓思氏の言葉を思い出すべきなのだろうか（『さらば、資本主義』新潮社 206頁）。

だが、佐伯氏の描く未来はなんとも暗い。「『すぐ手に入れる』ことそのものが欲望になってゆく。実際、この『がまん』の必要をなくした点にこそ、IT革命の最大の意味があった」（佐伯213頁）

「『消費者』は、限界を知らないで欲望を膨らませることになるでしょう。彼はますます『がまん』できない人間になってゆく。『待つ』という倫理の基盤を失ってゆくのです」（218頁）

佐伯氏の言うとおり、「効率の達成、生産性の向上、成長経済をよしとする価値観を前提にしなければ、市場経済理論はほとんど意味を失う」（173頁）のである。ここで、私は吉川洋氏の書かれたことを思い出さずにおれない。

「マクロ経済学は、現実の経済とは何のかかわりも持たない知的遊戯に変わってしまった」（『デフレーション』214頁）

どうやら、我々には「思想が必要」（佐伯177頁）なのだ。

15年前、加藤周一は「知的な活動が目的を設定すると思うのは見当違いな期待で、そういう目的は知的な活動のみからは出てこない」と書いた（『私にとっての20世紀』岩波書店、2009　228頁）。「そのときに参考になり得るのは文学だと思います」

私は、霧のなかから何か微かな音が聞こえてくるような気がしている。

「ローヤー進化論」『BUSINESS LAW JOURNAL』2015年12月号

私の夏と、本

この夏、『永田鉄山　昭和陸軍「運命の男」』（早坂隆、文藝春秋、2015）という題の新書本を読み、『浜口雄幸と永田鉄山』（川田稔、講談社、２００９）という本が本棚にあったのを思い出して読み、さらに『歴史認識とは何か』（細谷雄一、新潮社、２０１５）、『未完のファシズム』（片山杜秀、新潮社、２０１２）と続けて通読した。

何かに憑かれたように、昭和の前半、敗戦までの歴史を追いかけ続けたのである。そういえば『昭和天皇』（原武史、岩波書店、２００８）という本を以前に読んでいたことも思い出し、ぱらぱらと振り返ったりもした。

では、それだけのことだったかというと、実はその間に、『ポスト資本主義』（広井良典、岩波書店、２０１５）という本も読んだし、『反資本主義の亡霊』（原田泰、日本経済新聞出版社、２０１５）にも感心した。『「ドイツ帝国」が世界を破滅させる』（エマニュエル・トッド、文藝春秋、２０１５）という本は、少しずつ読み進めて、いつの間にか読了してしまった。

その合間には、『旅の流儀』（玉村豊男、中央公論新社、２０１５）という本も、それと意識しないで読み終えていた。

暇だったわけではない。弁護士としても継続している案件を抱えていたうえに、新しい仕事がいくつも始まっていた。昼ご飯はもちろん、何人もの方と夜、酒食をともにしたりもした。それどころか、８月28日には、理事長をしているＮＰＯ法人日本コーポレート・ガバナンス・ネットワークの会員総会もあったのである。

ぼんやりとした記憶をたどってみて、やっと気づく。そういえば、今年は夏休みをとらなかったのだ。休むつもりでいて、そう秘書にも周囲にも宣言していたのだが、大切な依頼者の仕事が遅れそうになったので休みを取り消した。それでも、と1日だけ休むつもりだったのが、その日の夕方から新しい依頼者と会うことになり、半日だけになってしまうということも起きた。

私は自分のことを暇な人間だと信じているのだが、どうもそうではないのかもしれない。だが、少なくとも本を読んでいる時間は何かに強制されているわけでも、誰かと約束しているのでもない。ただ自分で、眠る間を惜しんで活字を追いかけているのだ。

そうだった、そういえば最近はベッドに入り、谷崎潤一郎の『細雪』を読んでから眠る習慣になっていたのだった。

赤い本。中央公論新社から刊行された新しい全集（決定版）である。その第3回配本が『細雪』の下巻で、自分も小説を日々書き進めている身なのだからと、一日の最後には、大先輩として仰ぎ見ている谷崎の書いたものに触れ、胸を借りたような気持ちのまま眠りに入りたいと願い、厚くて重いことも意に介さず、両手で支えたり寝たまま横になったりして読んでいたのだ。

赤い本と書いた。表紙の色である。空押しの施された表紙ではあっても、手にしながら、ああ紙なのかと寂しい思いがあった。

以前の谷崎の全集は、布の装丁であった。その全集は1982年に出ていて、弁護士3年生だった私は、以前所属していた事務所のライブラリアンに頼んで個人的に購入していたのである。毎月本が届き、少しも読まれることなく本棚に重ねられていくのみだった。

それをどういうきっかけで読むようになったのだったか。

それよりずっと以前、谷崎の本は文庫本で手に入る限りを読んでいた。きっと、知られた小説や随想の類ばかりではなく、断簡零墨の類まで読みたくなって全集を読み始めたのだろう。『細雪』の巻を読み終えたのは96年7月28日と記録してある。だから、今度は20年ぶりということになる。

この小説に、大阪の船場《せんば》の大店の婿養子だった男が商売を閉じ、銀行勤めに戻って東京の丸の内支店長に栄転する場面がある。昔からの屋敷があった大阪の上本町《うえほんまち》を離れて、東京で借家暮らしを始めることになる。渋谷の道玄坂にある「借家普請の新建ち」で、住所は渋谷区大和町とある（決定版19巻167頁）。「道玄坂を殆ど上り切ったあたりで、左の方の閑静な住宅街へ曲がっていく」ところで、「道玄坂まで出れば繁華な商店街があり、映画館なども幾軒もある」ともある（同書170頁）。

おやおや、いったいいつごろのことかと思えば、「目下の支那事変の発展次第で」とあることから（同書177頁）、どうやら1937年よりも後とわかる。別のところには「近頃世界の視聴を集めている亜細亜と欧羅巴の二つの事件――日本軍の漢口侵攻作戦とチェッコのズデーテン問題――の成行がどうなるか」とあったり、「六月には仏蘭西が降伏してコンピエーニュで休戦協定が成立」（決定版20巻204頁）ともあるから、1940年のことと知れる。

まことに偶然ながら、私は冒頭に掲げた昭和の前半、敗戦までの歴史に関わる本を読みながら、それと意識せずに、同じ時代を描いていた小説家の目を通して眺めてもいたのである。蛇足ながら書き足せば、この谷崎の『細雪』は執筆当時には公に出版することができなかった本でもある。

そういえば、原田泰氏は『反資本主義の亡霊』の中で、「戦前の日本人は、戦争とは利得をもたらすものと思っていた」として日清戦争の賠償金が当時の日本のGDPの3分の1であったことを挙げている（同書128頁）。

同氏の述べるところは、大変興味深い。「日本は、すでに1930年代後半には人手不足状態に陥っており、経済的困難などなかった」し、「1932年夏に7％前後だった失業率は37年4月には4％前後まで下がった」という（同書134頁）。『細雪』の蒔岡姉妹やそのお手伝いさんなど姉妹を取り囲む人々の生活ぶりとも一致することである。元日銀理事の吉野俊彦氏も永井荷風も同旨を述べている（拙著『この時代を生き抜くために』124頁）。

それなのに、なぜアメリカと戦争をしたのか？　原田氏は説く、「民主主義の前に自由がなければならない」と（『反資本主義の亡霊』139頁）。利得のない戦争であるとわかり、日本は人口過多どころか人手不足になっている。ノモンハン事件の結果が知らされる。もし事実を述べる自由があれば、「日本は戦線を縮小することになった」(同書141頁)。
このように、私は何とも含蓄の深いひと夏を過ごしたのである。

第2章

2016年～2017年

遠い国の戦争が平和な日常を一変させるとき

「パワー・オブ・アトーニー」『月刊ザ・ローヤーズ』2016年1月号

パリでのISのテロを聞いて、9・11を思った方は多いだろう。私もその一人だった。その時のアメリカの大統領も、今回のフランスの大統領も、「これは戦争だ」と言った。そして、直ちに行動した。フランスの場合はシリアの空爆強化である。

他方、強い国の人間が殺されれば大事件だが、弱い国の人々が殺されても、世界は騒がないという話も聞いた。弱い国とは、例えばパレスチナである。もっともパレスチナを「国」と呼ぶかどうか自体が現状では大問題である。日本は国として承認していないからである。

パリで惨事の起きた日、パレスチナではもっと多数の人間が殺されていたと報道は伝えていた。

それにしても、なんというタイミングであろうか。シリアからの難民が続々と陸から海から西ヨーロッパを目指していたその矢先のことである。シリアの人口は1800万人で、そのうち1割が難民化しているという。だからテロリストは敢行したのだろう。

解決があるようには思われない。それどころではない。日本もまたテロリストの標的の一つなのである。例えば東京の地下鉄に乗っていた私が突然の爆発に巻き込まれるということはあり得るのだ。他人事ではない。

ふと思う。日本は強い国なのだろうか、と。日本でＩＳのテロがあれば、多人数が死傷することになれば、大事件として世界中に報道されるのだろうか、と。

当然のように思っていても、しかし日本は欧米ではないとも思うのである。世界のメディアは欧米中心である。その秩序のなかで、日本でのテロは果たしてどういう扱いになるのだろうか？

いや、そんなことよりも重要なのは、日本人の反応である。

もし私が幸いにしてテロの被害に遭わなかったとしたら、私はニュースとしてそれを知ることになる。地下鉄サリン事件のときもそうだった。

日本人の多くは憤激するだろう。少数は、アメリカとの同盟強化の結果だと安倍内閣を批判するかもしれない。しかし、圧倒的多数はテロリストに対して強い非難を加えるに違いない。

「君たちに憎しみという贈り物はあげない。君たちの望み通りに怒りで応じることは、君たちと同じ無知に屈することになる」

と、フェイスブックに書く人がどのくらいいるだろうか。

私はこの文章を高橋源一郎氏の「誰のために、祈るのか」という論説で読んだ（朝日新聞２０１5年11月26日付け朝刊）。それ以前にも読んでいたような気がする。しかし、再読して、「君たちと同じ無知」という部分に、テロで妻を失ったという夫の、フランス人としての強い誇りを感じた。

高橋氏は、中東研究者の酒井啓子氏のコラムの存在を教えてくれた。酒井氏は、「パリとシリアとイラクとベイルートの死者を悼む」と題するそのコラムに、「ベイルートもパリも、『イスラーム国』との戦いの延長で、テロによる報復にあった。…ベイルートでの事件が、欧米メディアのなかでかき消されている」と書いているということだった。

ベイルートは中東のレバノンの首都で、一時は中東のパリともいわれたほどに栄えた街である。シリア同様、オスマン帝国の支配下にあり、次いでフランスの植民地にされたところである。だが、私はベイルートで起きたことを知らなかった。

私は早速、彼女のコラムを読んでみた。

ネットはなんと便利なのだろうか。もうネットの世界に存在しないものはほとんど存在しない気がしてくる。

酒井氏は二つ欧米メディアのなかでかき消されていることがあると言う。

一つがベイルートである。パリでの事件の前日、「ベイルートの、にぎやかな商業地区二箇所で同時に起きた事件で、43人の死者と200人の負傷者を出した」のである。

二つ目がフランスの立場である。「フランスが『イスラーム国』との戦いに深く関与していることが覆い隠されている」「参戦して空爆でシリアの人々の命を脅かしているのに、フランスの人々は戦線から遠いところにいる。だったら遠いところから近いところに引きずりだしてやろうじゃないか――。犯人が劇場で、『フランスはシリアで起きていることを知るべきだ』とフランス語で叫んだのは、そういう意味ではないか」

無理無体な話である。しかし、引き金を引いた本人は真剣そのものであったろう。

私は私自身のごくごく小さな体験を思い出す。50年近く前のことである。

東京大学の本郷キャンパスが過激派の学生に占拠され、遂には入試ができない事態に追い込まれたことがあった。昭和44年、1969年のことである。19歳の私は、その入試のために浪人している身だったのである。

私は、友人で既に東大生になっていた男と議論をした。彼はノンポリ派といわれる局外者の立場にいた。私は、東大生である彼が事態を放置していることにいら立ち、責めるような口調になっていたのだろう。彼はこう言った。「僕一人でどうにもなりゃしないさ。殴られて殺されるのがオチだよ」

歴史的背景のある国際的な大紛争とは比べるべくもない。だが、ことの本質は違わない。一人ではどうにもならないのである。一対一の喧嘩でも勝つとは限らない。相手が二人以上になれば、小説や映画の世界でなければ、立ち向かう者は確実にやられる。いわんや、一方は空からの爆撃を繰り返しているのだ。

私は改めてフランツ・ファノンを思い出した。以前書いたことである（拙著『「雇用」が日本を強くする』175頁）。アルジェリア独立戦争に際して、解放派、つまり当時他方からはテロリストといわれた人々の理論的指導者だった男だ。プラスティック爆弾を使ってパリのカフェを爆破し、罪もない子どもたちを殺した事件について彼はこう言った。「機関銃があったらどんなに便利だったか。もし飛行機があれば、フランスがアルジェリアでしているように、空から爆弾の雨を降らせることもできた」

そういえば、こんなことを書いたこともあった。

ベトナムで戦争が続いていたころの話である。遠くの戦争について憤慨する加藤周一氏に、旧知の実業家は、「ぼくはそういうことを知りたくないね、平和にたのしんで暮らしたいのだ。知ったところで、どうしようもないじゃないか」と言ったという（拙著『常識崩壊』263頁）。

だから、テロリストは、「フランスはシリアで起きていることを知るべきだ」と言ったのだろうか。テロリズムは暴力による一方的なコミュニケーションの手段だとでも言うのだろうか？

129人のフランス人は何の罪もないにもかかわらず、なぜフランスのシリア爆撃の代償を払わなくてはならなかったのだろうか。なぜフランス人を代表して殺されることで、フランス人の耳目をシリアに向けようとしたテロリストの手段にされなくてはならなかったのだろうか。

そんなことがまかり通って良いはずがない。

だが、と私は深夜の書斎で独り大きな溜め息をつく。

私は日本の東京にいて、パリもシリアもベイルートも、なにもかもを遠くでの出来事としてしか見ていない。それで済むほどに日本は平和で安全である。

酒井氏の文章には、こんな一節がある。

「かつて日本に留学していたというシリア人の女性が、来日していた。…

彼女が、かつて学んだ校舎で日本人の学生たちに言った言葉が、重い。

『かつて私がここで学んでいたとき、自分の国がこんなふうになってしまうなんて、想像もしてなかった。みんなと同じように、普通に勉強し、普通にレストランにいっておしゃべりし合っていたのに』」

日本でも同じことが起きたことがある。普通に勉強し普通に食事をしていたのに、空襲に遭い、原爆で焼かれた。

何をすれば良いのか。何をしなければならないのか。

もはや他人事ではないのだと自らに言い聞かせることから始めるしかないような気がしている。

もちろん、私は殺される側にいるのである。

★未来を先読みするのは誰か？

「ローヤー進化論」『BUSINESS LAW JOURNAL』2016年1月号

アベノミクスは成功したのか？

新アベノミクスが発表されて、では旧アベノミクスは成功したのかどうかが問われている。

「以前の『3本の矢』とは、要は異次元の金融緩和だけでしたが、その結果、異常な円安が進みました。これは日本経済にマイナスです」という意見がある（小幡績、朝日新聞2015年10月24日付け朝刊）。

私は、浜田宏氏などの本も読み、直接に話も伺い、そのうえで自分なりにも考えて、少なくとも円安の一点では旧アベノミクスは成功したのだと理解していた。現に上場企業の利益の増加は著しい。全企業の内部留保も約324兆円（2014年9月末）から約354兆円（2014年度末）に増えている。ごく最近でも、甘利経済再生担当大臣が「設備投資をしないのは重大な経営判断の誤りだ」と強い表現をするほどの盛況である（日本経済新聞2015年10月17日付け朝刊）。

大方の見解は、第一の矢と第二の矢は成功だったが、第三の矢はね、ということであったような気がしている。それぞれ金融緩和と財政出動、そして成長戦略である。

旧アベノミクスへの見解はともあれ、新アベノミクスが提唱されてみると、これからの日本はどうなるのかという未来像への思いが湧き上がる。

上記記事で小幡氏は、「『新3本の矢』を高く評価していますが、理由は中身がないからです」と、一見奇妙な意見を述べる。その次に冒頭の引用が続くのである。

小幡氏の論は、実は明快である。「経済とは、民間が自分で成長するもので、政府がどうこうできるものではない」としたうえで、「経済活動の基盤となる『いい社会』をつくるのが政府の仕事です」と言うのだ。

「将来どの分野が伸びるか、政府にわかるわけがない」「有望な分野で、政府が旗を振らないと資金が集まらないなんてことはありません」。それどころか、「通産省の『国民車構想』に自動車メーカーが反発し、競い合ったから、今の日本の自動車産業がある」。アニメとマンガも「通産省にアニメ課もマンガ課もなかったから」大成功したのではないか、とまで話は広がる。

小幡氏のいう「いい社会」とは、初等教育を20年後のために充実させることを指している。

「初等教育に投資したほうが、20年後には必ず経済成長に結びつきます」

小泉純一郎元首相が提起した「米百俵」を思い出させる話である。明治維新直後、賊藩となり困窮した長岡藩で、贈られた米百俵を学校の建設資金にしたという故事である。

「長期的に経済が進歩し続けることが、本当の経済成長です」と小幡氏は強調する。

小幡氏の記事の右側には、通産省（現経産省）出身で東大教授である坂田一郎氏の記事が掲載されている。坂田氏は言う。「持続的な成長を実現するには、ライフスタイルを一変させるような製品やサービスを生み出すイノベーション（技術革新）を起こし、雇用を創出していく必要があります」

そのとおりである。

だが、坂田氏は上記引用の直前で、「もはや国家が関与せずに、経済成長をめざせるとは思えません」と言う。坂田氏は、新3本の矢で安倍政権がいう「強い経済」について、「残念ながら、『強い経済』に向けた具体的な道筋がはっきりと見えてきません」と批判している。「1970年代以降に半導体などの分野で国家主導の産業振興に力を注ぎ、シェア拡大などに成功した」という実績を挙げてもいる。「国が未来を先読みしてルールをつくること」が大事なのだとする坂田氏の意見は、小幡氏の「将来どの分野が伸びるか、政府にわかるわけがない」という意見と、真っ向から対立する。

私はため息をつくしかない。どちらが正しいともわからないからである。

ただ、私は私の感じるところに拠るほかかない。

以前、コマツの坂根正弘氏の記事を紹介したことを思い出す。2013年7月18日付け朝日新聞朝刊の記事である。そこで坂根氏は「政治が何かをしてくれたらデフレから脱却できるなんてこともありえない」と断じている。

私は記事の半年後にお会いして対談させていただいた坂根氏のお顔を思い浮かべ、もう一度考える。

私の考えは、やはりビジネスしか価値を創造することはできないという原点に戻る。

問題は、「国が未来を先読み」するときの、国とは具体的には誰を指すのかということなのだろう。

官僚ではなかろうと思う。議論の重要な担い手ではあっても、主役を務めるのはビジネスに携わっている人々しかない。私のビジネスローヤーとしての経験がそう結論させる。

注意して読めば、お二人の見解はそう違わないのかもしれない。坂田氏は、国が新分野を見つけ出し、そこへ国の資金を注ぐべきだとは言っていない。「ルールをつくる」と述べているのである。一定の官僚の関与は必須である。

坂田氏はさらに、「国は、やる気と能力があれば、経済的に余裕のない家庭の子どもにも将来有望なこの分野（筆者注：ＩＴやＡＩのこと）の知識を高める教育制度を整え、人材の輩出を促すべきです」とも言っているのだ。

再言する。ビジネスのことはビジネスパーソンにしかわからない。それが資本主義である。

私がコーポレートガバナンスの分野でのビジネスパーソンの参加を強く主張するのも、ほかに理由はない。コード自体も、自律と中長期的成長をいっている。上場株式会社による資本主義というのは、まことに人類の知恵である。ただし、その管理には細心の注意が必要なのである。コードの目指すところもそこにある。

私はしばしば、吉川洋氏の「ディオニュソス」の話を思い出す。吉川氏は、ニーチェの『悲劇の誕生』に触れて、「企業家一個人の功利的な計算を超えたディオニュソス的とでも呼びうる衝動」が資本主義を盛り立てたという（『いまこそ、ケインズとシュンペーターに学べ』ダイヤモンド社、2009 229頁）。

「優良な投資機会」の問題ではなく、「企業家精神」の問題なのである。それは「家族」大事に行きつく。

であればこそ、日本人が結婚しなくなっていることに深い根があると実感しているのは、私だけではないだろう。

★ガバナンスは必然的に倫理を要請するということ

「パワー・オブ・アトーニー」『月刊ザ・ローヤーズ』2016年2月号

こんなことは人生でたびたび起きるのだろうか。

定価1500円の文庫本を古本として3000円で求めた。2007年に出た本であるが、もう絶版だからである。原著は1991年に出されている。その年のサントリー学芸賞を獲得してもいる。著者が2002年に52歳で死んでしまっていることが、なんとも象徴的である。

私はこの本に、現在日本銀行の政策委員会審議委員である原田泰氏の『反資本主義の亡霊』という本（日本経済新聞出版社、2015）の151頁で出会った。引用されていた坂本多加雄氏の『市場・道徳・秩序』という本を読みたいと感じたのである。

私は深夜4時、いつものように気楽に、この本を買ってくれるようにと秘書にメールで頼み、後にそれが絶版であるのみか、なんと3000円もの値段で流通していることを知らされて大いに驚いた。だが購入することに少しの躊躇もなかった。

問題の箇所は徳富蘇峰について述べた部分で、士族出身だった蘇峰が「（幸徳）秋水とは逆に武士の唱える倫理にうさん臭さを感じ、反発することによって福沢の主張の展開者となった」というくだりであった。蘇峰の唱えた「平民主義という言葉に士族への反発が込められているという」として、原田氏は坂本氏の本に言及していたのだ。

私は手に入れた古本の該当頁を早速開いた。しかし、どこにもそれらしき記述はない。無理もない。原田氏の引用は創文社から1991年に出された原著によっており、私の手に入れたのはちくま学芸文庫版なのだ。中身から見当をつけて探すと209頁らしかった。

坂本氏は、「福沢（諭吉）によって称揚された『私利』の獲得のための活動の倫理的性格に関して、『平民主義』という名称の下に、その理論的発展を図ったのが徳富蘇峰であった」と書いている。同じ頁には、「M・ウェーバーによって定式化されたような『倫理的』色彩を備えた『資本主義の精神』をわが国において確立することが、蘇峰の課題であったといってよいであろう」ともある。

徳富蘇峰は今の世には流行っていない。1863年に生まれ1957年に94歳で亡くなっているから、鷗外の同時代人でありながら第二次世界大戦を生き抜いた人である。

私が原田氏引用の坂本氏の本を読みたいと思ったのは、そこに士族批判があったからである。

私は日本の精神として武士道を過度に強調する考え方を好まない。「武士道がなんであったとしても、武士は5割から6割を農民の収穫から取り上げた」（拙著『やっぱり会社は「私」のものだ』2

21頁）という事実があるからである。

私は自ら働かない人間を尊敬しない。必ずしも報酬を得ていなければならないとは思わない。誰しも、自らを生かしてくれている社会に、それなりの方法で貢献すべきだと思うのである。

私には、経済で一流国の立場を築き上げた戦後の日本にとっては、商人道こそが重視されるべきだろうという気がしてならない。武士道を言うのは、たぶん、西洋にはキリスト教がバックボーンにあるが日本にはそれに匹敵するものがないという、無用かつ無意識のコンプレックスの類ではないかとすら疑っている。

考えてみれば、西洋が軍艦に大砲を載せてやってきた江戸時代末期、寺田屋事件でも池田屋事件でも日本刀を使って喧嘩をしていたのである。

資本主義と倫理というのは私の最近の関心の一つである。倫理に関心を持つのは、コーポレートガバナンスを思うからである。岩井克人氏に教えられたことである。「経済学という学問は、その理論体系から倫理を葬り去ることによって成立した学問であった」というのが岩井氏の言である（『経済学の宇宙』日本経済新聞出版社、2015　361頁）。最近でも日本経済新聞で中谷巌さんと対談され、「ガバナンスが必然的に倫理を要請する」とおっしゃっていた（2015年12月25日付け朝刊）。

岩井氏は、アダム・スミスに触れ、神の見えざる手について述べる。しかし同氏は、「会社をいかに統治するかという大問題」の研究をするうちに、その「核心にも、『忠実義務』という呼び名で厳然と『倫理』が置かれていることを私は発見してしまったのです。資本主義のまさに真っ只中に倫理がある。私は驚き、とまどいました」というところに到達したのだ（同書362頁）。

会社と経営者との信任関係が決して契約関係に還元することができないという考えがそこには存在している。

倫理とは、人によって考え方、定義が違うにしても、主観的ななにかであることは間違いないだろう。人間の主体にかかわる何かというほうがもっと正確かもしれない。人はどのように生きるべきか、という古典的な問いへとつながっている。

その問いに答はあるのだろうか。年末から正月にかけて、私は至福の時を過ごした。これまでの人生になかったほどに、と言えば少し大げさではあっても、そう言いたくなる実感が正月休みの終わり、1月4日にはあった。

私は『アジアの海の大英帝国』（横井勝彦、講談社）、『日本人の歴史観』（岡崎久彦、北岡伸一、坂本多加雄、文藝春秋）、『「空間」から読み解く世界史』（宮崎正勝、新潮社）、『リスク・オン経済の衝撃』（松元崇、日本経済新聞出版社）、『ラッセル 幸福論』（岩波書店）を読んだ。ほかにも会社法の本を含め何冊も拾い読みをした。

『アジアの海の大英帝国』も『「空間」から読み解く世界史』も、関心の根は紅茶にあった。

実は、以前アヘン戦争について書いたときに、イギリスの軍艦が鉄でできた蒸気船であることを当然のことのように考えていたことが気になっていたのだ。

それが、なんとも浩瀚な研究成果として感銘を与えずにはおかない『アジアの海の大英帝国』のおかげで、どうやら間違っていなかったと納得することができたのである。

その結果、私はいくつかのことを知った。第一に、イギリスがアヘン戦争に勝利したのは、東インド会社がイギリス海軍に先行して蒸気船を導入していたことによったことである。

蒸気船であればこそ、「揚子江の広い河口は、なかば泥におおわれた岸の間から海に注ぎ、海はまたその名の由来となっているように、数リーグ沖まで黄色になっているので、河口と海の見分けがつかない。揚子江に入ろうとする船は、接近路をふさいでいる流砂の砂州を避けるために、たえず水深を測りながら、注意深く南岸に沿って進まなければならない」(106頁)。

そのためには、「汽走砲艦」が不可欠で、大型の戦艦はこうした小型の蒸気船に曳航されることで座礁を免れたというのである。

第二に、東インド会社がアヘン戦争でもその後のアロー号事件でも大きな役割を果たしていたことである。蒸気船は一例に過ぎない。イギリス兵の半数以上がインド兵によって占められていたという(176頁)。

第三に、パーマストンの砲艦外交と一口に言っても、実際にはたくさんの人々がそれにかかわり、その人生を懸けていたという、考えてみれば当たり前の事実である。パーマストンはその総称に過ぎない。

『「空間」から読み解く世界史』も驚くべき本であった。私は、「コーヒーも、紅茶も、チョコレートも、サトウの使用を前提とする商品として普及する」（194頁）とあるあたりから読み始め、最後まで読んで、1頁目に戻った。

17世紀に成立したロマノフ王朝が「歳入の半分を毛皮に依存していた」こともこの本で知った（147頁）。現在の歳入の過半を石油に依存しているロシアを思えば、なんとも複雑な感慨があった。

こうして、私は平成27年から28年、西暦でいえば2015年から2016年にかけての数日間を過ごしたのである。私は紅白歌合戦を知らない。除夜の鐘も聞き漏らした。部屋のなかで、机とベッドを往復するだけで時は過ぎたのである。

そういえば『日本人の歴史観』の冒頭、北岡氏が坂本氏について、「学問に淫したともいうべき人物」と書いていた。私は、深さはともかく、本に淫しているのかもしれない。

永遠の国益への希求

「ローヤー進化論」『BUSINESS LAW JOURNAL』2016年2月号

英国が中国に急接近している。習近平国家主席の訪英に際しての、エリザベス女王主催の晩さん会を含めての歓迎ぶりは、今の英国にとっての中国の重要性を何よりも明確に示していると言ってよいだろう。

読売新聞2015年11月21日付け夕刊のコラム「とれんど」（論説副委員長佐伯聡士氏）は、2012年のキャメロン首相とダライ・ラマ14世の会談に対する中国側の報復措置に触れ、「その後、英国は関係修復へ舵を切った」と述べる。

同コラムはその証拠として、2014年秋の香港での学生による民主化要求デモへ英国が関与を控えたことや、2015年のアジアインフラ投資銀行（AIIB）へ先進7か国の先頭を切って参加表明したことを挙げる。最近の習近平主席との会談での大型投資・貿易協定の合意もその一つである。キャメロン首相は記者会見で、「経済か人権か、ではない。経済関係が強いほど、ほかの問題でも率直な話ができる」と述べたという。

ところが、「中国共産党関係者によると、習政権は、英国の対中急接近について、『英国を懲らしめた成果の表れだ』と、自信を深めているという」。

このコラムは冒頭で、1997年の中国への香港返還の半月前、当時の植民地香港の最後の総督だったクリストファー・パッテン氏が、日本人記者団に対し、「英中共同声明が存続する限り、英国には道義的な責任がある」と語った事実を回想している。「『返還後50年間は不変』と約束した中国の『一国二制度』を、英国は返還後も監視し、影響力を行使し続けるのだろう」という、当時の予測は裏切られたようだと切り出すのだ。

約束の一方当事者の言ったことであるから、それなりに合理的な予測であったように見える。しかし、破られた場合に英国に何ができるのか、いや、そもそも英国が何かをしようとするのかは、所詮そのときの状況次第でしかないのだろう。現在の状況は、上記のとおりということになる。

キャメロン首相の経済関係とほかの問題についての発言を読み、私は、175年前のことを思い出していた。パーマストンである。「大英帝国には永遠の友も永遠の敵もいない。あるのは永遠の国益のみ」と断言した、あのパーマストンである。もちろん、彼がアヘン戦争を始めたことを思ったからである。

君塚直隆『物語 イギリスの歴史〈下〉』（中央公論新社、2015）は、その間の経緯を伝えない。

それどころか、1840年ころの英国史の事件として「寝室女官事件」に触れるのである（同書98頁）。私は君塚氏の本で初めてそんな事件が英国史にあったのだと知った。なるほど、ヴィクトリア女王の女官の人事権が女王にあるのか政府にあるのかは、英国政治にとっての大問題であったに違いない。それに比べれば、アヘン戦争は、ベルギー独立、オスマン・トルコとエジプトをめぐる諸国の紛争などの山積する外交案件の一つに過ぎず、したがって、首相であったメルバーン子爵にしてみれば、信頼する外相であったパーマストンに丸投げしておけば済む程度のことでしかなかったのであろう。蛇足だが、パーマストンは単にメルバーン内閣の外相であっただけではなく、メルバーン首相の妹と長いあいだ不倫の関係にあったといわれている。のちに二人は正式に結婚しているが、その前に何人かの子をなしているともいわれているほどである。

私はつくづくと考え込んだ。確かに、宮中の人事は私的なことではないのかもしれない。それをめぐって、若き女王と首相候補が対立したとなると、ただ事では済まされない。

だが、中国ではアヘン戦争があったのである。それにもかかわらず、と言いかけて、それが人の世か、と思い直す。つまり、政治は所詮、国内政治が政治家の権力の源泉なのであって、それを把握していないで外交の表面を見ているだけでは、事態の変化に翻弄されるだけなのだろうと考えたのである。ちなみに、寝室女官事件のころ、ヴィクトリア女王は20歳になったかならないかの独身女性であった。女王と対立したのは、50歳を超えていたロバート・ピールである。ピールは「祖父がマンチェスターで綿布の捺染《なっせん》工場（1万5000人も働いていた）の経営で巨万の富を築いた、産業界の出身だった」という（同書98頁）。インドの捺染更紗輸入への代替品開発が回りまわって生んだ富である（拙著『現代の正体』58頁「産業革命と世界の成り立ち」参照）。結局、1839年に起きた寝室女官事件の結果、メルバーンからピールへの政権交代は2年も遅れた。アヘン戦争はその間に始まってしまったのである。そして寝室女官事件が終わってすぐにアヘン戦争も解決した。香港割譲である。もちろん、中国、当時の清から見れば、侵略である。

本題に戻れば、キャメロン首相の説明は言い訳じみているように聞こえないでもない。経済問題について弱者である者は、人権問題について率直な話はしないだろうと思われるからである。しかし、私はキャメロン首相の言動を咎めたいとは思わない。反対である。彼が英国の「永遠の国益」を思い、それのみを守ろうとしていることは、日本人である私にも感銘を与えるほどである。その余は政治家の説明の便宜に過ぎない。彼は、必死に英国経済を維持・拡大しようとしているのである。

中国共産党関係者の述べたと言われるところは、ありそうな話である。彼または彼女の頭の中には、アヘン戦争以来の175年間がはっきりと存在している。英国にとっては一外交問題に過ぎなかったかもしれないが、中国にとっては一大国内問題であったのである。やっと「懲らしめる」力が中国の側についたのである。アヘン戦争で英国を懲らしめようとして志を遂げなかった林則徐も、中国の力の回復に満足していることだろう。

我々はどうすべきなのか？

自分のことは自分で始末をつけなければならないのが世の常である。一人で不安であれば「国益のために」他の力を借りる知恵も要るであろう。

南シナ海について、日本は米国と何らかの形で共同作戦に踏み切ろうとしている。これは日本国内の人心を大きく、決定的に、70年ぶりに、変えることになるな。私はそう考えているところである。

★日本の裁判所は本当に「正直な人間を守る」のか

「パワー・オブ・アトーニー」『月刊ザ・ローヤーズ』2016年3月号

ここ何年か、私はダイエットを試みている。ご多分にもれず医師の勧告があってのことで、読者にも同じお立場で日夜みずからを叱咤激励している方は少なくないのではあるまいか。

つい先日、「1年で4キロほど減りましてね」とある方に話したら、「それはいい、1年で4キロくらいにしとかないとリバウンドが来るからね」と答があって、しばらくはダイエット談義に花が咲いた。

美味しいイタリア料理とシャンパン、赤白のワインを腹におさめ、目の前には10種類を超えるデザートが大きなワゴンに載って指名を待っているという場面での会話だから、なんとも現実感と深刻さに溢れたやり取りではあった。

私は、翌日からのダイエット強化を誓いながら、4種類ものデザートを頼み、それでも皿に「天使の取り分」を未練たっぷりに残しつつ、店自慢のアールグレイの紅茶を楽しんだ。

西インド諸島で砂糖が大量に生産されたこと、その生産はアフリカ西海岸から連れてこられた奴隷たちによってなされたこと、砂糖はイギリスを初めとする西洋諸国に運ばれ産業革命を準備したこと、砂糖農場を所有していたイギリス貴族は不在地主で、本国の議会に議席を占めて政治的影響力を行使していたことなどを思い出しながら、私は先進国日本の卓越したスウィーツを大いに堪能した。

「二〇世紀の社会科学がやってきたことは、理性の力だけでダイエットを成功させようとするようなことでした」

社会心理学者の山岸俊男氏は、その著書『「日本人」という、うそ』のまえがきにこう書いている(筑摩書房　5頁)。氏曰く、「いくら理性の命令に従って逆立ち歩行をしようとしても、それを実行するのがむずかしいのと同じように、ダイエットを貫徹するのはとてもむずかしいのです」。

異論はない。しかし、20世紀の社会科学についてはもっと知りたいところである。

この本を買ったのは、「武士道ではなく商人道こそが必要だ」という書評（朝日新聞2015年11月8日付け朝刊）に惹かれてであった。日ごろの私の考えでもあるからだ。

この二つの道については書評が簡潔にまとめている。

「集団内部の安定の維持を最優先するシステムと心性をもつ『安心社会』日本は、企業モラルの劣化をはじめ危機的状況にある。それを打破するには、リスクを覚悟し自らの責任で他者との関係を築く『信頼社会』に移行すべき」だというのである。

コーポレートガバナンスについて書かれたかのごとき文章である。「内部出身者による取締役会と経営陣から、リスクを取ることを可能にする独立社外取締役へ」に似ていると思ったのである。

私は、現代が歴史的転換期にあるという議論を気軽には信用しない。ひょっとしたらいつの時代もその時代を生きる者は転換期、激動期だと信じ込んで生きてきたのではないかと思うからである。私は、エジプトの古代文字を解読したら「近頃の若いものは始末に負えない」と書いてあったという類の諧謔を好むのである。

山岸氏は、「地中海貿易をめぐる戦い」を取り上げて、安心社会と信頼社会について語る。古代ローマ帝国が滅びた後のヨーロッパ中世、地中海貿易では二派の商人があったというのだ。「一つは北アフリカを拠点にしていたユダヤ系イスラム教徒のマグレブ人であり、もう一つはイタリア半島のジェノア人たちの二つのグループでした」（２３６頁）

私は12世紀スペインに住んでいたイスラム教徒に関心を引かれ、「私は名所旧跡の見物には少しも関心がない。しかし、以上の次第でイスラム教とキリスト教の混交したスペイン見物にならう行ってみたいものだと珍しく食指を動かされた気がしている。…なんとも忙しくなってしまいそうである」と本書20頁に書いた。しかし、スペインに出かける前にまた新しいことを本とネットから学ぶことになってしまった。ユダヤ系イスラム教徒が対岸にいて、地中海貿易で活躍していたというのである。

「貿易をはじめとする、遠隔地とのビジネスを行ううえで、人類が長年にわたって頭を悩ませてきたのが『エージェント問題』と呼ばれるものである」（２３４頁）

エージェント問題。「このエージェントが自分の利益のためにちゃんと動いてくれる保証はありません」。そのとおりである。ますますコーポレートガバナンスの話と瓜二つである。

「マグレブ商人は代理人問題を解決するために、安心社会的なアプローチを用いていました。つまり、身内とよそ者を徹底的に区別し、身内しか信じないというやり方を採用していたわけです」

「ジェノア商人のほうは…その時々で必要な代理人を立てるというやり方にしたわけです」(237頁)

ジェノア流では代理人が裏切らないようにコミッションが高くなり、それでもトラブルが起きない保証はない。もし起きれば、法廷ということになる。それもコスト押し上げの追加要因になってしまう。マグレブ流ならば、裏切った人間とは二度と付き合わないという鉄の掟を厳密に守れば済む。

どちらが効率的か。「現実の歴史を見てゆくと、マグレブ商人は地中海貿易から姿を消し、ジェノア商人たちのほうが…覇権を手に入れた」(238頁)

理由は? 「機会コストの増大」であると山岸氏は言う。「新規開拓というチャンスをドブに捨てている」(235頁)からだというのだ。「多少のリスクがあっても身内以外の相手と取引したほうが、チャンスをつかむこともできるというものです」(239頁)ということである。

言い換えれば、「安心社会が提供する安心や安全とは『未来への可能性』を犠牲にすることで成り立っているのもまた事実」(240頁)だからである。

そのリスクに対応するためにジェノアの商人が作りだした制度が裁判所であった。「安心社会そのものが自動的に裏切者に処罰を与えることができない以上、自分たちで公正さを守るシステムを作るしかない──それが法体系や裁判所の整備ということにつながったというわけです」(2

41頁）

「ジェノアの成功とは、『ジェノアは正直な人間を守る』ということを、裁判所をつくったりして具体的に示したことで、それを見た他の人々がジェノア商人と手を組みたいと考えるようになり、その結果ジェノアの商圏が拡大した」（242頁）と山岸氏は考えている。

さて、と私は考える。武士道と商人道の話がコーポレートガバナンスの話になってしまった。それはもともとビジネスについて論じていたのだから、当然と言えば当然ではある。

他方、コーポレートガバナンスは法の支配を前提としている。ここで私はいったん停止せざるを得ない。法の支配そのものが問われているからである。

佐伯啓思氏は、「米国中心の法観念」（朝日新聞2016年2月5日付け朝刊）という言い方で問題を明らかにする。法の支配とはなんなのかということが、そもそもの大きな問題だという発想である。イスラム教徒は？　ということである。

現在の日本は西洋的な法の支配しか持っていないように見える。では、日本の裁判所は正直者を守ってくれる制度なのか、果たして日本人自身はどう思っているのか、外国の人々はどう感じているのか、と問うてみる。

答えとして、未だ十分に役割を果たしていない。例えばディスカヴァリーの決定的な不足を思えばことは明らかであると言ってみても、所詮西洋から来た法の支配の亜種に過ぎない。

それでもそれ以外に法の支配はない。現状ではそう断言するほかない。

だが、本当にそうなのかという声がどこかで木霊する。

いや、と私は振り切る。明治維新の後に日本人に生まれた者には、そうした法の支配以外に普遍的な価値はないと信ずるからである。

では、江戸時代以前、日本人は不合理な生活を営んでいたのか。そんなはずもない。

法の支配についても、十七条憲法以来日本人が明治を経て将来に向かって自ら創り上げるものだ、と暫定的に結論しておき、他日を期したい。

ＡＩだからできること　文学にしかできないこと

「ローヤー進化論」『BUSINESS LAW JOURNAL』２０１６年３月号

本をたくさん買う。その一部を読む。読み出せば止まらないこともある。読み終われば何だか少し賢くなったような気になる。我ながら、滑稽だと思わずにいられない。

先日、与党の幹部の方と夕食をご一緒していたら、彼が「私は、本は読まないなあ。人と話すのが好きなんだ。そのほうが面白くてためになるから」と言われた。私はなるほどと相づちを打った。日本のリーダーとして活躍していらっしゃるその方にとてもふさわしい、という気がしたからである。

その政治家の方と話した後になってから、ふと、自分は本を読むのにずいぶん時間を使っているが、それで得るものが何かあるのだろうかと自らに問うてみた。仮に何かしらあるにしても、逆にそのために一体どんなことを失っているのだろうかとも考え始めた。

人と話す時間が削られていることだけは間違いないだろう。

私は群れることを、それ自体としては好まない。仕事以外に旅行に出かけるといったことは、私の日常には存在しない。本を読むせいでこうしたことをしないのではなく、生来そうしたことに興味がないのである。散歩は好んでする。実益も兼ねている。

海外旅行に行くという知り合いも多いが、私自身は、仕事の必要があればどこへでも行くが、そうでない限り外国に出かけてみたいとは思わない。40歳の初めの頃、仕事とはいえ、1週間に一度ロサンゼルスと日本を何度も往復しなければならず、まさに骨身を削るような体験をしたことがあった。海外渡航はもうあれだけでも一生分以上やったと感じているほどだ。

私的な旅はまったく別物だという人もあるが、とにかくどういうわけでか、旅心を誘われるという思いが湧き上がるなどということは、まったくない。松尾芭蕉は『奥の細道』に、「月日は百代の過客にして、行きかふ年もまた旅人なり」「片雲の風にさそはれて、漂泊の思ひやまず」

と書いている。時間は止まることのない永遠の旅人だ、ああ私と同じなのだ、という感慨が彼にはあったのかと思う。すると、人というものにはそうした人生もあるのか、それにしても違うものだなあと、別の感慨を催さずにはいられない。どちらが良いというのではない。性分とでも言うほかないのだろう。いや、私も『男はつらいよ』の映画は大好きで、シリーズの中には彼の放浪の旅を何度も何度も繰り返し観た作品もあるほどだ。寅さんは、いつも私の心にいると言ってもいい。

そこまで書いてきて、自分は、ああ、あの寅さんの義理の弟、印刷工場に勤めている博さんのようなものではないかと思い至り、自分でおかしくなってくる。いつも頭をタオルで覆い、その両端を結び合わせている彼は、勤労する日本人の姿そのものという感じすらしてくる。相思相愛で結ばれた妻とその二人の愛の結晶たる子ども一人の家庭を自らの働きで支え、おっちょこちょい気味の社長を励まし、悩める部下の相談に乗る。その生活ぶりは、以て人の鑑とするに足りると監督自身が羨んでいるようにすら見えなくもない。

だが、山田洋次監督の心は寅さんに、つまり芭蕉にあるのだろう。

博さんのような仕事がこの世から近いうちに消えてしまうという話を聞いた。

ＡＩ、人工知能である。以下は最近、松尾豊東大准教授にうかがったことである。いや、正確に言うと、うかがって理解したつもりになっているところである。

松尾准教授は、ＡＩには大人の知能と子どもの知能がある、という面白い表現を使われた。前者は将棋で人にコンピューターが勝つという類の話である。そして、問題は後者の子どもの知能なのだというご説明があった。生まれてから2歳になる頃までに、人間の対外認識機能ができあがる。その過程をコンピューターが行うのが人工知能としての子どもの知能で、これをコンピューターにさせると、自ら学ぶ機能を身につけ、次々と答を出して行くのだそうだ。

「グーグルの猫」という言葉を使われた。そういえば本で読んだことがあった。無数の画像から猫の画像をコンピューター自身に発見させることができたのが２０１２年のことだそうで、これができてしまえば後は一瀉千里のようである。

現実世界のどこに人が「特徴」を感じるか。これまではその作業を人間がやるほかなかった。これが大人のＡＩである。しかし、現在のコンピューターは、大量の画像から、点や線といった単純な画像から、人や猫の顔といった特徴を自ら学習して探り当てるというのである。それは大変な計算量を要する。ついにそれができるようになったということのようなのである。

deeplearningといえば、知っている方も多いのではないか。車の自動運転の話でもある。2歳までに幼児が世界を理解する過程をコンピューターがやる、だから子どものＡＩなのである。

松尾准教授の話で最も印象的だったのは、そうしたＡＩが現実化したときの職業の変化などではなかった。そうした表面の深層に、実は人間とは何か、生きる目的とは何かという問いへの答がまったく変わるという予測を示されたことであった。価値観の違う人間たちの間でコンピューターが自ら世界を認識し動き始める。そうした世界で人間は何を、何のためにすることになるのか。

「教養が重要になるでしょう」

松尾准教授はそう言われた。私は、文学なのだなと直感した。人が生きる目的、意味を定義するのは文学にしかできないと思ってきたからである（拙著『この時代を生き抜くために』幻冬舎、2011　308頁での加藤周一氏の引用、また、264頁での村上春樹氏の引用参照）。いや、猫の顔を見つけ出したコンピューターはそれすらも自ら見つけるのかもしれない。そう考え始めると、40歳になられたばかりの学者の向こうに、遥かな宇宙が果てしなく広がっているのが見えるように感じられ、私は気が遠くなるような思いにとらわれてしまったのである。

本川達雄氏の「デカルト的近代人の限界」に思うこと

「パワー・オブ・アトーニー」『月刊ザ・ローヤーズ』2016年4月号

コギトという言葉がある。17世紀フランスの哲学者デカルトの「我思う、故に我あり」cogito,

ergo sum である。なるほど、これ以上疑うことのできない思考の出発点はここだ、と少年のころに思い知らされたのである。

以来、私の世界観はどうやらその根底のところが西洋哲学によってできあがってきたもののような気がしている。青い目の巨人の肩の上に乗って世界を眺めているのである。

ところが、である。「思う私、つまり脳だけが我だから、あとは全部入れ替えてもかまわない、臓器移植をしてでも、身体を機械に置き換えてでも長生きしようという話になってきます」という文章を読んだ。

『ゾウの時間　ネズミの時間』（中央公論新社、1992）で名高い本川達雄氏の著書『人間にとって寿命とはなにか』（KADOKAWA、2016　102頁）である。動物は、ネズミもゾウもそして人間も、心臓が15億回打つと死ぬ、という言葉で知られている本川氏である。

なるほど脳だけが我と言われればそのとおりかと思いながら、私の脳裏にふと55年前の記憶が戻ってきた。『ドノバン氏の脳』というSF小説が少年雑誌に出ていたのを読んだことがあったのである。ドノバンという大富豪が事故で亡くなり、その脳だけが培養液のなかで生き続け、外側にいる人間に指令を発するという話だった。

上記の文章に続けて本川氏は、ウィリアム・ジェームズに触れる。「思う主我Iと、Iに対して思われる客我 me とが二重になって、全自我（self）を構成しているのだと考える」

本川氏のジェームズからの引用は以下のとおりである。「人が me と呼ぶものと我がもの mine と呼ぶものとの間を区別するのは困難である。…人の me とは、考え得る最広義においては、人が我がものと呼び得るすべてのものの総和である。単にその身体や心的能力のみでなく、彼の衣服も家も、彼の妻も子どもも、彼の祖先も友人も、彼の名声も仕事も、彼の土地も馬も、ヨットも銀行の通帳もすべてそうである。…われわれは揺れ動いている対象を扱っているのである。同じ対象が、ときには me の一部として、ときには単に mine として、さらに次の瞬間にはまったく関係のないものとして扱われるのである」（１０４頁）

本川氏は、「現実の私とはこんな、境界のかなりあいまいなものでしょう。…私は場面により多様な姿をとるものだともいえます。…私のものは物に限りません。私の夢も私のものですから、私の範囲は全世界へ、そして未来へといくらでも広がっていきます」と結論づける。

そう言われればますますそんな気がしてくる。

さらに本川氏は、「私の範囲はあいまいだし、そもそも私という実体があるのかどうかも疑問です」と述べ、「環境に合わせて自分自身も柔軟に変化できる」生物というものと、「環境の方を自分に合ったものに改変しようとする」デカルト的近代人を対比させる。範囲があいまいなばかりか実体があるのかどうかすら疑問だという本川氏の「私」説に、私は会社を思った。広く言えば組織である。

何十年も前に勤めていた広島地方検察庁は今でもある。建物は替わっているが、役所としては継続している。私は検事を退職した数年後、役所の近くを通りかかって、そこに顔見知りだった検事が一人もいなくなっていることに愕然としたことがある。

その時点で検事正という役職に就いている方はもちろんいたに違いない。しかし、私が検事正として仕えたU検事はもういらっしゃらなかった。組織に属したことのある人間なら誰もが抱く感慨に違いない。

なんにしても、デカルト的近代人の私は脳髄に象徴され、ジェームズの説く私はどこまでも拡散してゆくということのようだ。

だが、私は私の脳髄だけが私だとは思わないし、といって全世界が私だとも思えない。メガネをかけても私は私で、私のなにかが変わったとは少しも思わない。服を着て靴を履いて散歩すれば、「今日、私は等々力渓谷を散策した」と考える。背中のリュックサックも散歩した私の一部である。

だが、だからといって途中に見た素敵な住宅のような我が家を造りたいという夢を抱いたとしても、その家自体はあいかわらず他人のものであって、心のなかにある将来建てるかもしれない家の夢とは別のものである。

どの辺に境界があるのだろうか。私は家族を私の一部だと思ったことはない。むしろそうした考えは古い封建的な発想のように感じる。個人こそがすべての出発点だという考えは、私にとって常識以前になっている。

子どものころ、こんな歌を教えられた。

「日本はいつでも若いのだ　国が桜の花ならば　ひとりひとりが花びらだ」（橋本竹茂作詞）

なるほど、そういえばそうなるのかと幼い心にも感心したのを覚えている。だがその後長ずるに及んで、私とは個人であるとの自覚が強まりこそすれ、自分を桜の花びらの一枚と感じたことはなかった。それどころか、そんなものにされては堪らないという気持ちを当たり前のように持っていた。

そうした気持ちは、家族にせよ日本にせよ、自分を大切にするようにそれらを大事に思うという気持ちと少しも矛盾しない。

本川氏は、デカルト的近代人の限界を言う。それはエネルギーを限りなく消費し、自らの生活の便利さを飽きることなく追求する現代人への批判である。エネルギーを消費するのは、時間を獲得するためである。東京―大阪間は歩くよりも大量の石油を消費してジェット機に乗れば、ずっと速く移動できる。

本川氏の原点は、「生物は続くことを究極の目的としている」という考えである。「生き残って子孫を残すという目的をもっているかのようにふるまうのが生物です」というのである（85頁）。

だから、「環境は生物にとって運命共同体なのです。それほど大切な環境というものは〈私〉の一部と考えてよいのではないでしょうか」ということになるのだ（107頁）。

これに対して、「社会を構成する基本そのものが粒子的個人だと考え、こういう個人がなんの制約も受けずに行動しているのが社会だとするのが『原子論的な個人』の見方」である（119頁）。

本川氏は、古典物理学の絶対時間、すなわち「時計の時間」から、「動物の時間」への切り替えを勧める。「万物は共通の時間のベルトに乗せられ、一定速度で一定の方向に流されていく。…だが、動物は、ベルトを回す速度を、ある程度は制御できる」。時間の奴隷状態から、時間の主人への転換である。

「人は社会の中で何らかの役割をもって生きており、やりがいのある役割をもつことが、私というものを豊かにする」（246頁）という本川氏は、15億回の心臓の鼓動を打ってしまった退職世代に、次世代のために生きることを提唱する。

「おまけ世代」は、現役時代の自分の仕事や会社のことだけしか考えない立場から離れて、おまけの部分で「『広い意味での生殖活動』に従事すればよい」というのである。「次世代のために働けば、社会も人類もずっと続いていきます。生物の基本である持続ということを、おまけの世代においても最高の価値として考えたいのです」（247頁）

生物学者たる本川氏の世代論は独特である。「生物はあえて個体に死を導入して、有性生殖により個体を更新するというやり方を編み出しました」（254頁）

私は改めて自らに問わずにおれなくなってしまう。私は桜の花びらの一つだったのか、と。

もちろん、直ぐに出てくる答えは否である。私は私で、それ以外ではあり得ない。死ねばすべて終わり。

だが、「死んだらただ朽ちてゆくだけだと平然としていられる人は、そう多くはないでしょう」（253頁）と言われると、なんとも心が騒ぐのである。

★人類の未来への予言？

「ローヤー進化論」『BUSINESS LAW JOURNAL』2016年4月号

『法の奥底にあるもの』（羽鳥書店、2015）は恐るべき本である。副題を「ゆく川の流れは絶えずして万事塞翁馬」という（以下の参照頁はすべて同書）。

著者は前田雅英氏。刑法の大権威である。

その方が首都大学東京（現東京都立大学）を退職される際に最終講義をされた。2015年3月

7日のことだという。それをもとに構成したのがこの本である。
前田氏の説くところは大きく二つである。
「日本では日本流が正しい」（96頁）
「道徳と無関係に法というのはあり得ない」（103頁）
つまり、一定限度の価値相対主義であり、国民の常識が価値を決定する以上はある時点での価値は相対的なものでしかないということでもある。
「法理論から結論は導けない」（70頁）
「価値判断で答えが決まったら、判断者の恣意性を許すことになるので、価値判断とは切り離された客観的理論が重要であると考えてきました。特に罪刑法定主義の妥当する刑法においては。しかし、このような発想は…大きな穴が開いているのです。つまり、『理論』は、誰が、どうやって決めるのか」（71頁）
「自然科学とは異なり、法律学においては、『客観的に正しい理論』というのは決められなくなってきていたのです」（71頁）
「『法』は相対的である」（94頁）
「どの程度の『疑わしさ』まであれば有罪にするか…国民に代わって判断するのが裁判官」（89頁）

以上は、「私は我国の判例実務を信頼する、まさにこの点こそが、本書の最大の主張である」と33年前に『可罰的違法性論の研究』（東京大学出版会、1982）の末尾に書いたという前田氏になんともふさわしい（136頁）。

だから「法解釈は、その問題についての解釈者の価値判断を隠す『手品』のようなもの」（75頁）と言いながらも、「法の世界の『衡量』の神髄は、『保守』であること」（87頁）として、「葬式に赤い服…処罰はされない。顰蹙を買うだけ…最後は『国民の大多数がそう考えるから』」（106頁）と例を挙げる。

前田氏が「原点」を置く『可罰的違法性論の研究』は、「明治後期から昭和五〇年頃までの一四〇〇〇件の判例を分析」したものである。その結論が判例実務への信頼だったのである。

そうした前田氏の考えに影響を与えたのは、地理学者である飯塚浩二博士。前田氏は、「学校で教える歴史では『アメリカ大陸』の発見というが、アメリカ大陸はもともと存在したのである」「『アメリカに住んでいる人から見たら『発見とは何なのか』』ということなのです」という飯塚博士の講演を聞いたのだそうだ。前田氏は「もっと言えば、日本人に、アメリカ大陸に生きていた人の視点が、なぜ欠如しているのかということでした。目から鱗が落ちるという感じでした」と回想している（12頁）。

なぜ欠如しているのか？　言うまでもない。西洋ばかり見ていたからである。そこから「日本では日本流が正しい」は隣にある。また、既成の法律学への「日本において正しいものは、本来ヨーロッパの正当な法律学の上にしかあり得ないという暗黙の前提を感じてしまう」（98頁）という批判も必然であろう。

私が前田氏の著書を取り上げて「恐るべき本」というのは、その説くところが日本の西洋化とは何であったのかについての明確な回答だからであり、したがってそれは将来の日本に指針を与え、さらに未来の新興諸国にとっての進むべき道を自ずと指し示しているからである。刑法を説いている前田氏は、人類の歴史の未来を予言していると思うのである。

私は、常に日本のコーポレートガバナンスへの思いを抱きながら前田氏の本を繰った。「日本は日本じゃないですか」（１００頁）という言葉は胸に沁みた。「ミュンヘンの控訴院におきましては、鉄道事業それ自体が生命、身体に対する危険をはらんでいるから違法であるとする判決があった」という刑法の先学の見解について、実はそれが民事判決で鉄道営業は差し止めないが損害賠償はしなければいけないというものに過ぎなかったことを前田氏が発見するくだりや、東大の図書館で原判決を探し当て「埃の付き方からいって誰も判例集のあの部分を開いてはいない」と感じたという場面、「こんな有名な判例の本物は、当時、日本の学者は読んでいなかった」（61頁）とあるのには、深夜丑三つ時、私は独りきりの書斎で大笑いせずにはおれなかった。前田氏の本は、戦後70年、２０１５年の日本人の思いのたけを正確に後世に伝える本である。

最後に、深読みの試みを一つ。

赤い服が葬式に失礼かと問い、失礼か否かは動いてゆくとしたうえで、「戦後は終った」「憲法観は転換しようとしています」と述べる。だがその後では「平和主義は堅持すべきだと思います。しかし、『正しい』と如何に声高に叫んでも、次の世代の心に届くことは難しいように思います」（139頁）と言い、さらに「第二次世界大戦の痛みを実感できる人が減り、戦後を支えてきた価値の源泉が、理念としてしか残っていなくなったからです」とも重ねている。別のところで著者は、「私もそのような価値観を共有しています。しかし、そのような皮膚感覚を持った人が減っていけば、規範は変わるのかもしれません」（105頁）と書いてもいる。その辺りには無限のニュアンスが漂う。そう感じるのは、私の読み込み過ぎなのかもしれない。それでも、ひょっとしたら前田氏は「次世代」を借りて自らの明日を語っているのではないかという思いが、私の心の中で泡沫《うたかた》のごとく浮かんですぐに消えるのである。

そうした思いで47頁の前田氏の写真4葉を見ると、別の感慨がある。「個々の写真を離れた実体としての『前田雅英』がある」（59頁）という前田氏は、同時に「一区切りついたという感慨はまったくない」（142頁）という前田氏でもあるのだ。

まだ先がある。

「恐るべき本」という形容は、後代にとっておくべきなのかもしれない。

★社外取締役にしか経営者を止められない

「パワー・オブ・アトーニー」『月刊ザ・ローヤーズ』2016年5月号

季節が巡ると桜が咲く。今年も咲いて、散った。なんとも律儀な、と言いたくなるほど、毎年咲くのを忘れるということがない。

「今夜ここでのひと盛り」（中原中也『サーカス』）を精一杯に生き、すっと消える。桜は、その一時性がサーカスに似ている。花火も同じだ。

「面白うて　やがて寂しき　花火かな」という川柳がある。煙の臭いがいまだ立ち込めていても、ことは終わったのである。

桜の樹は、花をつける季節のほかはひっそりと立っている。花がつき始めると、あ、ここにも桜があったのかと思うことになる。やがて驚くほど身の回りに桜の樹があったことに改めて気づかされるのだ。

日本の春である。

「春の宵　さくらが咲くと花ばかり　さくら横ちょう

想い出す　恋の昨日　君はもうここにいないと
ああ　いつも　花の女王　ほほえんだ夢のふるさと
春の宵　さくらが咲くと花ばかり　さくら横ちょう」

今年、私は加藤周一の『さくら横ちょう』という詩を思い出し、何回かは声に出して人に聞かせもした。彼が大学生だったころ、アメリカとの戦争をしていた時代に日本語の脚韻詩に挑んでの作品である。

この歌はその野心的な試みにおいて成功している。その証拠に二人の作曲家が旋律をつけている。

なにを見ても聞いてもコーポレートガバナンスを思う。会社のトップも桜に似ている気がするのだ。

会社に入ったばかりのころは、誰もその人間がいると注目しない。与えられた職務があって、日々励む。失敗することもあるし、うまくいって有頂天になることもある。

時間が経つ。部長が執行役員になるころには一廉《ひとかど》という立場になっている。

そのなかから社長が選ばれる。その社長も、何年かすれば退く。組織は新陳代謝を要求するのだ。

社長が独り屹立しているのではなく、たくさんの相似た花に取り囲まれているのも、ある種日本的風景なのかもしれない。一定の年月が経てば自動的なように退く。同じ年月が経つとまた同じことが起こる。

それを変革すべくコーポレートガバナンス改革が叫ばれている。

外から社長を連れてくる話は、さほど進んでいないように見える。桜の花びらのなかに大輪のバラを置く。もし桜に心があればどう思うのか。

桜の樹が元気で、季節ごとの花も根から十分な水を吸い上げて張り切っているときと、樹が傷んでいて、花も弱々しくしか咲くことができず、思い半ばにして散ってゆくときとでは、大いに違うことだろう。

逆に言えば、桜の花びらたちにとって、異質のバラが中心に来ることへの抵抗感の度合いである。株主の過半数が良しとするからといって、従業員としては歓迎するとは限らないだろう。人の情である。

情は国によって異なる。それでも、桜の樹を根元から切り倒さなくてはならないような事態に到れば、バラを中心に据えることへの納得感があるに違いない。

先日、旧知のイギリスの大学教授とランチを共にした。内外のコーポレートガバナンスについて詳しい方である。例えば、「イギリスのスチュワードシップ・コードはうまく働くと思えませんね」と、平然と言ってのけた。日本では始まったばかりである。本家でうまくいかないものが果たして分家でどう育つのか。

「コーポレートガバナンスでは従業員の役割が重要ですね」と言う彼は、「取締役会に従業員代表がいる必要がある」とも言った。私は、実現しなかった社外監査役についての民主党案を思い出し、そんな考えがイギリスにあると知って驚いた。

「イギリスには会社法にそうした考えが盛り込まれています」とも教えてくれた。私は、日ごろから素晴らしいと考えているジョンソン・エンド・ジョンソンのクレドの話をした。会社にとって大事なステークホルダーの順序は、第一に顧客、次いで従業員、そして地域社会、最後が株主というあれである。

ランチのあと、私は早速イギリス会社法の原文に当たってみた。なに、事務所のシンク・タンクに訊いたのである。

「regard to the interest of the employees（従業員の利益を考慮）」とあると報告があった。

私はイギリスという国の奥深さを思い知らされた気がした。イギリスはドイツとの戦いに勝つために、アメリカを第二次世界大戦に引きずり込んだ国なのだ。チャーチルである。

その当のチャーチルがポツダム会談に勝者として意気揚々と出席していたのを総選挙で負けさせ、首相のポストを労働党のアトリーに譲らなければならなくした。これまたイギリスという国の得体の知れなさを示している。

コーポレートガバナンスというとアメリカと比較することが多い。旧知の教授は、アメリカの新入社員とCEOの年収格差が400倍となっていることを挙げ、日本の20倍を称賛した。私がイギリスは60倍であることを指摘すると、彼は既に行き過ぎているのだと答えた。

私は人はなんにでも慣れると言い、二人は報酬については慣れてよいかどうかが問題だという点で一致した。400倍が良ければ1000倍も許されかねない。株主と経営者のピンポンの結果である。1000億を追加的に儲けてくれる経営者には、単純にいえば999億円を払う理由があるだろう。

だからトランプ現象になっているのではないか、格差は人の世では一定の限度があるだろうと話は弾み、2時間に及んだランチは終わった。

自分のオフィスに戻ってからも私は考え続けた。会社は株主と経営者のキャッチボールのためにあるのではない。会社は社会、すなわち人々のためにあるのである。「一国の経済は国内に居住している国民のためにある」というロバート・ライシュの言葉は、私にとってますます重い。雇用を思うからである。

だが、経営者であれば海外投資を必要とすることもある。そのときには躊躇してはならない。誰が経営者を止めるのか。社外取締役しかいないだろう。しかし、その論理はなんなのだろうか。会社は従業員のためのものでもあるからだろうか。

その数日後、私はセブン&アイ・ホールディングスの取締役人事についてのコメントをメディアに求められた。「社外取締役の動きは、日本のコーポレートガバナンスの歴史に残る重大な事件です」と申し上げると、電話の向こうから「鳥肌が立つような気がしています」と答えがあった。海外のファンドの動きが背後にあったことも話題になった。

そういえば社外取締役を導入したのも海外のファンドの動きであった。東芝、シャープ、そしてセブン&アイ。中身はそれぞれでも、日本のコーポレートガバナンス改革、なかでも社外取締役制度が大きな歩幅を見せ始めたように見える。巨大企業では社外取締役はお飾りではなくなったのかもしれない。

今の時代に先人がいる。どれほどの苦労が一人ひとりの社外取締役にあったかを思うと、粛然たる気持ちにならないではおれない。社外に身を置きながら会社のトップの人事に影響を与えるのは、よほどの覚悟と決断を必要とする。内外の状況が人の背中を押すのだろう。

『さくら横ちょう』はこう続く。

「会い見るの時はなかろう
『その後どう』『しばらくねえ』と　いったってはじまらないと
心得て　花でも見よう　春の宵　さくらが咲くと　花ばかり　さくら横ちょう」

人は行き、会社は残る。ゴーイング・コンサーンとはそういうことである。その状《さま》、まさにミラボー橋の下の水の如し。長い長い年月持続するのが会社なのである。

田中角栄×石原慎太郎に見る時代の刻印

「ローヤー進化論」『BUSINESS LAW JOURNAL』2016年5月号

石原慎太郎氏が田中角栄について本を書いた。『天才』（幻冬舎、2016）という（以下の参照頁はすべて同書）。

「反田中の急先鋒だった石原が、今なぜ『田中角栄』に惹かれるのか」と帯の広告にあった。「家族とは何か？　成功するとはどういうことなのか？　女は男にとってどんな存在なのか？」ともあった。それどころか、「石原慎太郎が田中角栄に成り代わって書いた衝撃の霊言！」とまでの呼び込みであった。つまり、これは小説である。

念のために書いておけば、石原氏は田中角栄の金権政治を批判した最初の人物であった。世間では立花隆氏や児玉隆也氏の攻撃が知られているが、実は石原氏の「君　国売り給うことなかれ―金権の虚妄を排す―」（『文藝春秋』1974年9月号）が最初に田中角栄を金権政治家として糾弾したのである。

早速手に取って、すぐに通読した。私は石原氏の本が出ると例外なく買い、たいてい読む。この本は、田中角栄について書いたものとは承知していたが、さて何をどう描いているのかと興味を掻き立てられ、果たして期待以上だったのである。

冒頭の「俺はいつか必ず故郷から東京に出てこの身を立てるつもりでいた」という書き出しから、石原氏の顔が後ろに見え隠れする。石原氏は、世評とは違って「叩き上げ」の人なのである。東京に出て身を立てる。田中角栄1918年（大正7年）生まれ、石原慎太郎1932年（昭和7年）生まれ、のそれぞれに、時代の刻印がくっきりと浮き上がって見える。

今の若者は立身出世を願わない、車も欲しがらないということになっている。私には分からない。いずれにしても、人は生きている以上、何かを考える。考えれば、中心は常に自分のことになる。自分がどうなるのかに関心がない人間はいない。口にしてそう言うかどうかとは別のことである。有るものを無いと言うことは誰にでもある。そこには常に他人に言えない理由がある。

田中角栄死して22年余。ロッキード事件から数えれば40年になろうとしている。それでも50代後半以上の年齢の人々にとっては、田中角栄の記憶が消えようはずもない。三木武夫という人が総理大臣だったときのことである。私は司法修習生であった。

「この国の司法は結局何かになびいてこの俺を裏切った」（125頁）と田中角栄は言う。免責証言についての思いも出てくる。

「アメリカという外国で行われた俺に関する裁判に、強引に証拠として持ち込まれた関係者の免責証言なるものの実態の曖昧さ」（147頁）

「無念ながらこの国は未だにアメリカの属国ということを何とこの俺自身が証してしまったのかもしれない。

肝心の司法までがそれに屈してしまい」（148頁）とある。

石原氏自身も「長い後書き」という末尾の部分で、「司法関係者たちこそが売国の汚名のもとに非難糾弾されるべきだった」（203頁）と強い調子で述べる。

私は、実際にロッキード事件に関わった検察の大先輩たちの顔を思い浮かべずにおれない。その方々の正義の志と使命感には、一法律家として今でも変わらぬ尊敬心を抱いている。

では、裁判所の問題だったのか？

私も、当時最高裁が不起訴宣言をしたときには、こんなこともあり得るのかという感慨があった。しかし、世論がそれを欲し、それをしない最高裁は考えられないという風潮がみなぎっていたと思う。そんなことは司法とは何の関係もないはずだが、現実はそう動かないということなのだろう。司法も常に時代の中にあるのだ。

石原氏は、「アメリカとの種々交渉で示した姿勢が明かすものは、彼が紛れもない愛国者だったということだ」（204頁）と書き、さらに「よい意味でのナショナリスト、つまり愛国者だった」とも言う。

その石原氏の後書きに、私ははじめ驚きと不思議さを感じ、やがて成程そうなのかもしれないなと思った。「自ら選んで参加し、長い年月を費やした政治の世界での他者との印象的な出会いはさして思いあたりはしない」（216頁）とある部分のことである。

その直前には、「人間の人生を形づくるものは何といっても他者との出会いに他ならないと思う」とあり、「結婚や不倫も含めて私の人生は今思えばさまざまな他者との素晴らしい、奇蹟にも似た出会いに形づくられてきたものだった」とあるからである。政治の世界では奇蹟は起こらなかったのである。

その彼が書いた田中角栄についての本は、政界の知識に乏しい私にはどこが注目すべき事実なのか分からない。だが、小説は作家石原慎太郎氏のものである。

金権報道騒ぎのため、「秘書と愛人を兼ねている佐藤昭」との間の「俺たちの娘」がリストカットを繰り返し、飛び降り自殺未遂までしたことから、「俺は即座に血を分けた子供を救うために総理の座を投げ出すことに決めた」（125頁）とある。政治家もまた一個人だということだろう。同書を貫く通奏低音である。

田中角栄はロッキード事件の一審実刑判決の1年半後に脳梗塞で倒れ、8年後に死んだ。死を目前にして「今しきりに彼等に会いたいと思う」と言う。彼等とは婚姻外で子どもまでなしたという女性とその子たちである。

「思うがとても出来はしない。いま俺の周りには正規の家族以外に誰もいはしない。昔の子分も秘書たちもいはしない」

そして田中角栄は自分に諭すように言う。

「誰もいない。この俺以外には誰もだ」（194頁）

この小説中の白眉である。彼の身近には実の娘がいた。それにもかかわらず、小説の中の彼はそう自分に話しかけるのだ。田中角栄という良い題材と83歳という石原氏の重ねた年齢がこの小説を生み出したのである。

ところで、この小説が言うとおり日本の司法は何かを誤ったのだろうか？　もはやそれは歴史に属するというべきだろう。しかし、問いは形を変えて重いままに残る。そもそも歴史は誰に属するのだろうか？

『触楽入門』を読んでわかったこと

「パワー・オブ・アトーニー」『月刊ザ・ローヤーズ』2016年6月号

私は絵を観るのが好きだ。西洋の近代絵画が中心である。モネの『日傘をさす女』は私の原風景の一つとすら思っている。

ほかにもある。例えば、『ナイトホークス』である。エドワード・ホッパーというアメリカ人が１９４２年、39歳のときに描いた、深夜の都会のコーヒーショップ。そのカウンターに向かって一組の男女が顔を見せて、もう一人の男が背中を見せて座っている。大きなガラス窓の外側からの視点が観る者の位置で、つまりそれは夜の闇のなかから見ているということである。

ちなみに、ナイトホークスというのは夜更かしをする人たちという意味だという。

また私は世界旅行を好んでいる。東西南北、到らざるところはない。なかでもアドリア海である。クロアチアのドブロブニクという響きは私の心のなかに不思議な感懐を湧き上がらせる。もちろん、『太陽がいっぱい』という映画のシーンを思い出させるからである。

だが、私は絵を観るために海外の美術館を巡り歩くことはない。本を読み、ネットで映像を探すのである。それで十分に堪能できる。海外旅行をするということもない。仕事のために40歳のころ、１週間に1回、東京とロサンゼルスを往復することを何か月か続けたから、私は海外旅行はもう十分過ぎるほどしてしまったと思っている。

テレビで他人が旅行する画像を眺めるのが私の旅行法である。自宅で座って、あるいは寝転がって。ホテルごと移動するようなものだというクルージングどころではない。旅行先が自宅に飛び込んでくるのだ。

例えば、『世界ふれあい街歩き』というＮＨＫのテレビ番組である。楽しみにしていて、決まって観ているとか必ず録画するというのではない。たまたまテレビを観ようとしてたくさんのチャンネルを探し回るとき、そうした旅の番組があるとそこでしばらく留まるのである。

そのうちに、ああ、ここには来たことがあると感じるようになる。先日のミラノもそうだった。イスタンブールにはなじみの店があるような気すらしてくる。

たぶん、私は残りの人生に海外の旅に出かけることはないのではないかと漠然と思って過ごしている。もちろん仕事は別である。仕事があれば南極へでも北極へでも行く。

最近、そんな私の人生観を根底から変えてしまう経験をした。『触楽入門』という本を読んだのである。テクタイル、TECHnology based tacTILE designという活動をしている４人の方の共著である（仲谷正史、筧康明、三原聡一郎、南澤孝太、朝日出版社、２０１６）。

読み始め、いつもの伝で目次を当たってみた。といっても、最近では目の前に積まれている本は膨大な量になっているから、目次を眺めるだけでも、申し訳ないことながら本のほうが順番待ちの状態なのである。

私は「あたたかい手と冷たい手、人に信頼してもらうにはどちらがいい？」という、極めてビジネス目的に合致したところに目がゆき、その頁を開いてみた。確かに手を冷たく冷やしておくと「投資額が少なくなる」とあった。さらに「相手を座らせて交渉をするときは、硬い椅子よりもやわらかいソファに座ってもらったほうが、こちらの要求をすんなりと通すことができます」とあった。

続けて、面接官の立場に立つと、履歴書を挟むクリップボードが重いほうが求職者をより重要な人物だと判断するともあった（40頁）。

どこかで聞いたことがあるな、と思いながらも興味を引かれたのである。それが皮膚の構造の説明に到ると、なるほど皮膚には4種類のセンサーがあるのかと思い、我が身がいかに精妙にできあがっているかという事実に感心することになった。

それが、局所麻酔で感覚がなくなる話になってくるころには、もうこの本の虜になっていた。細胞は袋のようなもので、その表面に孔がたくさん開いていて、そこを電気を帯びた分子（イオン）が流出入することにより電位が変化し細胞の「興奮」を呼び起こすというのである。この興奮を感覚神経が脊髄に伝えて脳の体性感覚野というところへつながるので、何かに触ったという感覚が生ずるというわけである（52頁）。

話が絵画に及ぶとこうなる。「絵画では、油絵の具、水彩絵の具、パステル、墨といった、絵を描くときの素材の違いが触感の違いを生んでいます。そのため、実物を見るのと、その写真複製を見るのとでは、まったく違った体験になるのです」（１０８頁）

そうだったのか、と私は思った。所詮パソコンの画面で絵を眺めていても、大きさを感じ取ることはできないだろうとは以前から分かっていた。しかし、素材の違いによる触感の違いを感じさせることは、パソコンの画面ではできないと言われると、自分はいったい何を見たつもりになっていたのかという疑問に襲われたのである。

過去に油絵の具で描かれた作品を見た体験があるから、パソコンの画面から想像することはできる。しかし、それは現物を見て、その絵の素材を感じることとは別のことだろう。

困ったことになった、と私は考えた。すると、さらにこんな文章に出会った。

イスタンブールの街を実際に歩いてみると、「自分の身体を使った体験は、やはり映像では代替ができないものだと実感しました。坂を登ったときの息の上がる感じ、石畳の少しよろけてしまう路面、狭い路地から吹いてくる生ぬるいが心地よい風。これらを、自分が身体を動かして能動的に発見してゆくことで、街が『自分事』に変化するのです」（１４６頁）。

「息の上がる感じ」、「少しよろけてしまう路面」、「生ぬるいが心地よい風」が感じられないとすれば、いったい見知らぬ土地へ行った感覚というのは何なのか。

私は、現地へ行って「ああ、絵葉書にあったとおりだ」という感想を持つために、わざわざ忙しいスケジュールを犠牲にして異国の地にこの体を運ぶことは無意味だろうと考えていた。多くの人々の観光旅行なるものは所詮それ以上のものではないと思ってきたのである。

たぶん、それは正しい。しかし、外国の見知らぬ街へ行くことで、多くの人は息が上がり、よろけ、心地よい風に吹かれるのだ。それが感想として語られないとしても、街に「触れる」という体験はそういうことを指しているに違いない。

この本は、生まれつき目の見えない人が成人してから手術で目が見えるようになったときには、その人は周囲を「認識できない」と教える。「ただ光にあふれた光景が広がるだけ」というのである。そして、「赤ちゃんは月齢2か月のときにはすでに、一度触れたことのあるものは目でみても『覚えがある』と認識しているようだ」という報告にも触れる（28頁）。

小さいころは、誰もが触覚的な存在だったのが、視覚、聴覚との感覚統合がなされるおかげで、そのうちに触れることがなく、見ただけでも物事を把握できるようになっていくのである。

アリストテレスは、触覚について「感覚のうちの第一のものとしてすべての動物にそなわる」と述べているという（27頁）。

最後にこの本は、触覚に始まった感覚統合がITの力で再び触覚に戻ること、それによって視聴覚に運動感覚が加わることで、人工的に現実感を生み出すことができると説く。そこで何が起きるかについて述べるくだりは圧巻である。

「情動的な現実感」であり、「理屈を超えた実感」であり、「この世界に受け入れられている」という感覚である。それを著者らは「エモーショナル・リアリティ」と名付ける（233頁）。

未来はなんともうっとりとする世界のようである。

「ローヤー進化論」『BUSINESS LAW JOURNAL』2016年6月号

AIと武士の魂

シンギュラリティという言葉はどのくらい知られているだろうか?

本来は数学の用語で、関数の値が無限大になる場所を指すのだという。しかし、最近使われるのは「人類の社会発展が予測できなくなる時点」という意味のようだ（松田卓也『人類を超えるAIは日本から生まれる』廣済堂出版、2015 98頁。以下の参照頁はすべて同書）。「コンピュータの基礎概念をつくった」数学者のジョン・フォン・ノイマンがそうした意味を言い出したのだという。

2045年に、その日が来るという。未来学者でもあるレイ・カーツワイルの説である。

宇宙誕生から138億年、太陽系の誕生は地球の生まれたのと同じころで46億年前、生命の誕生が40億年前、恐竜が滅んだのが6600万年前、そして最初の人類が現れたのが600万年前という。

農業が始まったのが1万年前、最初の文明が出現したのが5000年前、そして産業革命は2

５０年前である。その後、コンピュータが70年前に発明され、インターネットの登場が数十年前。多くの人々の手になじんでいるiPhoneの登場は２００７年（１０３頁）。

「地球史・人類史の中の主要な出来事の起こる間隔はどんどん縮まってきているとカーツワイルは指摘し…収穫加速の法則と呼びました。わかりやすくたとえるなら、現在はiPhoneのモデルチェンジは1年に1回程度ですが、２０４５年には1秒に1回モデルチェンジが起こるような速さ」になるというのだ（１０３頁）。

日本の未来について、著者である松田氏の見解は、一方で大変暗く、他方でとても明るい。暗さの根拠は少子高齢化である。１９５０年から２０５０年にかけての各国の生産年齢人口割合の図を掲げての解説には説得力がある（１５４頁以下）。１９９０年に頂点に達した日本は、そのころ「ジャパン・アズ・ナンバーワン」といわれていたと説き、返す刀で同年以降の日本の生産年齢人口割合が「ほぼ一直線を描きながら低下しています」と言う。図はそのとおりである。さらに、「この図の予測では、今後も日本の生産年齢人口割合は下落の一途をたどる」こと、「人口統計は、未来予測の中でもかなり確実なものとされる」ことを挙げる。

ここで松田氏の語る日本の現状批判はまことに的を鋭く射ていて、なんとも説得力がある。「今の日本には、これからは金持ちになる必要はない、出世する必要はない、そこそこの暮らしができればいいだろうといった風潮があります。なにか気概のなさを讃えることが正義みたいです。しかし、このままでは『そこそこ』も維持できない事態が目前に迫っているのです」と言うのだ。

確かに思い当たる。日本はもう十分だという議論にある、一見謙虚であることを装いながら、その実なんとも傲慢で怠惰な言論である。私自身も辟易としてきた思いがあるので、松田氏の意見にはまさに快哉を叫びたいところであった。

明るさの根拠は、生産性向上への希望である。

「現状のままでは日本経済はゆっくりと衰退し、10年後か20年後には急激な破局を迎え、最貧国にハードランディングするでしょう」と述べながらも、「経済力を決める要素には、生産年齢人口割合以外にもうひとつあります。経済力とは、簡単にいえば生産力のことです」とする。

そのうえで、さらに「生産力は生産年齢人口割合と生産性の掛け算です。つまり生産性を向上できれば大逆転が図れます」と言うのだ。

「この生産性の抜本的な改善の切り札が、超知能の実現なのです」という言葉は、読者を引きつけないではおかない。

その超知能についても松田氏は、意味のない楽観論を展開してはいない。

それどころか、「人工知能で先行する海外諸国に圧倒的に差をつけられている現状」を認識すればこそ、「『ちゃぶ台返し』する」ことを説くのだ。

そのためにと松田氏が紹介する「齋藤元章さんが開発に挑んでいるニューロ・シナプティック・プロセッシング・ユニット（ＮＳＰＵ）」について語る知識も能力も私にはない。だが、それについて、幕末のように指導層から離れたところにいる「志士」が鍵を握っているという松田氏の分析は、冷静でなんとも魅力に富む。「数学とコンピュータ、英語ができる〝プチ天才〟…を10〜30人集め、超知能開発に特化した少数精鋭チームを今すぐにでもつくるべきだ」と松田氏は熱誠を込めて説くのである（１６５頁）。

望蜀《ぼうしょく》の感想を一つ。

「平和憲法をいわば『押しつけられた』ことによって、戦後の日本は世界でも例外的な平和主義国家になった」から、「軍事利用が当然考えられる」アメリカや中国とは異なるという部分である（１５９頁）。

私ももちろん平和主義者である。「日本の将来を考えるなら、いわゆる軍事ではなく、人工知能開発のほうが重要だと思います」という松田氏の言には心が動く。

以下の私の気がかりは杞憂なのかもしれない。しかし、維新の志士は攘夷を唱えて実行し、その後に初めて不可能を悟ったのである。攘夷は後から見れば愚かであったことになる。だが、攘夷へのたぎる思いがなければそもそも志士にはならなかったのである。「我が胸の燃ゆる思いにくらぶれば煙はうすし桜島山」と詠った平野国臣は、36歳にして幕府に殺されている。四国艦隊を下関に攻撃し敗れたこと、薩英戦争で痛い目に遭ったことを抜きにして、果たして維新の志士があり得たのだろうか。

日本の平和主義に真の誇りと自信を持つことがなければ、言い換えれば日本国憲法を「押しつけられた」と感じているままでは、現代の日本に志士の魂は存在し得ないのではないかと、ふと疑問を抱かずにはいられなかったのである。平和主義の気概の問題と言ってもよい。

157年前、梅田雲浜は44歳にして安政の大獄で死んだ。江戸への護送の前「妻は病床に伏し子は飢えに泣く　身を挺して直ちに戎夷を払わんと欲す」と吟じた。まことに、人は生命に生きるのではなく魂に生きるのである。

「ズボンのなかに割り箸が2本」

「パワー・オブ・アトーニー」『月刊ザ・ローヤーズ』2016年7月号

運動を始めた。もともと体を動かすことが好きというほうではなかった。45年前、学生時代には夏休みに広島の両親のもとへ帰省すると、1週間、小さな家から一歩も出ることなく過ごすこともあった。

東京で独り暮らしをしているときには食事のために外出する必要があったのが、実家では母親が三度三度用意してくれたからである。そのほかの時間は、眠るか本を読むことに費やしていた。

今は週に一度と決めて、鏡の前でバレーボール大のボールを膝の間に挟んだまま大きなゴムボールに腰かけ、腰を前後左右にひねったり回転させたりする。運動の開始前には必ずトレッドミルに乗って、時速5キロで動くベルトコンベアの上を15分間歩く。終わりには5分間、ステップ・マシーンという足置き自体が上下に動きそれにつれて体もふわふわと上下する、一種空中で自転車を漕いでもいるような機械に乗る。

最後にはトレーナーの方が体をほぐしてくれる。ストレッチである。多少の力を入れてのことだから、体、ことに膝の裏側の筋が痛くてたまらない。

総計1時間40分といったところか。すべてが終わったときには大汗をかいている。

66歳になって運動にいそしむことになったのは、もちろん健康のためである。健康のために必要なことはこれまでも自分に課し、それを実行してきた。家事をすれば運動は要らないと言う人もある。そのとおりであろう。私の父親も常々そう言っていた。しかし、家事はもっぱら母親がしていた。私も掃除洗濯に忙しい日々を送ったことはない。

そこで、例えば深夜眠る前に腕立て伏せをしてきた。椅子の座面を使っての少し高めの踏み台昇降もする。オフィスにいる時は、14階と12階の間を行き来するのにエレベータではなく階段を使い、上りは二段跳びに決めている。もう10年になる。会議室が12階、執務室は14階だから、日に何度も行ったり来たりする。

どれもけっこうな運動だと信じていたのである。現に、自分では下半身に筋肉が付いた気がしていた。それなのに、なぜ運動を始めたのか。

腕立て伏せといえば、『狂った果実』という昭和31年に観た映画を思い出す。そのなかで逗子の駅の改札口を出るとき兄が弟に、「おっ、少しは胸の筋肉が付いてきたな。腕立て伏せのかいがあったってことか」と愛情をこめて揶揄する場面がある。少年から青年に脱皮しつつある年齢の弟を津川雅彦が、兄を石原裕次郎が演じていた。『海浜の情熱』という題でフランスに渡り、ヌーベルバーグに影響を与えたという中平康監督の名作である。

若いころに、はるかに年齢のいった男性が歩く姿を見て、まるでズボンのなかに割り箸が2本入っていて、それが前後に動いているようで何とも哀れな姿だと感じたことがあった。尊敬する大先輩にもそういう方があった。ああはなりたくないと思っていたのが、そのうちにある日、自分がそうした姿で歩いていることに気づいた。

とうとうトレーナーの方を頼んでまで運動をするようになったのは、健康維持がいっそうの課題になったからである。医者に言われたのである。以前から、トレーナーの方を付けて運動をしては如何ですかと勧められていたのである。

しかし、私はへそ曲がりである。なにごとも他人に習うのが嫌なのである。高校のときも大学のときも、できるだけ学校に行かないで済ましたいものだと思っていた。現に大学にはほとんど行かなかったのである。例外は駒場時代の体育実技で、それだけは出席が必要だったので真面目に出ていた。

もちろんすべて試験は受けたのである。試験場ではフランス語の先生に「君は見かけない顔だね」と言われてしまった。しかし、私だけがそうだったのではない。その後某省の役人として大成した友人も同じだったのである。

だから、私は大学には行かずに独学で司法試験の勉強をした。夏の合宿でサークルの先輩から指導を受けるという幸運もあって、無事に合格することができたが、独学の習慣は弁護士になってみれば大いに役立つことではあったと思っている。何を学ぶのも自分から進んで摑み取ろうとする意欲に満ちているのである。

週に一度とはいえ、いろいろな運動のメニューをこなしながら、体を動かしている途中でふと大学時代の基礎トレーニングというコースを思い出した。一種のサーキット・トレーニングをやることが体育実技のなかの選択の一つにあったのである。

それは、選んだ者は誰もが後悔しないではいられないほどに肉体的に辛いものであった。私も後悔しながら後戻りもならず黙々と課題をこなしていたのだ。

思い出したのはそのときのことである。隣の男を見るとなんとも楽々とやっている様子だった。「おまえ、どうしてそんなに楽ちんそうなんだ?」と訊いたら、その男からは「オマエ、なんでそんなに真面目にやっているの? バカじゃないか」という答えが返ってきたのである。

今でもMという名前を憶えている。おかっぱ頭に可愛げな顔をしたその男は、ひょっとしたら運動不足で早死にしたのではあるまいかなどと思いを巡らした。いやいや、運動と長生きは関係ないとも言うから元気でいるのかもしれない。

そういえば谷崎潤一郎は運動嫌いで、こんなことを言っている。自分で体を動かすのが運動、これを他人に動かしてもらって同じ効果を得ようというのが按摩。按摩というのはなんとも楽な方法で体を動かしたのと同じ効果があるのだ、と。

私は按摩、つまりマッサージというものをしてもらう気になったことがない。谷崎の考えにはとうてい同調できないと思っている。現に彼は200を超える高血圧に悩まされ、最後には自分の手で文字を書くことができなくなり口述筆記に頼ることになってしまった。

自分なりの運動とトレーナーの方に頼んでの運動との違いは横に他人がいることである。私は人と人とが対面するということの意味について大いに考えさせられた。フェイス・トゥ・フェイスというあれである。化粧品の販売、保険の勧誘、どの世界にも顧客と顔を合わせることが重要だという仕事がある。弁護士もその一つであろう。

トレーナーの方がいて運動をするのは、なんとも張り合いがある。トレッドミルのベルトコンベアの上を黙然と15分も歩くことなど、とてもできるとは思えない。以前、広尾の明治屋の向かいにある雪洞《ぼんぼり》のようなビルの３階だったかにあるトレーニング・ジムを、通りがかりに見かけたときに見たことがある。人の頭が跳び上がっては沈みまた跳び上がるのを繰り返しているのが、まるで檻のなかのハツカネズミが回し車を虚しく回している姿を思わせて、滑稽の感に打たれた。

今やこの我が身がそれをやっているのである。しかし、隣にトレーナーの方がいるとなんともやる気になる。少し左足が弱いとか両手を握りから離してみてはどうかなどとアドバイスしてくれるその声が人間から出ているというだけで、この身は励まされるのだ。第一、人に見られていると手が抜けない。

人は人との関係で生きるものなのだと思わされた。運動は独りではできない、少なくとも持続させることは難しいものらしい、と考えさせられたのである。

メニューも大事だ。経験豊富なインストラクターの方はこちらの力、慣れに応じて次々と適切なメニューを指示してくれる。体の動かし方を自らの体で示してくれる。こちらの動きが情けないものであるときには手を出してサポートもしてくれる。

私は、昔読んだ『徒然草』の一節を思い出していた。例の、なにごとにも先達はあらまほしきもの、という52段である。石清水八幡宮にお参りに行った法師が、途中の付属の寺を石清水と独り勘違いして山頂にある石清水に行かずに帰ってしまったという話である。
ひょっとしたら、私は新しい人生を発見しつつあるのかもしれない。

★コーポレートガバナンスをめぐる歴史的大事件

「ローヤー進化論」『BUSINESS LAW JOURNAL』2016年7月号

セブン&アイ・ホールディングスで、コーポレートガバナンスをめぐる歴史的大事件が起きた。同社は6兆円を超える売上げを誇る小売業トップの会社である。セブン-イレブンの創ったコンビニは、日本の文化を変えその一部となっている。その前にはスーパーマーケットがそうだった。その前は？　デパートである。どれもこの持株会社の傘下にある。中でも今は、セブン-イレブンが圧倒的に業績を支えている。鈴木敏文会長・CEOはセブン-イレブンを創業し、38年間トップの座にあり、さらに1992年からは親会社のトップでもあった。83歳である。その意向による人事案が取締役会で否決され、同氏は即日引退を決意したのである。15人の定員に対し、賛成が7、反対が6、白票が2であったという。過半数の賛成を得られなかったから否決だったのである。

創業家ではないリーダーの長期の支配体制と社外取締役。そこに海外の投資家がからむ。問題は、セブン-イレブンの井阪社長についての再任の可否であった。取締役会の2日前、任意の指名・報酬委員会が開かれており、そこでは2対2となり決定ができなかったのだという。委員は鈴木会長と社長の村田氏、そしていずれも社外取締役の伊藤邦雄氏、米村敏朗氏である。このような状況自体、異例といってよい。普通は執行側の意図が社外取締役に説明され了解されるのである。しかし、社外取締役が賛成しないからといって、執行側がひるむことなく取締役会での決定を求めることはあり得ることである。取締役会の過半数が社外取締役でない以上、可決されることが予想される。そもそも、指名・報酬委員会の委員でない社外取締役がほかに2人いたという事実もある。

驚くべきは、指名・報酬委員会で決定できなかったことについて取締役会が開催され、執行側が強行的に採決をしたことではなく、その結果が否決であったことであろう。なぜなら、執行側は当然、社外取締役の反対にもかかわらず可決される見通しを持っていたと思われるからである。もし取締役会での過半数獲得がおぼつかない状況であれば、執行側は取締役会での決議を急がず、内部を固める作業を続けたはずである。

つまり、執行側が実は二つに割れていて、社外取締役はその片方と同じ議決権の行使をしたということである。賛成ではなかった8人のうちには4人の社内取締役を含んでいる。つまり、執行側の取締役11人が7人の賛成派と4人の反対派に分かれたということである。7対4。それが社外取締役の議決権行使によって7対8になった。コーポレートガバナンスの歴史的大事件と呼ぶ所以である。セブン&アイ・ホールディングスでは、持株会社となった2005年以来、社外取締役は1人から4人であった。

何があったのか。外側からは推測するしかない。確かなことは、取締役会が開かれた事実である。

一般に、取締役会を開くのは事実上招集権者が決めているが、開かれてしまえば招集権者といえども勝手に閉じることはできない。取締役会すなわち出席取締役の過半数が決定するのである。招集権者が開かなければ、どの取締役も招集権者に招集を請求することはできるが、その場合には法律により2週間後ということになる。現実の世界では、その期間は招集権者による巻き返し期間を意味する。切り崩しに晒される期間といっても良い。招集権者に招集を請求した取締役は孤立してしまうことになりかねない。

ついでに言えば、いったん開催された取締役会での決議は制限がない。三越の岡田事件で経験済みのことである。

取締役会での白票は棄権の趣旨であったように見える。もしそうだとすれば、そもそも取締役会での棄権が許されるかという問題についての議論があり得るだろう。もし議長が「白票は大勢に従う意思であると認めます。したがって7対6ですから、白票の2を賛成の7に加えて9となります。賛成多数で可決されました」と強圧的な議事運営をしたらどうなるかという疑問が湧くからである。しかし、おそらくは取締役会での実力者排除を決意しての行動なのだから、白票を投じた取締役はそう言われた瞬間に「ノー」と答えるだろう。実益のない理屈倒れの議論に過ぎまい。それでも、喧嘩の得意な弁護士が議長の脇にいたらどうなったか、興味は尽きない。

社外取締役はどうやら一致して行動したようである。コーポレートガバナンスについて著名な学者が含まれていることは象徴的といえよう。社外取締役の支持を失った執行側は失脚したのである。

だが、もし執行側が結束していれば、この結論は生じていない。仮にその場合でも社外取締役が反対したとすれば、どうなったであろうか？

議案は可決されたはずである。

だから社外取締役は過半数でなくてはならない、という結論を導くのは容易なようである。会社法やコーポレートガバナンス・コードの見直しに影響なしであろうとは思えない。

もっと重要かもしれないのは、海外のアクティビスト・ファンドの動きである。3月27日の段階で書簡を会社へ送り、鈴木氏の縁者の後継問題の噂を持ち出しており、直後これを公にしたからである。このファンドは前年の2015年、アメリカでもデュポン社の再編に関して大きな影響力を行使している。ファンド自体は数％しか株式を保有していなくとも、機関投資家が動くのである。従前のアクティビストにはなかったといわれている。

スチュワードシップ・コードがあり、その尊重を内外の機関投資家が宣言している。決定的な変化が生じている。

敵対的買収の増加につながるのではないか。そう思えてならない。

異説を聞いた。創業家の世代交代が鍵だったというのである。その説によれば、取締役会が始まるまで招集権者は可決を疑わなかったのだという。真偽不明である。しかし、この世に理由のないことは起きない。

世の中は、危ないことに満ちている？

「ローヤー進化論」『BUSINESS LAW JOURNAL』2016年8月号

10万部を超えるベストセラーになっている、という派手な新聞広告が出ていた。その時点でもう読み終わっていた私には、へえ、という軽い驚きがあり、次いで、当然だろうなという思いが湧いた。

橘玲氏の『言ってはいけない』（新潮社、２０１６。以下、引用頁はすべて同書から）である。私が買った4月18日の時点で既に「発売たちまち増刷」とあった。

この本には、まえがきに、それも最初の行に、

「最初に断っておくが、これは不愉快な本だ」とある。

次の段落には、

「だったらなぜこんな本を書いたのか。それは世の中に必要だから」とある。

読み終わった私は思う。少しも不愉快ではないどころか、私の知的好奇心を十二分に満たしてくれた。その意味で大いに堪能したといえる。

また、世の中に必要だと私も思った。未だ読んでいない人は読んだほうがいい。それで、今回取り上げることにした次第だ。

のっけから読者の良識を揺さぶる本である。

「ひとは幸福になるために生きているけれど、幸福になるようにデザインされているわけではない」（4頁）

これまで神がデザインしたのだといわれてきた。しかし、「ダーウィンが現われて、『神』のほんとうの名前を告げた。それは〝進化〟だ」。ちなみにダーウィンの『種の起源』は１８５９年の発行である。

だが、ダーウィンの提唱以来、進化論は正当に理解されず、「『進化論は自然や生き物の不思議を研究する学問で、知性を持つ人間は別だ』という〝人間中心主義（ヒューマニズム）〟が政治的に正しい態度」とされてきた。

だが、1950年代にDNAの二重らせんが発見され、「ダーウィンの進化論は大きくヴァージョンアップした。動物行動学（エソロジー）は、チンパンジーなど霊長類の観察を通して、ヒトの生態の多くが動物たちと共通しており、私たちが『特別な種』ではないことを説得力をもって示した」（5頁）。

最近では、どうやら勝負はつきかけているようである。

「私たちの喜びや悲しみ、愛情や憎しみはもちろん、世の中で起きているあらゆる出来事が…コンピュータなどテクノロジーの急速な発達に支えられ、分子遺伝学、脳科学、ゲーム理論、複雑系などの『新しい知』と融合して、人文科学・社会科学を根底から書き換えようとしている」

橘氏は、「私が勝手にいっていることではなく、専門家であれば常識として誰でも知っていることだ。…本書で述べたことにはすべてエビデンス（証拠）がある」として、「巻末の文献一覧を参照してほしい」と言う（5〜6頁）。読者にはそれぞれの分野についての専門家がいるだろう。仮に橘氏の言うとおり、専門家の常識でないとしても、反論があれば容易なはずである。受けて立つという橘氏の自信の表れに違いない。

目次を拾うだけでも、この本の衝撃度が分かる。
・馬鹿は遺伝なのか
・人種とＩＱについてのタブー
・犯罪は「凶暴な男」の問題
・心拍数と反社会的行動の因果関係
・非科学的な人権侵害よりも脳科学による監視社会を
・「男と女は生まれながらにしてちがっている」
・「こころの遺伝」の明暗

ほかにもたくさんある。しかし、掲げない。必ずしも橘氏と同じ見解を持っていない私の考えであると誤解されることを恐れるからである。あらかじめ弁解しておきたい。私は本を紹介しているのであって、自分の考えを述べているのではない。

橘氏は言う。「集団にとって不愉快なことをいう者は疎んじられ、排斥されていく。…知識人(すなわち賢いひとたち)が知らないふりをするのは、正しい大人の態度なのだろう」「古代社会では、不幸な知らせを伝えた使者は斬首された」(6頁)

そのとおり。英語でもShoot the messengerという。私は常々、弁護士が代理人に過ぎないのに憎しみの対象になることを嘆いてきた。今回、私は橘氏の使者でも代理人でもない。

例えば、米国の教育心理学者アーサー・ジェンセンは「知能を記憶力（レベルⅠ）と概念理解（レベルⅡ）に分け、レベルⅠの知能はすべての人種に共有されているが、レベルⅡの知能は白人とアジア系が、黒人やメキシコ系（ヒスパニック）に比べて統計的に有意に高いことを示した」という（39頁）。

これだけでも大問題である。ジェンセンが学者として生き延びたのはアメリカ建国の理念である「自助努力」であると橘氏は言う。「『良心に心地いい』からといって、科学的な根拠のない政策に莫大な支出を続けることが許されるはずはない」「肥大化した政府に対する正当な異議申立てでもあった」（40〜41頁）

そうだとすると、これは困難な課題である。地球温暖化ですら議論の対象になっている。人種についてのこれほどの分析が受け入れられるとは思えない。

別の例では、安静時心拍数がある。これは「反社会的な行動に関する被験者間の差異のおよそ5％を説明した」という（96頁）。本当だろうか？

心拍数の低い人間は恐怖心がないからという説明がなされている。共感力が低いともいう。さらには、心拍数の低い人間は覚醒度が低く、「不快な生理的状況」にある。「それを最適なレベルに上げるために刺激を求めて反社会的行動に走る」のだという（98頁）。

私はいよいよ頭を掉《ふ》った。19世紀末の犯罪学者ロンブローゾを思い出しもした。

橋氏の述べるところは今風に言えば、とても危ないことに満ちている。だが、既にイギリスでは「非科学的な人権侵害よりもの脳科学による監視社会」（114頁）が実現されつつあると聞くと、興味に駆られずにはいられない。

脳科学とITが我々をどこに連れていくのか。「外見から知性は推測できる」（124頁）のか。「会社の業績を上げる経営者の顔とは」（142頁）

ふと「AIと遺伝子の生存競争」という言葉が浮かんだ。

とにかく、読み出したら終わりまで行くこと請け合いである。

★引退後にキャベツ作りに心を砕く

「パワー・オブ・アトーニー」『月刊ザ・ローヤーズ』2016年9月号

「わしが菜園に植えたキャベツの世話にどれほど心を砕いているか、それがわかれば、そんな頼みごとはできないはずだよ」

後継者争いに困り切った部下たちが、その男の復権を望んだときに答えた言葉だという。

男は巨大な組織に22年間も君臨したのち自らの意思で引退し、故郷の田園にある豪華な別荘に住んでいた。61歳の引退であった。

キャベツの世話と巨大な組織の統治とを比べることは滑稽だろう。キャベツは人の生き死ににも運命にもかかわらない。しかし、ひとたび統治の職を離れれば、キャベツを世話するのも戦争に明け暮れるのも、当人にしてみれば同じことなのかもしれない。

そういえば、大坂夏の陣に勝利した後に引退してもっぱら詩作に耽り、たびたび「天下のために」と政務を執ることを望まれたにもかかわらず、自分は天下を要しないと言った人が17世紀の日本にいた。石川丈山という。

キャベツの世話に忙しいと言ったのは、3世紀から4世紀にかけてローマ帝国の皇帝であったディオクレティアヌスである（『ローマ帝国人物列伝』本村凌二、祥伝社、2016　267頁）。五賢帝のあと、「『三世紀の危機』と呼ばれる半世紀」を乗り越え、「地中海世界に再び安定した秩序」をもたらしたのはディオクレティアヌスなのだという（同書260頁）。

20年間といえば、現代ではGEのCEOを20年間務めたジャック・ウェルチの名が浮かぶ。セブン&アイ・ホールディングスを辞めた鈴木敏文氏は24年間であったか。どうも、なにを見ても聞いてもコーポレートガバナンスに結びついてしまうようだ。

つい最近、巨大企業のトップを33年間務められた方と或る雑誌のために対談をさせていただく機会があった。創業者と称すべき方である。

「トップは何年経ったら辞めるべきだというものではない」という言葉には自信が溢れていた。

私は常々、現代の資本主義ではリーダーが大切だと感じている。

「どんな人気者や著名人の講演であっても、会社の従業員は社長がなにを言うかにいつも一番注目している」と読んだことがある。そのとおりだと思う。自分の人生は、著名人や流行りのタレントが口にする片言隻句ではなく、自らの将来を託したリーダーがなにを考え実行するかにかかっている。誰もが分かっていることである。

実は、リーダーというものは放っておいても自らの望むことを実現しようと粉骨砕身する。それどころか、周囲が迷惑と感じていることも顧みずに自分の思いを実現せずにはおかない。例えば織田信長である。一向一揆では2万人を、比叡山では数千人を焼き殺している。歴史のうえでは、そうやって天下統一は成し遂げられたのである。

もちろん、現代の企業社会のリーダーは基本的人権が当然とされている時代を生きている。コンプライアンスも尊重するだろう。ただ、その胸の炎の激しさは信長と少しも変わらないということである。

リーダーが一人いれば無数の人間が付き従う。その結果が、リーダーなしには実現することのなかった無数の人々の人生の充実である。雇用はその第一であるが、すべてではない。ケインズならアニマル・スピリットと呼び、シュンペーターならイノベーションと呼ぶところのものが原動力となる。少数の個人の情熱、情念によって歴史は動かされるというのが私の考えなのである。

付き従う人々のことをフォロワーという。つい最近、卒業した高校の同窓会の機関紙でこんなことを申し上げた。

「今日は高校の頃のことをいろいろ尋ねられるのだろうと思うのですけど、最近、私はコーポレートガバナンスのことに取り組んでいまして、リーダーやリーダーシップについてよく考えます。リーダーの反対はフォロワーですね。世の中には極く少数のリーダー、各時代に例えば織田信長や孫正義のような力と意欲が有り余っていて一生懸命におやりになる方がいる。彼らによって大多数のフォロワーが生きていけます。ガバナンスというのはその雇用を大事にすることなんです。

そもそも人は幸せになりたいと思って生きています。それは自分に対する誇り、独立した自分、ということから出てきます。働けば、その見返りとして報酬を与えられます。お金をいただくことは、社会がその人に価値があって、社会に対して寄与しているから与えられるんです。

双方が対峙しています。そういう気持ちを人に湧き起こさせる唯一のものが働くということだと思っています。働かなかったら、嫌なこともないかも知れないけれども、人生の意味もわからない。これが私の信念なんです。そのために会社というものがあると思っています。

社会が会社という法人を認める理由は、非常に単純化して言うと、雇用が増え、仕事が増えるからです。雇用は保護することができない。自由主義で資本主義の社会では、雇用は切られることがあります。会社は、不完全な存在の人間が知恵として生み出したものだからです。それでも上場会社は人類の智慧の結晶だと思っています。そんな想いから、私はリーダーが大事だと思っています。そしてリーダーの元に集うのがフォロワーなんですね。そこで話が一巡りして、高校の頃に戻ってきます。

実は『フォロワー』という言葉に最初に触れたのは、附属に通っていた時でした。内海巌校長先生が『民主主義においてはフォロワーが大事だ』と訓話の時間で仰っていました。その時は意味がよくわかりませんでした。ところが特にここ数年、コーポレートガバナンスやリーダーシップについて考えていると『フォロワーが大事だ』と思うようになりました」（広島大学教育学部附属高校同窓会会報「アカシア」全国版第509号〈2016年7月号〉）

私が校長訓話を聞いたのは50年前のことである。そのときに初めてその言葉を知った。しかし、それ以上のことではなかったのが50年経って心のなかで蘇ってきたのである。まことに教育というものは大したものだと思わないではいられない。

私もフォロワーの一人である。傑出した経営者の横にいて、法律家としてアドバイスする。そのことで報酬を得る。その報酬があればこそ私は家族を養い自らの口を糊することができる。同時に、私の事務所で一緒に働いてくれる弁護士たちやスタッフたちも同じように生活を支えることができる。

それだけではない。自分がこの世に生を享けた意味を感じ取ることもできるのだ。

「ああ、こういうことをするために自分はこれまで生きてきたのか。この生業があればこそ、私は社会のなかで独立した人間としての誇りを持つことができる。だから、私は社会に存在していることが自分にとって一定の意味があると信じることができ、しみじみと生きている歓びをかみしめることができる」

それにしても、22年の皇帝としての統治の後にキャベツの世話に心を砕いて暮らしたディオクレティアヌスは、なんと幸運な男であったのだろう。一般には、皇帝が皇帝でなくなれば命の保証はない。それは独裁者の宿命である。現代にもそうした過酷とも、見方によっては滑稽ともいえる運命を生きている人間はいる。そうしたリーダーのフォロワーは悲劇である。

ディオクレティアヌスは自ら創りだしたローマの平和が、少なくとも自分の余生を安全で平穏なものとする程度には持続することを確信していたのだろう。そうでなければキャベツ作りにはならない。退位して6年後、彼は別荘で息を引き取ったという。「一説では、みずから食を断って死んだ」(同書268頁)というから、その人生には感嘆のほかない。

生あるものは必ず滅する。しかし、問題は滅するまでの時間とその時間の過ごし方である。長くとも短くとも、それが天の与えた時間なのである。人間が自らの意思で自由にすることができる部分がどれほどあるのか。棺《かん》を蓋《おお》うまでは分からない。

ヒト型ロボットがもたらす人対人の争い

「ローヤー進化論」『BUSINESS LAW JOURNAL』2016年9月号

「人類の歴史のうち200万年は狩猟採集の旧石器時代で、ヒトの本性はこの長い期間に進化した。それに対して農耕が始まったのは1万年ほど前で、歴史にいたっては2000年程度しか遡れない」だから「200万年のうちの1万年や2000年だけを取り出して人間の本性を論じても意味がない」（橘玲『言ってはいけない』新潮社、2016 190頁）。

農業が始まったのが1万年前。それで人類の外部環境や生活は一変した。しかし、問題は、199万年間の生活がつくった人間というものは、到底1万年では何も変わることなどできようはずもないことである。といって、199万年の間、人類がどのように生活していたのかということがよく分かっているわけではない。

ただ、「土地をめぐる諍い」は、「農耕社会の成立以降の話で、狩猟採集のための土地がいくらでもあるのなら限られた資源をめぐって殺し合う必要などまったくない」（同書191頁以下）という状態にあったといわれれば、なるほどと答えるしかない。

1年前の2015年に本林徹弁護士に若い法曹のためと頼まれ講演したときのことを思い出す。私は、こう話したのだ。

「われわれの目の前に来る仕事というのは、大きな仕事でも小さな仕事でもすべて全人類の歴史が私のところに押し寄せて、私の目の前で焦点を結んでいるものです。すべての仕事は過去の歴史の集結点です。例えば、借地や借家に関する事件について考えると、借地という制度、借家という制度、不動産という発想、そもそも、どこかに住むということ、全人類の歴史がそういったことを経てきて、そして、ある家について返せだとか、家賃を上げろとか下げろとかいう紛争になっている。その歴史を探っていくと、すべての歴史がここに今向かってきているのだなと感じます」（『本林塾講演録　新時代を切り拓く弁護士』本林徹編、商事法務、2016　291頁）

地面が不動産になり、それが争いを生み、したがって紛争の解決のために法が要求されたということである。どうやらそれは1万年前からのことだったらしい。それ以前、地面は狩猟のために駆け回るだけのところであった。

狩猟といえば、2016年6月18日、19日と続けて、とても面白いテレビ番組を観た。NHKの2夜連続で放送された〝ストレス〟についての番組である。狩猟生活をしていたころのこと、狩猟の途中でライオンに出遭うと、食われてしまわないためには戦わなければならない。そのために人間の身体は一挙に緊張するシステムになっているというのだ。

心拍数が上がる。血管が収縮する。血液が凝固しにくくなる。

すべて、刺激を受け止めた扁桃体という脳の一部が副腎に働きかけた結果出てくるホルモンによるのだという。確かに、ライオンに食われないで済むかもしれないし、仮に食われかけても生き延びることができそうである。

悲しいところは、そのホルモンが肉体への脅威ではなく精神への脅威が感じられたときにも出てくることなのである。現代生活にライオンと戦う緊張はない。あるのは、仕事にせよ私的な生活領域のことにせよ、精神的な刺激、過剰な刺激である。それは、ときどき出遭うライオンと違って、朝から晩まで絶えることなく、我々の周囲に満ち溢れている。

ところが、人間という動物はそれ用には作られていない。精神的な強い刺激というのは、農業が始まって土地をめぐる争いが起きる時代になってからのことで、たかだか1万年前からのことに過ぎないのだ。

現代人は無理をしているのである。

その行きつくところは？　例えばうつ病であるとテレビ番組はいう。

観ていた私は、なるほどと感心しながらも、実はそれどころではないぞと思わないではいられない。ＡＩである。囲碁で人間に勝ち、小説も書こうというＡＩである。２０４５年には人間の知能を追い越すという。

人類はどうなってしまうのだろうか？

太陽が50億年後には膨張して地球を飲み込んでしまうと知ったときには、大変なことだなと思いつつも、なに50億年後のことと澄ましていればそれで済んだ。しかし、２０４５年では、たぶん私は生きていないにしても、私の子どもは生きている。その子どももちろん生きている。したがって他人事ではない。

よくいわれるＡＩが人間を支配するようになるのではないかという危惧について、私はそれ以前に大問題になることがあると思っている。人間対ＡＩの対決ではなく、人間がＡＩを毀そうとしたり、毀してしまったときに、ＡＩを自分の一部と感じている人間は、その攻撃した人間を許さないだろうと思うのである。ＡＩに対して人間が一致団結して戦うなどというのは夢物語に過ぎない。ＡＩと人間の集団と、同様の集団との間の戦いになるのだ。

現に、人々のペットに対する強い愛情を当たり前のこととして我々は受け入れている。犬や猫について家族の一員だと言ってはばからない人は珍しくない。ペットについてそうである以上、どうしてペッパー君を自分の配偶者や子どものように大事に思わないことがあろうか、と考えるのである。ヒト型ロボットは必ずや人間と人間の争いを生み出さずにいない。

今の我々は他人の犬を殺せば器物損壊ということで満足している。しかし、もうすぐ「私の大事なパートナーを傷つけられた」という訴えが一杯になる。何のことはない、ロボットをパートナーにしている人が、人間のパートナーを傷つけられたのと同じだと悲しみを切々と訴えるのである。

それもまた法律家の活躍する分野になるのだろう。

では、法律家の代わりをするロボットはできるのか？

囲碁と法律判断とどちらが困難か？

もちろん、法律である。昔、私は判決が自動販売機から出てくるようになるかどうか数学者と議論したことがある。判決は事実認定による。事実認定は何を事実とするかによる。だから人間にしか判断できないと私は言った。

いや、それをＡＩにディープ・ラーニングさせたら？

読者はどうお考えになるだろうか？

★私にとってのウィリアム・モリス

「パワー・オブ・アトーニー」『月刊ザ・ローヤーズ』２０１６年10月号

芥川龍之介が、大学の卒業論文に悪戦苦闘しているという苦しい心の内を、漏らしている手紙がある。論文の対象であったのはイギリスの詩人、デザイナー、ビジネスマンにして社会主義者でもあり、「モダンデザインの父」と呼ばれている、あのウィリアム・モリス（１８３４－１８９６）である。芥川は親友の恒藤恭への手紙の中でこんなことを言っている。

「W. Morris as a poet と云うようなことにして、Poems のなかに Morris の全精神生活を辿って行こうというのだが、何だかうまく行きそうもない」

当時の芥川はもう『鼻』の原稿を書き始めていたうえに結婚話も進めており多忙を極めていた。そのうえ第一次世界大戦があって海外からの本が入りにくくなっていたという事情も重なっていた。

そういう時代背景については、鷗外が『なかじきり』のなかで書いていたことが思い出される。

「私は書を読んでいる。それが支那の古書であるのは、今西洋の書が獲難くして、そのたまま獲《う》べきものが皆戦争を言うが故である」

芥川のモリス論は、友人の作家である久米正雄によれば、「ウィリアム・モリス・アズ・マン・ザ・アーティスト」だったのが、「アズ・ザ・アーティスト」だけになり、そのうちに「ヤング・モリス」になってしまったのだそうだ。

「僕たちは芥川のこの軍備縮小を笑って、よくMorris in teen からMorris as an infant まで退却しなかったものだと云ったものだ」と茶化している。

それにしても、モリスが生前に詩人として大いに知られていたことは、今回はじめて知った。私はモリスの『ユートピアだより』（岩波書店、２０１３）を読み終わって巻末の訳者川端康雄氏の解説に到り、「モリスは三十代半ばで詩人としての名声を確立している。…生きている間は詩人としての地位はゆるぎないものだった」（４４２頁）とあるのを読んだのである。

では、私にとってウィリアム・モリスとは何であったかといえば、もちろん、壁紙である。あの、ハニーサックル、和名すいかずらという植物の柄の壁紙である。

少しデザイン化されているものの、精密な描写ともいえる赤や黄色の花びらの周りを緑色の葉が囲んでいる。葉の緑は2種で、葉の表と裏の濃淡を示していて、見る者をモリス独特の世界に誘い込まずにいない。地は白、薄い緑、または青。花言葉は「愛の絆」というのだそうだ。チンツ（捺染木綿）のデイジー、ラッパズイセンもまた私が愛してやまないものである。私は花柄模様が大好きなのである。殊に小さな花の連続模様である。だから、女性の着るものについて花柄模様が流行っている今年は、通り過ぎる人々を眺めているだけで愉しい。

私のモリスの壁紙好きは、若いころ欧米へ仕事で出かけることがたびたびあり、日本と違った色、柄、模様の壁紙を貼ったホテルに泊まることが多かったせいかもしれない。あるいは、好きになったのはもっと子ども時代に遡るなにかがありそうな気もしている。

だから私のモリスはアーツ・アンド・クラフツ運動のモリスであって、詩人でも社会主義者でもない。

川端氏は、『ユートピアだより』について、「モリスの文学作品のうちで、もっとも広く読まれ、多方面で影響を与えた著作であるといって間違いないであろう」とも言っている（435頁）。だが川端氏は、「『ユートピアだより』をモリスがその生涯の中で政治運動にもっとも精力的に取り組んだ数年間の最後の時期に書いた」と解説したうえで（447頁）、政治運動家としてのモリスを「『赤』であるよりもむしろ『緑』の色合いが濃い」とする説を紹介し、これに同意している。環境派である。

といっても単なるエコロジストではない。つまり、「ロマン派の自然観に依拠した近代文明批判と、マルクスらの『科学的』社会主義の観点による産業資本主義批判とを同時に自身の運動理念に生かした」というのが川端氏のモリス観なのである。

さもあらばあれ、私は私にとってのモリスは壁紙であると書いた。しかし、実はぼんやりとではあれ、モリスがただのデザイナーではないことも知っていたのである。そもそも芥川の卒論の話というのは学生時代に知ったことで、あるいはモリスに関心を持ち始めたのはそれがきっかけだったのかもしれない。

以来、モリスについての本が出れば無関心でいることはできず、そのレッド・ハウスやケルムスコット・マナーの写真を見たのもずいぶん昔のことのような記憶である。例えば『ウィリアム・モリスの楽園へ』(世界文化社)という2005年に出た写真の多い本を私は持っている。コッツウォルズという場所について知るようになったのも、ひょっとしたらモリスのおかげかもしれない。

イギリスには親しい友人がいて、「イギリスの良さは大都市ではないところへ行かないと味わうことができませんよ」と言われていたのが、結局、いまだに訪ねてはいない。紅茶を飲む習慣が長いにもかかわらず、ロンドンで飲んだティーバッグの紅茶の美味しさに驚いた経験があったにもかかわらず、私はイギリスの田舎に出かけることをしないでいたのである。そういえば、別のイギリス人の友人は、いかにもイギリス人らしく、買った家の大改装を自分でしているのだと自慢していた。

　要するに、私はものぐさなのだろう。しかし、私は本を読むことを大いに好む。勤勉に読む。『ユートピアだより』を求めたのは2013年の8月のことであった。岩波文庫の新刊広告が目に入り、すぐに秘書に頼んだのである。

　ずっと本棚に置かれたままで、読み始めたのは数か月前だったろう。それも、ベッドに入ってから眠りに落ちるまでの短い時間を過ごすためだった。

　会社法についての論文、コーポレートガバナンスの論考、そして自らの弁護士業のための原稿書き、さらにはエッセイや小説の執筆の終わった深夜、あるいは明け方近く、さすがの私も、今日やるべきことはやった、あくせくとしたこの時間からしばらく離れて、夢の世界に入りたいと願うのである。

　そのためにこの本は理想的だと思え、それでベッドの傍らに置いておくことにしたのだ。

　すこしずつ読み進めていった。手に取ると、カバーが濃い青紫色で、後に解説でそれが「小さな小川のくねくねと蛇行する水面に美しい花がたゆたうようにして咲いているイメージ」なのだと読み（474頁）、ああ、そうだった、こうしたデザインを自分は心にしっとりと感じるのだと思った。どこかでアラビアの模様に似ていなくもない気がしてくるような赤と白の花の連続。

物語は、革命家同士の議論に疲れた男が自宅に戻って眠りから覚め、テムズ川の川面を眺めている場面から始まる。イギリスにあるはずのない「彩飾写本から出てきたみたいな」橋が目に入る。船方にたずねると、「そう古いものではありません…開通したのは２００３年のことです」と言うではないか。モリスがこの物語を書いた１８９０年から１００年以上経っている。

その名のとおり、浦島太郎伝説なのである。桃源郷に行ってきた男の回顧なのである。

そこにはモリス本人とおぼしき50代半ばの主人公が若く美しい女性を見て恋に落ちるところもある。それどころか、あろうことかその女性も彼に好意を抱いてくれているようなのだ。

後半では、干し草刈りに行く若い男女の友人とテムズ川を遡る。風景が、「１９５２年の革命」以前、モリスの知っていた醜いイギリス時代から一変している。人々には「仕事が喜びで、喜びが仕事になっている」（３７６頁）。モリスらしき人物の恋した女性は、ケルムスコット・マナーで、「ああ、本当に愛しい！」と大地への愛を語る。

モリスの臨終直後、医者は「死因はたんにウィリアム・モリスであったということ、たいていの人の十人分以上の仕事をしたことです」（４４６頁）と語ったという。

法の支配の下での平和的な革命

「ローヤー進化論」『BUSINESS LAW JOURNAL』2016年10月号

2016年6月23日のイギリスでのEU離脱投票の後、劇的な結果についての識者のコメントをたくさん読み、聞いた。その中で気になったことについて記してみたい。

「合理的な選択ではなく感情的な選択が行われた」と多くの識者が指摘していたことである。イギリス国民は感情的にEU離脱の決定をしたから、賢明な選択ではなかったとあからさまに言う人もあった。

私とて、イギリス国民の判断に感情的な面はなかったなどと思っているのではない。そもそも人間の判断なのだから、いくぶんかの感情は常に伴うに決まっているだろう。ただ、こうした識者の拠って立つ「合理」というものについて、いささかならず疑問が感じられてならなかったのである。ひょっとしてそれは歴史と人間性に対しての不十分な理解に基づくものではないか、経済だけが重要だという誤った世界観を表してはいないかなどと、大層なことを不遜にして不穏にも考えてしまったのだ。

どうやらたいていの識者は、離脱はイギリス経済にとって不利益だから合理的な判断ではないと言いたいように見えた。

だが、経済の損得だけが人間にとっての合理だろうか。そうではないことは、例えば基本的人権を考えればすぐに分かる。基本的人権は経済的には損であるとしても、誰もが当然のことと考えている。

それだけではない。識者の見解なるものには、大衆は無知で一部の知的エリートつまり自分たちのみが賢いという世界観が露呈していて、私の目にはいかにも滑稽千万に映ったのである。人はパンのみにて生くるものにあらずという真理は、キリストを持ち出すまでもない。識者の言う賢さとは、煎じつめたところ損得勘定のことでしかなく、損得勘定である以上は、誰一人確信が持てない世界の出来事でしかあり得ないのである。疑うものは、今回の離脱ショックの直後の株式相場で、いかに株価が下がったとしても値段がついた事実を思うべきであろう。この値段なら一刻も早く売り払いたいと信じた人と同時に、その値段なら買えると信じて実際に買った人がたくさんいたのである。

誤解のないように申し添えさせていただけば、私は人にはパンが必要だと思っている。パンはフランス革命を起こしたほどに重大なものだとも分かっているつもりだ。パンだけではない。肉も野菜も、さらには着るものも住宅も。

だが、私は人の人たる所以は、そうした日常の必要を超えた世界に遊ぶことができることだとも考えている。絵、音楽、スポーツ。どれも人の生活を彩り豊かにしてくれる。環境もまたその重要な一つだろう。環境が重要なのは経済に関わるからだけではない。

しかし、私の大きな感慨はもっと別のところにある。あれほどの決断が流血沙汰なしに成し遂げられたことに、私はイギリスという国の人類の歴史における先進性を感じないではいられなかったのである。下院議員が殺される事件が直前にあったから、まったく犠牲がゼロだったわけではない。だが、フランス革命でもロシア革命でも王様や皇帝が殺されたのである。「その他大勢」が数えきれないほど犠牲になったことは言うまでもない。

私は、今回の離脱騒ぎについて、あれは持てる者と持たざる者の革命の戦いだった可能性に耳を澄ましている。食うか食われるかの熾烈な闘争だったのである。そうだとすれば、なんとも平和的な方法での戦いであったことかということになる。1688年の名誉革命を思い出す方もあるかもしれない。言い換えれば、法の支配が貫徹して戦いが滞りなく行われた事実への畏敬の念である。今回の離脱は後になって、あれほどの変化は革命と呼ぶにふさわしいと評されるのではないかという可能性を感じるがゆえの感慨なのである。暴力によらずしてそれが粛々と成し遂げられた事実の重さを改めて思うのである。

奇妙な感想を持ってもいる。

もし武力による争いであったなら、あの戦いは持てる者の側が勝ったのではなかろうか。持てる者は持たざる者の大群に金と武器を与え、向かってくる別の持たざる者の大群にぶつける。昔から持てる者のやってきたことである。現代では金の量の差が武器の質の差を意味する度合いが大きいであろうから、持てる者は、今回、大いに手足を縛られて戦わざるを得なかったともいえそうな気がするのである。

もちろん、国民投票に際しても金の力によって影響力を拡大したという事実はあるに違いない。現に、多くの識者は事前に離脱に反対していた。メディアは二分されていたと伝えていた。そのメディア自体、持てる者の金の力によって持てる者の側の意見を増幅して伝えていた。にもかかわらず、形勢を逆転することができなかったという事実があの結果である。

さらにおかしなことを思ってみる。

暴力で決めることと投票で決めることとの違いは何だろうかと考えてみるのである。

私は、紙にほんの少しの書き込みをすることと、我が身を銃弾の前にさらすこととでは、必要とされる勇気の量があまりに違うのではないかという気がする。今回のイギリスに限らない。投票民主主義において必要な行動は、昔の革命に必要だった行動に比べて、あまりに手軽で安易だと感じるのである。すっと立ち上がって投票所に出かけ、ちょっとだけ指を動かす。それだけである。

間違いなく、頭をかち割るよりも頭数を数えるほうが平和的である。人々の幸福に資する。だが、浮動票と呼ばれる票も、議論を重ねた末の票も、同じ1票と数えることで投票民主主義は成立している。

最後にイギリス賛を一つ。

イギリスの民主主義とは、戦争のための課税をしたがる国王と反対勢力との軋轢の歴史であった。「チャーチルと違ってヒトラーは、どんな時になっても『血と涙と汗を流す』覚悟を国民に訴えかけるようなリスクはおかせなかった」(『ヒトラーの国民国家』ゲッツ・アリー、岩波書店、2012 320頁)。私はそこにイギリスの真の強さを見る。

★67歳になった。80歳はくるのか

「パワー・オブ・アトーニー」『月刊ザ・ローヤーズ』2016年11月号

67歳になった。団塊の世代3年間の最後の年に生まれ、中学、大学、そして司法試験と受験勉強に明け暮れた身が検事となり、2年経ったところで弁護士となった。

67歳は70歳と同じだろう。70歳になれば80歳は近い。66歳のときには、未だ60歳も同じと思っ

ていた。60歳であれば50歳はほんの少し前のことに過ぎず、そうなれば40歳もさして違わない。40歳は20歳からひとっ跳びの年齢である。

ともあれ、問題は80歳は来ないかもしれないことだ。これまでのように、時が過ぎれば自動的に年齢が重なるとは限らない。

昔、40歳になったことがあった。感慨があるかと思ったが、なにもなかった。それどころか50歳になっても、還暦といわれる60歳になっても、なにも感じないで来た。健康だった。それに尽きる。努力したわけではない。生まれつきである。今でも食事は美味しくいただくし酒も飲む。量はどちらも減った。意識的に減らしてもいる。

先のことを考える。これまでは、目の前のことばかりを考えてきた。しかし、どういうわけか66歳になった後の1月からは、同じ未来といってももう少し先のことが気になるようになってきた。

いつごろまで働くのかと考える。弁護士の諸先輩を見ていると、たくさんの方々が年齢を感じさせないままに活躍しておられる。その顰《ひそみ》に倣うことができそうなつもりでいる。勝手なものである。

小説を書く。書かなければならないと思って書いている。エッセイは締め切りが自動的にやってくる。本を読む。面白くて堪らないことが多い。経済のこと、ことにコーポレートガバナンスのことについて興味が尽きない。いや、宇宙の構造も人類の進化も気になる。

資本主義が崩壊すると聞けば追いかけずにいられない。水野和夫氏の『国貧論』には読みふけってしまった。

しかし、「あらゆる近代の前提が崩壊しています」と言われても、「あと4世代くらい経ないと近代は終わったということをみんなが納得できないのかもしれない」となると、目先のことに追われる生活になってしまいがちである。

つい最近、会計の本を読んだ。旧知の田中弘さんから頂いたのである。題して『GDPも純利益も悪徳で栄える』とある。最近の習慣ではじめに目次をざっと読む。引きつけられた頁を開く。何か所もある。

私が読んで感心したウルリケ・ヘルマンの『資本の世界史』からの引用を発見する（95頁）。産業革命について、「イギリス人の賃金が世界で一番高く、そのために人間の労働力を機械で代用することで初めて利潤があがったからだ」とある。ああ、田中さんも同じところに興味を抱いたのだと感慨が湧く。

なんとジョンソン・エンド・ジョンソンの「我が信条」が、第1章の表題にまでなっている。第2章は「ロバート・ケネディ氏の遺訓」とあって、「利益には色がある！」と続く。「まっとうな仕事をして稼いだお金は『奇麗なお金（浄財）』であり、不当な仕事で稼いだお金は『きたない（不浄な）お金だ』」。神谷秀樹氏の「投資の目的と果実の評価 『奇麗なお金』と『きたないお金』」（『金融財政ビジネス』２０１４年10月27日号）の引用である。

こうなると頁を繰る手が止まらない。

「『株を買っても投資家にはなれない』」（１４９頁）という部分はなんとも秀逸である。「新株発行という稀な取引の場合を除けば、市場で株を買っても、その資金は元の株式保有者のサイフに入るだけで、株式を発行した事業会社のサイフには入らない」とあるのだ。あるいは、「株で儲けても社会には何の貢献もしない」ともある。

「儲ける」と「稼ぐ」の違いを国語辞典に探る部分には感嘆してしまった（１５９頁）。正業に励むのが稼ぐで、利益を（思いがけなく）得るのが儲けるなのだそうだ。そういえばそんなニュアンスで私も日常使い分けている気がする。

『精選版　日本国語大辞典』を田中氏が引くくだりは思わず微笑んでしまった。私の手元にも厚い3巻本があるからである。確かに重いが1冊で3キログラムもあるとは知らなかった。私もときどきしか開かない。

白眉と私が思ったのは、「会計は『経営の鏡』か」と題する議論である（２７８頁）。その直前で、田中氏はＩＦＲＳを「不幸の会計基準」と呼んでいる（276頁）。

以前の御著書、『ＩＦＲＳはこうなる』でＩＦＲＳを「英米の金融資本主義に資するような」会計と呼んでいた田中氏の面目躍如である。

ＩＦＲＳとは、田中氏によれば、「永続的に事業を続ける企業の収益性や安全性を測る会計ではなく、企業を買収する投資家（投機家と言った方がよい）の視点から、企業が所有する資産と負債を即時に清算したときに残る『企業解体の利益』を計算するもの」である。

私は映画『プリティ・ウーマン』の場面を思い出した。そういえば、あの映画にはリチャード・ギア演ずる格好のいい企業解体業のビジネスパーソンの付け合わせに、体形が崩れているうえ言動に品性のかけらもない顧問弁護士の男が登場していた。

私が若かったころ、ロサンゼルスのホテルでエレベータに乗り合わせた紳士が、簡単なあいさつのついでに私が弁護士と名乗るや、とっさに両腕で体をかばう動作をしておどけて見せたことがあった。あれは、確かあの映画のできた1990年ころのことであった。

「ＩＦＲＳを推進・支持する『蛇のような投資家』は、企業を買い取った後、資産も負債もバラバラに切り売りするのである」（276頁）と田中氏は書いている。そういえばＲＪＲナビスコのＭＢＯと買収劇を描いた『野蛮な来訪者』（原題『Barbarians at the Gate』）が書かれたのも1990年のことである。

ふっと本を置いて考える。これから日本は、世界は、どうなるのだろう？

鷗外は、「前途に希望の光が薄らぐと共に、自ら背後の影を顧みるは人の常情である」（『なかじきり』）と言っている。陸軍軍医として最高位にあること8年半、勇退して1年半経ったところで書いた作品である。55歳であった。

今の時代の常識からみれば、55歳はまだまだ若い。多くの巨大企業では社長になってもいない。鷗外はといえば、その直後、現在の東京国立博物館の館長になっている。

だが、鷗外はそれから5年で死んでしまった。60歳であった。人生は、人の命は、分からないものである。

鷗外は「ただ暫留の地がたまたま田園なりし故に耕し、たまたま水涯なりし故に釣った如き」人生であったと言う（『なかじきり』）。また、「境遇の与える日の要求を果たした間々に、本を読むことを余儀なくせられた」とも言う（『妄想』）。

二つの作品の間には6年の歳月が流れている。ほんの6年。自ら言ったとおり、中仕切りが人生の総勘定になったのである（『なかじきり』）。

いや、違う。その6年の間に数々の歴史小説をものし、さらにあの浩瀚《こうかん》な史伝を書き上げたのだ。

私は、私の人生の先輩である田中氏の本を読みながら、氏のまさに温顔そのもののお顔を思い浮かべ、少しも衰えないどころかいや増しに増す情熱に打たれた。鷗外も同じように自らのうちから突き上げてくるものに駆られて生きたに違いない。

どうやら人間というのは、なにをするにしても少しも終わりは見えず、見えないままに無限の時を生きているかの如く生きてゆくものなのかもしれない。

残りの人生なぞ存在しない。なぜなら残りだけが人生だからである。その事情は少年時代と少しも変わっていない。

「青い鳥を夢の中に尋ねているのである」(『妄想』)。鷗外はそう言った。他人事ではない。

「ローヤー進化論」『BUSINESS LAW JOURNAL』2016年11月号

★お金の価値

面白い本を読んだ。『資本の世界史』という。ウルリケ・ヘルマンという名の、1964年に生まれたドイツの女性ジャーナリストが書いた経済史の本である(太田出版、2015。以下、引用頁は同書から)。

面白いと感じたのは、1日半で読了するや、世の中のこと、人間の経済の歴史について理解が進んだと感じたからである。それは、自分なりの未来の予知能力が上がったという実感である。正しいかどうか分からない。専門家にも分かっていないのが人の世なのだ。しかし、未来は私を決する。対処しなくてはならない。誰も頼りにはならない。人生は自己責任でしかないのだ。

冒頭近く、「1760年ごろからよりによってイングランドで経済成長が始まったというのは奇跡—または偶然—と呼んでいいでしょう」とある。

しかし、「なぜ産業革命がイングランドの地で始まったのかに対する明確な答えは、いまだに出ていません。『この驚くべき現象に関する本が何千と書かれたにもかかわらず、なおも謎が残っている』」（35頁）のだという。

3つの現象を彼女は挙げる。

第一に「18世紀にすでに75万の人口を数え、ヨーロッパ最大の都市であったロンドン」ではなく、「革命が起こったのは…イングランドでも最も貧しい地域、それまでは羊が草を食んでいただけの北西部の田舎でした」（35頁）として、1800年に8・1万だったマンチェスターの人口が50年後には40・4万になっていた事実を挙げる。

第二に、「工業化は科学とは関わりなしに生まれました。…長年紡績の仕事に携わり難儀な思いをしながら織機や紡ぎ車を少しでもよくしようと工夫を試みてきたふつうの職人たちによってです」。ワットが1769年に革命的な蒸気機関を設計したときには、とりたてて新しい科学知識を用いたわけではなかったのだと、イギリス人歴史家ホブズボームを引用する。

第三は、「近代的な資本主義は当初ほとんど資本を必要としませんでした。…工場主のお金の調達先はもっぱら親戚や友人だったのです」(36頁)。

ではなぜ、「よりによってイングランドの北西部だったのでしょう?」。

農業革命がイングランドで起こっていたことに起源を見る。先行したイングランドは高い賃金の国になっていた。その結果としてのインド産のコットンやモスリンに対する競争力の喪失という事実である。「インドの賃金がイギリスの5分の1か6分の1でしかなかったからです」(45頁)

「道はひとつだけ―機械が人間に取って代わる」ことだった。それが、ジョン・ケイの飛び杼《ひ》、ハーグリーヴズのジェニー紡績機に、次いでかつら職人だったアークライトの水力紡績機になり、ほどなく蒸気機関となる。1800年からの50年間で、綿織物の値段は5分の1になったという。

「低賃金のドイツでは機械を投入するだけの価値がなかった」(47頁)というのだ。そこから、彼女の批判は「『グローバルな競争』に勝ち抜く力を保つためにも、賃金は下がらなくてはならないという主張」に向かう。「資本主義を駆動するのは低い賃金ではなく、高い賃金なのです。労働力が高いときにこそ、生産性を上げ、それによって成長を生み出そうとする技術的イノベーションの出番なのです」(48頁)

もちろん、イングランドに石炭というエネルギーがあったことも原因の一つであることは忘れていない。高い賃金と安いエネルギーの組み合わせである。

それにしても、高賃金が原因だったとは。その先を読んだ私は、独り、深夜の書斎で唸った。19世紀後半、『メイド・イン・ジャーマニー』という本でウィリアムズというジャーナリストが、「国際的な競争力を保つために賃金を下げるよう要求する声」に対して、「そんなことをしたところで、企業家に自社の弱点を探す努力を省かせるだけだ」と述べたという。もちろん私は、安倍政権の賃金についての積極政策を思い出したのである。

ウィリアムズは、ドイツ人を反対側の「輝かしい例」として挙げている。イギリスとの技術的な専門教育の差を指摘したのだ（65頁）。

著者はフォードの例も挙げる。「彼は惜しげもなく高い賃金を払いました。自分が大衆の需要によって生きていることを知っていたからです」（54頁）。さらに同じ個所で、１８７１年に労働組合がイングランドで法的に認められたことにも触れる。大衆購買力がそれで育ち始めたというのだ。

しかし結局、イギリスは金融資本主義の道を選択した。マルクスのみたとおりである。サッチャーのビッグバンは伝統の継続に過ぎない。

金本位制の実態もこの本で知った。小ピット（ウィリアム・ピット）がナポレオン戦争の最中の１

797年、ポンドの交換停止に踏み切った。「ポンドが金による裏づけを失ったにもかかわらず、引きつづきその価値が保たれたのです。それは誰も予想していなかったことでした…イギリス人は偶然にも、お金が印刷された紙や口座の記帳のみで成り立っているにもかかわらず、なぜ価値を持つのかを説明できるだけの核心的メカニズムに行き着いたのです。すなわち、それは金によってではなく、その国の国内総生産（GDP）によって保証されているのです。お金には、それと引き換えに実物の製品を買うことができるだけの価値があるのです」（132頁）

私は再び唸った。

ヘリコプターマネーをめぐっての最近のやり取りを思い出したからである。私は、「ヘリマネというのは軍票ですよ。政府が出すから信頼できる、あるいはできない」と言った。もともとお金は「引き換えに何かを買うことができる」と人々が信じているから価値があるのだ。円は何でも買うことができる。だとすれば、日本政府は少なくとも実質ヘリマネをやるなと改めて感じたのである。

「中央銀行が新発国債を直接引き受けることで、財政赤字を直接賄うことをヘリコプターマネーと言うことが多い」「スティグリッツ氏が主張した政府紙幣発行…と本質的には同じである」

（『日本はこの先どうなるのか』髙橋洋一、幻冬舎、2016　212頁）

どうやら、私独りの偏見ではないようである。

★やっぱりトランプが選ばれた

「パワー・オブ・アトーニー」『月刊ザ・ローヤーズ』２０１6年12月号

トランプ氏が次期アメリカ大統領に選ばれた。

「トランプ氏が当選する可能性が高い」と公言していた身には、やはりの感が深い。大統領選を思うたび、私は１９８９年にトランプタワーに彼を訪ねたときのことを思い出していた。

つまるところブレグジットと同じことが起きたのだ。既成のものの見方が、もはや役に立たなくなっている。テレビと新聞を中心とした大マスコミ、エスタブリッシュメントの一員である有識者の予測が外れる。ところが、当人たちにはその理由が分からない。

恵まれた立場にあるからである。既成の秩序のなかで快適な生活を享受しているからである。快適？　とんでもない。やっと息をしているだけだ、という答えが返ってくるだろう。本人たちはそのつもりだからだ。だから予測は外れる、見誤る。

もちろん、こうした分析は自己批判でもある。私自身、企業のための弁護士として40年近くを過ごしてきた身だ。さしたる中身などありはしないのに、とくとくと喋っている自分に気づいて、はっとすることもある。

吉川精一弁護士が指摘するとおり、「もはや全体を一つの職業と呼ぶのは困難になっている」のがアメリカの弁護士業なのだ（『自由と正義』２０１６年10月号）。他人事ではない。


合理的な人間は、合理的な考えが世の中を支配すると考える。

そういう場合も多い。しかし、そうでない場合も無視できないほど生ずる。合理的な考え方の最たるものが、損得勘定である。人をホモ・エコノミクスと捉える発想だと言ってもよい。市場万能主義もここに入るだろう。

現実の世界に生きている有力な人は、他人が損得勘定で言動を決めると信じている。だから、その損得勘定を上手に刺激すれば自分の望みどおりに他人を動かすことができると思う。

ところが、そうは行かないのだ。人は、想像以上に自らの作り出した幻想の世界のなかに住んでいる。そうした幻想を作り出すのは損得勘定が主ではない。個々人の持っている感情が中心である。なかでも嫉妬が大きい。自分が恵まれていないのは不当なのだという、あの嫉妬である。嫉妬の前提には、自分についての驚くほど高い自己評価がある。幻想と呼ぶ所以である。

ここまで考えてきて、私は炭坑夫を思う。もはや日本には存在しなくなった職業である。

炭坑夫は日本になぜいなくなってしまったのか？　それは彼または彼女の側の問題だったのか。違う。彼または彼女は石炭を掘ることを生きがいにし、誇りを抱いていたのである。

世間もまた、それが世の中に必要である間は、ちやほやしていた。炭坑夫であれば娘を嫁に出す先として、両親にとっては格好の相手に感じられた。

石炭が石油に替わってしまったのは、炭坑夫のせいではない。いまさら石炭の話をするのは、ほかにも「炭坑夫」が私の周囲に溢れていたからにほかならない。例えばバスの車掌である。東京から広島に移り住んだ50年前、私はバスの車掌が男性なのに驚いた。東京では女性だったからである。それがもう男女を問わずいない。人の節約である。

しかし、炭坑夫だった男の孫は、今、祖父のように自宅で家族と夕餉を囲むことは少ない。橘曙覧が「たのしみは妻子《めこ》むつまじくうちつどひ頭ならべて物をくふ時」と詠った世界は過去のものになりつつある。

炭坑夫は人生の途中で仕事を失った。それがどれほどの衝撃であったことか。今誰もが、自分が炭坑夫の運命をたどるのではないかと恐れている。それがトランプ氏を勝たせたのである。炭坑夫は、自分の生きがいと社会の称賛が一致した幸せな日々をおぼえている。しかし、そうした日々は崩れ去り、二度と戻ってこない。

バスの車掌について「人の節約」と書いた。損得勘定である。それを実行する人間には、あるべき姿の実現に見える。歴史の当然の流れにすら見えるだろう。

しかし、流れに置いて行かれる人間には耐えられない動きなのだ。だが、訴えていくところなどありはしない。合理的発想で物事が押し流されてしまう。人の節約は社会のためになると有識者が言う、政府が動く。

自分に落ち度がないのに置いて行かれる人間には、恨みが残る。その規模が大きくなり、実は不当なことが、遠くの誰かのせいで起きているのだと解き明かされれば、そうだったのかと腑に落ちる。「もう一度偉大な祖国にしてみせる」と言われれば、ああこの人に解決策があったのかと納得する。そこでしなければならないことといえば、投票所へ行って名前を選ぶことだけなのだ。

問題は明らかだろう。大きな規模で、置き去りにされる恐怖に駆られている人の群れが発生しているという事実である。

いや、実はもっと大きな問題が控えている。トランプ氏が約束したことである。置き去りを発生させない社会の建設である。再建という名のもとの、新しい世界の創造である。それができるのか、できないのか。

少なくとも、ブレグジットとトランプ氏の当選が示したことは、その課題に挑戦する者だけが今の世のリーダーになれるということだ。既成の世の中の動き、損得勘定を合理的と言い換えて澄ましている人には、人々はもはや投票しない。将来への不安が支配しているからだ。

ここまで来ると、実は目の前に横たわって解決を迫っている問題が途方もなく巨大だと分かる。AIが大きな影を落としているのも見えてくる。

500年後の世界からはどう見えることになるのか、と考えてみる。500年前は関ケ原以前である。応仁の乱から未ださほどの時が経っていない。織田信長が横死したのが1582年である。

あるいは、マルティン・ルターの宗教改革である。トマス・モアがヘンリー8世との確執から斬首されたころでもある。中国では明がタタールの侵略をたびたび受けていた。インドではムガール帝国が新たに興ろうとしていた。その約300年後、どちらもイギリスに侵略される。力のあるものが力のないものを暴力で支配した歴史である。民主主義、自由、平等、基本的人権、法の支配といった、現在の我々の常識はどこにもなかった。

それでも、西洋の国家が確立したウェストファリア体制は1648年、400年ほど前からのことである。この体制はなかなかもちが良いと言える。現在、アジアもアフリカも一種拡大したウェストファリア体制のなかにいるのだ。

どうやら、しばらく国はなくならず、その区分を前提とした世界が続きそうである。

そう考えると、トランプ氏の提唱した〝Make America Great Again〟も、単なる選挙用スローガンの域を超えたものに見えてくる。トランプ政権の4年、または8年の後、結果においてアメリカが偉大になっていてもなっていなくても、トランプ氏のその試みは日本を含めた世界中に影響するだろう。

核心は、アメリカはアメリカのことで忙しいということである。ウォールストリートに近過ぎると非難された反対候補を降《くだ》しての勝利なのだ。金融産業への国としての肩入れが変化しても不思議ではない。TPPをやらないとなればグローバリズムにも背を向けることになる。

そんな新しい現実のなかで、日本はいくつかの方針の変更をしなくてはならない。防衛、国際取引、対米輸出や進出。日本社会の「構造改革」。

なかでも私にとって気になるのが、コーポレートガバナンスである。機関投資家の主たる基地であるアメリカがそうしたことに興味を減じれば、日本政府はどうするのか？　日本の企業にはどんな影響があるのか？

どうやら、トランプ当選は日本の大きな転機になりそうな予感がある。

★イノベーションによる成長

「ローヤー進化論」『BUSINESS LAW JOURNAL』2016年12月号

「成長、成長と言うが、そのために人々が生存競争さながら他人を押しのける社会を自分は嫌いだ、とミルは言う」

ミルとはジョン・スチュアート・ミルである。19世紀イギリスの〝知の巨人〟である。

「ミルの議論は、『現代日本の開化』という講演で夏目漱石が述べた有名な一節をわれわれに思い出させる」

漱石は言っている。

「開化と云うものが如何に進歩しても、案外其開化の賜として吾々の受くる安心の度は微弱なもので、競争其他からいらいらしなければならない心配を勘定に入れると、吾人の幸福は野蛮時代とそう変りはなさそうである」

ミルと漱石を並べて経済成長について述べたのは、吉川洋氏である（『人口と日本経済』中央公論新社、2016　167頁。以下、引用頁はすべて同書から）。

吉川氏はミルをさらに引用する。

「人間にとって、いつも他の人間と接しているのは決してよいことではない。孤独というものが不可能であるような社会は、理想の社会ではない。孤独、つまり時としてたった一人となることは、人間が自らの考えや精神を高めるために不可欠なものである」（170頁、訳は吉川氏自身）

私は吉川氏の厳粛なお顔を思い浮かべながら、我が意を得たりと膝を打つ。

私はこの本の出版を新聞で知って、すぐに手に入れた。「発売即重版」と広告にあったから、少し遅れて読んだことになる。

吉川氏は、成長は人口によるのではなく、イノベーションによると説く。「明治の初めから今日まで150年間、経済成長と人口はほとんど関係ない、と言ってよい」として、日本の人口と実質GDPの推移の比較表を示す（73頁）。そこには、人口減によって日本はダメになるしかないという論者への苛立ちを、紳士らしく隠した吉川氏の不屈の情熱がほの見える。

「高度成長が労働力人口の旺盛な伸びによって生み出されたものではない」ことは、79頁記載の「労働力人口と経済成長の関係」の図表を一瞥すればすぐに納得できる。1955年から1970年の間に実質GDPは年平均9・6％伸びたのに対し、労働力人口の年平均の伸びは1・3％であった。これに対し、1975年から1990年を見ると、それぞれ4・6％と1・2％である。問題は労働力人口ではなく労働生産性ということに尽きる。

「年平均10％の高度成長は、輸出によって牽引されたものではなく、旺盛な国内需要によって生み出されたもの」という指摘は、私のような素人にとっては、興奮を誘うに足る。「日本経済は昔から輸出に引っ張ってもらい成長してきた、と思っている人が多い」と吉川氏の言う、まさにその一人だったからである（84頁）。

イノベーションといえば、シュンペーターの言った「馬車をいくつ繋げても鉄道にはならない」という言葉を思い出す。吉川氏は、「そもそも18世紀イギリスで、ワットなどによって蒸気機関の発明・改良がなされたのも賃金の上昇に対するリアクションだった」と言う。私は、つい最近書いたエッセイを思い出し、「そのとおりでしたよね」とささやき返したくなる。

吉川氏はイノベーションの例としてスターバックスを挙げる（77頁）。私はコンビニを思う。コンビニがさらに進化するという鈴木敏文氏の話を思い出す（朝日新聞２０１６年9月16日付け夕刊）。そして、やはり日本は捨てたものではないと改めて感じる。

他方で、私は一瞬だけ、吉川氏が機械化の実例として挙げた「駅の自動改札」についての感慨に耽る。駅員が改札の長円形のブースに立って、切符が差し出されるのを待ち切れずに、いつも手の中に握った切符切り用の鋏を小刻みにカチャカチャ動かしていた光景を思い出すのである。あれはいつごろまでの風景だったのか。そうやって毎日を過ごしていた人々は、改札が自動化されてどこへ行き、何をするようになったのだろうか。おそらく日本の雇用慣行からは、職場がなくなったからといって路頭に迷うようなことはなかったのだろうし、職というものがそうやって変化してやまないものであればこそ、人は新しい人生を歩め、若い人々にも職がある社会が可能なのだと分かってはいる。しかし、人というものはますます速くなる変化にどこまでついて行けるものなのかと思い惑わないわけではないのである。

吉川氏の文章は、日本語が分かる人間なら読んでついて行け、何が書かれているかを理解できる。それだけで素晴らしい。しかし、吉川氏の文章の魅力はそこにとどまらない。

私は、氏が村川堅太郎の論文を引用してポリビオスに触れるとき、以前ご講演で私の質問に、ニーチェの『悲劇の誕生』を紹介しながら丁寧に答えてくれた吉川氏を思い出す。ソフォクレスがディオニュソス的情熱で創りあげたギリシア悲劇は、エウリピデスでアポロ的静寂に至り消滅した。それはギリシアの都市国家とともに滅びたのだというお答えだったと記憶する。

ポリビオスは、人口減少の理由として、「人間が見栄を張り、貪欲と怠慢に陥った結果、結婚を欲せず、結婚しても生まれた子供を育てようとせず、子供を裕福にして残し、また放縦に育てるために、一般にせいぜい一人か二人きり育てぬことにあり、この弊害は知らぬ間に増大したのである」と言っているという。「確かに、人間の長い歴史を振り返ると、豊かな国での人口減少は19世紀末のヨーロッパが初めて経験したわけではない」ようである（97頁）。

最後に、「残念ながら、現状では日本企業は退嬰的だ」として企業の貯蓄を批判する吉川氏の言（187頁）に、私は改めてコーポレートガバナンスを思った。内部留保を批判した麻生財務大臣の言もある。吉川氏は「イノベーションの担い手にとっては、金銭的なリターンもさることながら、何よりも未来に向けた自らのビジョンの実現こそが本質的だ」とシュンペーターに触れ、次いで「健全なオプティミズムが失われ合理的な計算のみに頼るなら企業は衰退する」とケインズの言を引く。

コーポレートガバナンスは他人事にあらずと考えている私は、一粒の麦もし死なずばと自らを叱咤する。そして思う。ここには経済学は経世済民の学であると信じている方がいる、と同時代人として吉川洋氏を持つのは我が喜びである。

米国留学に目を輝かせる弁護士に若き鷗外を見る

「パワー・オブ・アトーニー」『月刊ザ・ローヤーズ』2017年1月号

日本の若者が内向きになっているという。例えば海外への留学をしたがらなくなった。そういう話を読んだり聞いたりすることが多い。

私が所属する事務所では正反対である。今年も3人の弁護士が留学を希望している。推薦状をしたためる身には忙しい季節である。最近ではネットで送れという指定もある。

私はそのうちの一人が留学したいと切り出したとき、ふっと森鷗外を思い出した。娘茉莉が夫山田珠樹とともにヨーロッパに留学することになったとき、自分ももう一度欧州に行ってみたいものだが、もう叶わないだろうと寂しそうに言ったという。彼はそれから1年と少しで亡くなった。

同時に私は彼の作品、『桟橋』を思い出してもいた。主家筋に当たる亀井伯爵の洋行を送りに横浜の埠頭に出かけたときの情景を描いたものだ。私は本を取り出して読み返してみた。

さらに私は、その翌月に書かれた『普請中』も読んだ。読んで、「ああ、ここにエリスとの間にできた子どものことが出ている」と感じた。

私は、4年間のドイツ滞在から帰国した鷗外を追いかけてきたというドイツ人女性についてときどき考えることがある。『舞姫』にエリスという名で登場するそのうら若い女性は、巷間誤り伝えられているように、一方的に鷗外を追いかけてきたのではない。鷗外と示し合わせたうえで、彼が先、彼女が後になって、同じインド洋に浮かぶ別々の船に乗って日本へはるばるやってきたのである。そのことを私は小説に書いたことがある（拙著『あの男の正体《ハラワタ》』幻冬舎　258頁）。

「はるばるアフリカ大陸の先端、喜望峰を回って、インド洋を越え、マラッカ海峡を回って、香港に寄って、やっと横浜に着いた。その間、夏の盛りの赤道を越えること二度、合計50日の船の上の暮らしがあった」

そんな船旅を若くて独り身の白人女性がしたのは、理由があったからだという私の説、妄想を、主人公の男の口を借りて書き込んだのである。

「見知らぬ地の果てで待っている男に再び会って、男とともにその日本という国で暮らし、子どもを育てるために、だ。お腹には子どもがいた。…間もなく独りが3人になる。彼女にとって、不安でいっぱいな、でも心躍る一人旅だったことだろう。日本の東京というところで、ベルリンでいっしょに暮らした男とその男との間の子どもと3人で住むのだからね。いや、4人にも5人にもなる夢があった。

でも、ひと月だけ日本にいて、また独りでドイツに帰った」

『普請中』という鷗外の小説は、そのエリスが中年の踊り子として、公私ともにパートナーである男とともに日本にやってきたときの話である。鷗外らしき男と昔ベルリンで男女関係があった女性である。男は今は明治政府の官吏になっていて、「恐ろしく行儀が好い」うえに、「本当のフィリステル（俗物）になり済ましている」と男自身が語る。

私の妄想は、さらに広がる。帽子である。

「アンヌマリー帽」という名の「麦藁のおおきい」帽子が『普請中』に出てくる。『桟橋』には

「白い巾《きれ》で飾った大きい帽」が出てくる。それだけではない。「総《ふさ》の下がった萌葱色の蝙蝠傘」に対して、「ウォランの附いた、おもちゃのような蝙蝠傘」が描かれている。ウォランというのは縁飾りのことである。

『普請中』の女の目の縁には、昔ベルリンで会っていたころにはなかった「指の幅程な紫掛かった濃い暈」がある。『桟橋』に出てくる、伯爵夫妻とたまたま乗り合わせた乗船客のユダヤ人女性にも「青い暈」がある。

どちらも同じ女性、鷗外とおぼしきフィリステルになり済ましている官吏が、一晩だけの例外に二人だけの夕食を共にして、「日本はまだ普請中だ」とつぶやいてみせたその相手の女性のように思われてならない。

それだけではない。

「艦の横の方に、blouseとかいうもののような浅葱色の寒そうな服を着た、十五六歳位な少年の立っているのだけがまだ見える」とあって、「どんな母が仏蘭西で待っている子であろうか。それとも親はないのであろうか。艦の横の方に立って、こちらを見ているのは、何を見ているのであろうか」とある。

私には鷗外が、ドイツで生まれた、会うことのなかった子どもを想って書いたのではないかという気がしてならない。妄想という所以である。

鷗外が帰国したのは明治21年、1888年である。『栈橋』を書いたのは明治43年、1910年である。もしエリスのお腹のなかに鷗外との子どもが宿っていたとすれば、生まれた子は20歳過ぎになっていた。

ひょっとしたら、鷗外が死の直前に妻に言って焼き捨てさせたという写真のなかには、その子どもの写真もあったのかもしれないなどと、私の妄想の怪しい翼は深夜の書斎で留まるところを知らない。

そう思って読むと、『栈橋』に出てくる亀井伯爵の夫人は「臨月の程遠からぬ体」とあるではないか。

地下の鷗外は呵々大笑するだろう。しかし、私は小説を書かずにいられない人間の心がほんの少しはわかるつもりでいる。六草いちか氏の研究が興味深い。

事実をそのまま述べるわけにはいかない社会的立場、明治日本の陸軍軍医総監にして陸軍省医務局長には、自分のためだけではなく、国のためにフィリステルになりすましている必要があったのだ。

国の官吏でない私は、自由の身の人間として、考え、感じ、鷗外に同情する。鷗外は遠い極東の国を再訪した昔のベルリン時代の恋人にして許婚者だった中年のエリスに会ったのだろうか。どうして、あのように冷淡に描いたのだろうか。

鷗外は、二度目にはエリスを横浜の桟橋に見送ってはいないに違いない。陸軍の高級官僚だった鷗外の自制である。栄達してしまった者の諦めである。

その代償に鷗外はなにを得たのだろうか？

「石見《いわみ》の人　森林太郎として死せんと欲す」という、あの有名な遺言である。「宮内省陸軍皆縁故アレドモ生死別ル丶瞬間アラユル外形的取扱ヒヲ辞ス森林太郎トシテ死セントス」と「少年ノ時ヨリ老死ニ至ルマデ一切秘密無ク交際シタル友ハ賀古鶴所《かこつると》君」と呼んだ、親友に託した遺言である。

死の直前に、「馬鹿馬鹿しい」とつぶやいたという鷗外にとって、いったい人生とはなんだったのだろうか。

賀古は、鷗外とエリスの関係をすべて知っていた。しかし、何一つ書き残したものは発見されていない。エリスがドイツに帰ってしばらくして後、公用でドイツに行く機会のあった賀古は、エリスに会ったという。鷗外の子どもに会って、目を細めて「ああ、林太郎君の子どものころにそっくりだ」と母親に微笑みかけたのだろうか。

鷗外はもういない。賀古もいない。鷗外よりも19歳も若く、「美術品のように美しい」二人目の妻、しげもいない。

30歳を超えるか超えないかの我が事務所の若い弁護士たちは、未来の可能性に燃え、夢を見、胸を膨らませている。アメリカ留学はその一階梯に過ぎない。

「トランプ氏が大統領になると、アメリカもずいぶん様子が変わるのだろうね」

私は目の前の、金融庁に出向している弁護士に話しかけた。

「とても素晴らしい経験ができそうです」

目を輝かせながら、彼は答えてくれた。

「アメリカで子どもができることになりそうだね」と言うと、「はい。国籍を選べます」と答えた。私はなるほどと思い、感慨を禁じ得なかった。

未来は若者に属する。私は私の持論を心のなかで繰り返し、はて、昔の若者だった自分はこれからどうするのかな、と少しばかり浮き浮きする気持ちに満たされたのである。


「ローヤー進化論」『BUSINESS LAW JOURNAL』2017年1月号

★弁護士とプロ野球

日本の弁護士は変わったな、きっと、もっと変わるな、という感想を改めて抱いた。

今さらの言ではあるが、最近こんな機会があって強い印象を受けたからである。

国際法曹協会（International Bar Association）、通称ＩＢＡのLaw Firm Management Conferenceが２０１６年10月16日、17日と東京であった。

ＩＢＡについては今さら説明するまでもないことだろうが、世界最大、約８万人の法律家の集団である。

今回の大会は法律事務所経営に焦点を当てた集まりということであり、ビジネスローヤーにとっては大いに注目に値するものであった。

私自身も、ジェネラル・カウンセルのパネルディスカッションの進行役の一端を担うことになり、当日は日本企業のジェネラル・カウンセル５名のお話を間近で聞く機会を得た。

私の感想は、そもそも10年前にジェネラル・カウンセルが日本にどのくらいいたかを思い出していただければ、ご理解が一番早いだろう。私自身は、とある米国系多国籍企業の仕事をしていた関係で、その日本法人の日本の弁護士資格を有するジェネラル・カウンセルとずいぶん前から一緒に仕事をさせていただいていた。当然のようにジェネラル・カウンセルの立場の方と話し、連絡し、指示をいただいて仕事をする日々だったから、それなりの実感は以前から持っていたつもりだった。しかし、当日ご出席くださったジェネラル・カウンセルは５名で、そのうちいわゆる日系企業に所属しておられる方が４名、８割だったのである。

外資系企業の日本法人のジェネラル・カウンセルは、日本組織内弁護士協会の理事長もされている方であった。ご存じかと思うが、この協会は既に１３００人を超える弁護士会員を擁している。数は各地の弁護士会と比べてもトップクラスなのである。

当然ながらジェネラル・カウンセルの方々の議論は、自社グループの海外の社内弁護士組織をどう作り、維持発展させているかにも及んだ。

会場からの質問もいただき、あっという間の議論が終わった後、私はつくづくと考えてしまった。

いったい、何が原因なのか？

知れたこと、弁護士数の増加である。

だが、それは原因の一つに過ぎない。

日本企業の国際化とビジネスにおける法の支配の進展とが、法務に有資格者を要求して止まないのである。

社内弁護士という言葉に対応するのは、社外弁護士であろう。

すると、それがプロスポーツ、例えばプロ野球に似ていることに気がつく。

ファンから見れば、プロ野球とは球場でプレーする選手たちである。人間業とは思えない動きをし、ファンを魅了する。そうした選手は収入が多く、マスコミにも取り上げられる。スターである。

しかし、その裏では契約を打ち切られてプロ野球の世界から去る選手も数多くいる。それがプロ野球の世界の現実なのである。

だが、選手だけではプロ野球は成り立たない。いくつもの球団があって、試合を興行してくれなければ何一つ始まらない。球団とは、社長以下の経営陣と、その下で働く事務方多数である。私は、社内法務というのはプロ野球球団に似ていないだろうかと思ったのである。私のような社外にいる弁護士は、上手下手、人気の程度はともかく、プレーヤーである。マウンドに上がって投げろと言われれば嬉々として球を投げる。ピッチャーをやっていて球を投げるのが好きでない人間はいない。

だが交代を告げられれば、それに従う。選手としては、このまま自分が投げていれば勝利が目の前にあると思っても、その判断は球団が行う。具体的には監督である。監督は選手に調子はどうかと聞くこともある、聞かないこともある。選手は指示に従うだけである。

球団は、オーナーの支配下にある。オーナーの下で球団を統率するのが球団社長である。法務という面から見れば、球団社長がジェネラル・カウンセルであり、オーナーは会社、グループ全体のCEOである。その向こうには、もちろん株主がいる。

選手からすれば、自分のプレーを見せる相手はファンである。しかし、そのプレーを評価し、プレーを継続させてくれるのは球団である。ふだんファンには見えていないが、報酬を払ってくれるのも球団である。

私のような社外弁護士の立場から眺めると、洗練された球団経営と似ているという気がしてならない。オーナーといえども、選手の評価について恣意的な判断を下していては9人がプレーする野球という競技は成り立たない。ジェネラル・カウンセルがいて、オーナーに対して、野球というのは目の前の試合だけの問題ではないこと、長い目で見て球団にはどんな強みと弱みがあるのか、それがグループ全体の経営とどう関わるのかについて助言してくれる。オーナーにとってどれほど心強いことか。

社外の弁護士は、球団から依頼を受けてその力を発揮する。専門知識を駆使した契約書案を作り、裁判に魂を込める。ジェネラル・カウンセルはそれをじっと見ている。口を出す。

私は改めてローヤリングという言葉を思った。「専門職の見解を統合する仕事」と拙著『日本よ、いったい何を怖れているのか』(幻冬舎、2012 121頁)に以前書いたことがある。誰も諸国の法に通暁することは叶わない。しかし、ジェネラル・カウンセルは世界中の組織を通じて挑戦する。

ローヤーの経験があるがゆえに、単なるローヤーとしての仕事以外の分野で活躍できるという話である。

それは、ジェネラル・カウンセルであるがゆえに将来のＣＥＯになり得るということを意味する。

コーポレートガバナンスが言われ、コンプライアンスが叫ばれる時代、社内法務の責任は営業に比べて相対的に増して来ずにはいない。アメリカではジェネラル・カウンセルがＣＥＯになることは決して例外的ではない。

したがって、ジェネラル・カウンセルを筆頭とする社内法務の未来は無限である。

日本のローヤーは進化している。それは決して止まらない。

★誰が誰のために法を作るのか

「ローヤー進化論」『BUSINESS LAW JOURNAL』２０１７年２月号

トランプ氏が次期米国大統領に当選した。

実際に彼の人事が始まってみると、物事が一新されるという実感が湧いてくる。安倍首相は急ぎ会談した。主要国首脳としては一番目だという。

その会談の場所、トランプタワーで私もトランプ氏に会ったことがある。１９８９年３月９日のことだ。日付から分かるとおり、まだ日本のバブル経済が絶頂だった頃のことである。それで話題も、日本人の依頼者が持っていた不動産をトランプ氏が買いたいということだった。

当時「ほう、あのトランプ氏か」と思った記憶があるから、既に彼は有名人だったのだろう。

トランプ氏の当選を伝える新聞記事の中で、「人間は仕事がなきゃ幸せになれない」という言葉に接した（朝日新聞２０１６年11月13日付け朝刊）。オハイオ州にある製鉄所に40年間近く勤め退職した男性だ。白人である。

その金成隆一記者の記事には、「学歴がなくても、まじめに働けば、子どもは親の世代より豊かになれる。（中略）米国の勤労精神を支えた『アメリカン・ドリーム』が色あせている。米国の実質賃金は50年ほどほとんど上がっていない」ともあった。

我々日本人は反対側にある米国のほうがなじみ深いのではないだろうか。ＩＴと金融の米国である。

同じ日の紙面にある大野博人編集委員の記事は、「奇妙なのは、みんなが驚いていること」と、フランスの歴史学者エマニュエル・トッド氏の発言を伝える。トッド氏は「問題は、なぜ指導層やメディア、学者には、そんな社会の現実が見えないのかという点だ」と指摘する。

反対側の米国を見ているからというのが私の答えである。例えば、グローバル化は金融ビジネスにとっては儲かることである。自分がそれによって利益を受ける側に連なっていれば、反対側の世界は想像する必要がない。人は必要がないことはしないものだ。

弁護士にとっても、もちろん他人事ではない。少なくとも今日の弁護士の相当部分はビジネスに関わる仕事をしている。ビジネスは金融と関わらずにはいない。実のところ、この私にしたところで、自分自身をビジネスローヤーだと自称し始めてずいぶん時間が経つ。

それでも、弁護士は儲けることだけを扱うわけではない。ビジネスローヤーでない弁護士も多い。なんといっても裁判所がある。世間の法律に関わる争いは、最終的には裁判所で結論が出される。裁判所は自ら儲けに関わらない。争い事の多くも金儲けではない。もちろん誰も裁判所のROE（自己資本利益率）をいわない。だから当事者の金の多寡で結論を左右したりはしない。その意味で、法の支配は貫徹されている。

だが、裁判所も法に縛られている。当然である。

しかし、その法が、誰によって、誰のために作られているかを問題にし始めると、事態は異なった様相を呈し始める。

例えば、労働の流動化である。

尊敬する松元崇氏は、労働の流動化が現在の日本にとって決定的に重要だという（『「持たざる国」からの脱却』中央公論新社、2016）。

松元氏は、非正規では不十分なのだともいう（同書45頁）。非正規の増加は「片方で実質的な社内失業者という人的資源の無駄を抱えながら」だからである。

私はそういうことなのかと思う。行きつくべきは解雇の自由に向けた立法ということになるだろうとも思う。

しかし、私には分からない。

北欧では、人々は貯金をしない、なぜなら国に未来を託すことができると信じているからだといわれて久しい。もちろん、税金その他の公的負担が所得の過半を大きく超えるのが条件である。企業は自由に解雇ができる。だが、その結果失業した人間は、公的な負担で生活し、その間に新しい職業のための訓練を受けることができる。会社が不採算のまま抱え込み、本人も自分は厄介者なのだと意識しないではおれない状況よりも、どれほど社会全体のためにも本人のためにもなることか。

そう見える。

しかし、日本でうまくいくものだろうか？

外国にこんな例があるという指摘が、どれほど意味のあるものなのか。歴史は、そうではない例にも満ちている。

だが、歴史は、どんなに苦痛であっても人間は「時勢」に変えられてしまうことも教える。時勢に応じて変わらなければならないといっても良い。

精密な機械は一つの部品の故障で動かなくなる例を挙げて、その反対、「最後の部品を組み込んだ瞬間、やっと全体が動き出す」という論を展開し、「米大統領選でのトランプ氏の勝利はある意味で、その『最後のピース』だったようにも感じている」という説を唱えるのは、客員論説委員で千葉大学教授の神里達博氏である（「月刊安心新聞」朝日新聞2016年11月18日付け朝刊）。

神里氏は「グローバル化の中で弱体化していくかに見えたそれが、再び主役の座を占める時代に逆戻りしたことは、ほぼ間違いないのではないか」と言い切る。「それ」とは、ナショナリズムである。「国家の逆襲」とも神里氏は言う。

ブレグジットにトランプ氏の勝利と同じものを感じ取る神里氏の見解は、私の思いでもある。

ここで、改めて法は国が作ることを思う。

米国で、日本で、あるいはヨーロッパで、国はどのような新しい制度を法律によって作っていくのだろうか？　作るのは議会である。裁判所はできあがった法律を解釈するのみだ。

そういえば、米国ではトランプ氏が最高裁判事の人選に力を持つことになる。トランプ氏自身が裁判所を通じて広く法の創造に影響を及ぼすということまでも意味している。

日本で、米国で、どうなっていくのか。

ビジネスローヤーであればもちろん、そうでなくとも、これからの立法について弁護士は無関心でいることなどできないようである。

★トランプ政権下での経済と立法の行方

「ローヤー進化論」『BUSINESS LAW JOURNAL』2017年3月号

ロバート・ライシュ教授の言説を読むことを私は好む。ライシュ教授の「国の経済は居住する国民のために存在すべき」であるという一節ほど、現代の経済問題を端的に示している言葉はない（『格差と民主主義』東洋経済新報社、2014　104頁）。経済が豊かになるというのは、会社の業績が良くなることでも株主が報われることでもない。それらは、重要ではあっても途中経過に過ぎない。一人ひとりの人間が、経済が豊かであるがゆえに幸せに生き、幸せに死ぬことができなければ、すべては虚しい。

だから、トランプ次期米国大統領が、米国からメキシコに製造工場を移転しようとした空調機器メーカーのキャリア社の動きを止めたというニュースには鮮烈な印象を受けた。まるでフランスのようだと感じた。フランスはそういう国柄だと、仕事のうえでもニュースのうえでも承知していたからである。さらに、トランプ氏の素早い動きが選挙戦のときからの約束の実行だと聞くと、なるほど米国に別の時代が訪れるのかという実感が湧いてくる。

そういえば、この私もトランプ氏をめぐる動きの端にいるようで、先日、トランプ氏と会ったときのことについてラジオのインタビューを受ける機会があった。なんでも、トランプ氏と会ったことのある日本人4人にインタビューをするとかで、その一人になってくれと頼まれたのである。私は、記憶のままに、選挙戦のときのトランプ氏とは違う30年近く前のトランプ氏について述べた。

トランプ氏とライシュ教授の政治的立場は正反対のはずである。しかし、国に居住する者のために経済があるのだという点では少しも違いがないように見える。その実現の方法が異なっているということなのだろう。もっとも、トランプ氏がどうやって米国民の雇用を確保・増大させるのか、その具体的展開はこれからである。

そのライシュ教授が新しい本を出した。『最後の資本主義』（東洋経済新報社、2016）である（以下、引用頁はすべて同書から）。

原書は2015年に出ている。その翻訳が出ることを、つい最近の東洋経済オンラインのニュースで知り、私は発売を心待ちにして注文を入れ、手に入るやすぐに読み切ってしまった。

一読、最も私の印象に残ったのは以下の部分である。

「多くの契約に含まれている（企業側が指定する仲裁人にのみ苦情を申し立てることができるという）義務的

仲裁条項が効いて、訴訟しにくくしているのだ」（106頁）

私はすぐに日本の仲裁法を思い出した。その附則第3条第2項は「消費者は、消費者仲裁合意を解除することができる」と定めている。

したがって、日本では消費者との契約で仲裁を強制して裁判所を回避することは難しいだろう。

上記引用の近くには、こんなことも書かれている。

「共和党が判事の過半数を占める連邦最高裁も…せっせと集団訴訟を締め出している。2011年に…最高裁は、企業が消費者とかわすサービス利用契約書の中で集団訴訟を禁じることは法的に可能であるとの判断を示した」（106頁）

個々の事件の中身を知ることなく判決の検討ができるはずもない。それでも私は、米国の司法制度が必ずしも消費者を保護するばかりでないことに、改めて感慨を抱いたのである。我々にとっての米国の裁判といえば、電子レンジメーカー相手に、電子レンジに猫を入れて乾かそうとしたら猫が死んでしまったという訴えが認められたという、誤った話の類に彩られているからである。その背後にはいわゆる原告弁護士の大いなる活躍があってのことだ。

だが、以下のライシュ教授の文章はどうだろう？

アマゾンは、「二〇一四年、すでに米国の全書籍販売の半分を売り上げていた」という（51頁）。

「アマゾンが数ある出版社を廃業に追い込むまであとどのくらいの時間がかかるだろうか」

ライシュ教授は警告する。

「確かに、アマゾンはオンライン・ショッピングの利便性によって消費者に節約させているし、アマゾンのプラットフォームによって、より多くの著作物を筆者が直接販売することも可能になった。しかし、アマゾンは、書店業やあるいは出版業までも終焉に追い込むことで、著作権も含めあらゆるアクターに勝る権力を得ていくのである」（52頁）

しかし、問題はアマゾンではない。

問題は、社会が企業に何を許すのか許さないのか、具体的には国家の法律が市場の形と中身を決めることである。誰が法律を決めるのかである。

もちろん国民である。しかし、それは選挙権の行使を通じてである。議会の多数派を誰が占めるのか。それに向けて誰がどんな影響力を行使しているのか。連邦最高裁の判決によって上限が取り払われてしまった政治献金だけの問題ではない。ライシュ教授は、法執行の空洞化についても述べる。日本でもつい最近起きたことである。労基法が美しいだけでは意味をなさない。十分に実施されるに足る予算、人材の裏打ちがあったのかどうかまでを問わなくては、実質的には法律が存在していないのと同じ結果になる。

「今後数年のうちに、米国政治を二分する境界線が『民主党か共和党か』から『反体制派か体制支持派か』へシフトする可能性が高い」（２４６頁）というライシュ教授の予言は、早くもトランプ氏の当選で裏付けされたように見える。ただし、民主党と共和党の境界を無視したトランプ氏の勝利になったという意味であって、トランプ氏が反体制派だと考えるべきなのかどうかは今の段階では分からない。

分からないままに、我々日本人に投票権のない米国の大統領選挙は終わり、トランプ政権と日本は交渉してゆくことになる。

分からないことだらけの世の中を、人は悪戦苦闘しながら生きてゆく。だから、少しでも分かりたいのである。

★企業と民主主義

「ローヤー進化論」『BUSINESS LAW JOURNAL』2017年4月号

ある学者が、国際セミナーを開催するための資金集めに企業巡りをしたときのことである。彼は銀行の頭取に向かって、挨拶もそこそこに、「財界人は金を、学者は知識を、お互いに提供して、社会にすこしでも貢献したいものです」と言い放ったという。

学者に同行した人が、「こうした協力を企業筋にお願いするときには…辞を低うして懇請する人が多いのだが、先生は、のっけから企業人と学者の文化事業に対する分業責任を堂々と説かれた。目的に自信をもち、私欲が全くないから、とれる態度といえる」と回想している（後掲書320頁）。

これは最近流行りのＥＳＧをめぐる話ではない。60年近く前、１９５０年代末のことである。学者の名を竹山道雄という。

現在、どれほどの人が彼の名を知っているだろうか。『ビルマの竪琴』の著者と申し上げれば、ああ、あの、と思われる方も少なくないに違いない。１９８５年に中井貴一氏主演で二度目の映画化がされている。

私は２０１３年に刊行された『竹山道雄と昭和の時代』（藤原書店）という表題の本を、つい最近読み終えた。竹山氏に分業責任を説かれて「いささか驚き苦笑いした」のは、当時の日本興業銀行の中山素平氏である。財界の鞍馬天狗といわれた方である。銀行そのものは、今はみずほ銀行になっている。

読み終えるのに4年近くの時間を要したのは、５２９頁に及ぶ浩瀚な本であることから、刊行当時にいくつかの興味深い部分を拾い読みしただけで済ませ、通読に二の足を踏んでいたからである。

読了して、私は後悔した。もっと早く読むべきだったと感じたのである。

私はいつも、読書しながら惹かれた箇所の頁の上端部を内側に折り、さらに重要と思われたところには付箋を貼る。この本を読み終わった後、無数のタグと頁の上端部の折り目を見返しながら、帯に「真の自由主義者、初の評伝」とあるのに改めて気づいた。

1953年に当時最高裁長官だった田中耕太郎氏が竹山氏の本を読んで書き送った書簡が引用されている。「『自由を破壊する自由』に対する勇敢な御発言は、寛容に限度があることを痛感する者に大きなエンカレッジメントであります」

田中耕太郎氏は1950年から1960年までの10年間、最高裁長官であった。世に知られる砂川事件で活躍したのは1959年のことである。

「自由を破壊する自由」は、今この瞬間、テロの時代を生きている我々にとって他人事であろうはずがない。実務の法律家として、「寛容に限度がある」と言わねばならないときもあったということである。

イギリスでブレグジットが起こり、トランプ氏がアメリカ大統領に就任し、さらにオランダでもフランスでも、それどころかドイツでも似たようなことになるかもしれない現在、世界がどのような未来に翻弄されることになるのかは、誰にも分からない。だが、未来は確実にやってくる。

つい先日、日立の再建を成し遂げ、ガバナンスの仕組みを置き土産に会社経営の任を去った川村隆氏と話をした。日立とは、全世界に広がる34万人の組織である。

ひととおりコーポレートガバナンスの話が終わったところで、私から、企業と民主主義についてのお考えをうかがった。企業と民主主義の話は自由と平等の話に行きつく、とのお答えだった。企業の生きている市場経済は自由競争、民主主義は熟議と平等という説明をいただいた。

それだけではない。現在、市場の高度情報化や本格的な競争社会は市場経済の中身を急速に変化させている。企業はこれに追随する。しかし、熟議を基本とする民主主義は取り残されがちである。民主主義側のスピードアップが必要だ。そう伺った。

お話のあと、川村氏は追いかけるように最近書かれた「民主主義と二一世紀市民層」という論考を送ってくださった（『私の「戦後民主主義」』〈岩波書店編集部編、岩波書店、2016〉所収142頁）。

「社会的課題の解決のためには…普段から『熟議』しておく場を用意する必要があろう。普通の市民の中に、自分自身の生き方を主体的に選べる人であって、社会活動にも参画でき、政治的にも責任ある判断のできる層を出現させ育成しておくことが大切だ」

熟議の場として、「街のスポーツ倶楽部の仲間同士…若い人々の経営勉強会」が例に挙げられている。

私は思った。弁護士もまた仲間である、と。実績もある。それが市場経済の中で明日の民主主義を救うのである。

弁護士の使命は大きい。

後先になってしまったが、『竹山道雄と昭和の時代』を書いたのは平川祐弘氏である。平川氏は私の駒場時代の担任で、フランス語の先生であった方である。

あとがきで「竹山道雄伝を雑誌に連載しはじめて二通の印象的な感想をいただいた」として、その一人、中国の方からの言葉を紹介している。

「日本には軍部にもヒトラーにもスターリンにも、そして毛沢東にも批判的であった人がいたと知って敬意を表する」

平川氏は、「そうした外部の人の声を聞いた時、竹山がやはり真に珍しい人であり、この『竹山道雄と昭和の時代』は是非とも書き上げねばならぬとあらためて励まされたのであった」（同書494頁）という。

ついでに紹介すれば、もう一人について平川氏は、「国際派の弁護士でありながら企業小説の作家で、かつて私の学生だった方である。日本にも軍部にも、ナチス・ドイツにも、共産主義にも、人民民主主義にも反対し、戦前も戦後も一貫して反専制主義の立場を変えなかった人がいたと知って日本人として誇りに感じるというのであった」と書いている。巨人もまた、蟻の声によって励まされることがあるのである。

今、河合栄治郎の生き様に学ぶ

「ローヤー進化論」『BUSINESS LAW JOURNAL』2017年5月号

ネットが台頭する時代、紙に印刷された新聞が読まれなくなって久しい。多くの若い人たちにとって、新聞とはネットで読むものを指す。

私が紙の新聞を何紙も読むのは、ほかに理由はない。長い間の習慣が抜けないからである。しかし、新聞を読むのは私にとって必要ではあっても、日々いくつもの新聞に目を通すことは困難である。時間がないからである。

仕事柄、日経（日本経済新聞）を読んでおかないわけにはいかない。日経のCMではないが、今でも、例えば取締役会の前に集まった場で、「今朝の日経に出ていたけれど」と前置きされて議論が始まることがよくある。相手は、私を含めたその場の人々が、当然、朝、自宅を出る前にその記事を読んでいることを前提にしている。もし読んでいなければ、黙っているほかない。話が私に振られれば困ったことになる。

だから、朝日や読売は日経よりも手に取るのが遅れてしまうことが多い。ビジネスに関わる人たちとの会話では、「今朝の新聞」というと日経を指していることが多いからである。

毎日や産経も読まないではいられない。ことに、産経には独特の視点があることが多い。当然ながら、それぞれの新聞によって記事の傾きが違うのである。

もちろん、読まねばならないのは新聞だけではない。雑誌、特に週刊誌は弁護士としての仕事をしてゆくうえで必須の記事が出ていることがある。見逃すことはできない。尊敬していた故T弁護士は、いつも『週刊新潮』を手に持っておられた。

英文の新聞になると、日々読んでカバーするというわけにはいかないことが多い。どこかで引用されていたり、特に注目する事件があったりしたときに参照する程度で終わってしまいがちである。雑誌にしても同じことだ。

英語以外の外国語は？

新聞を読む力はない。誰かが言及していても自分でチェックすることはできない。情けない話である。

そうやって新聞と付き合っている私が、ここ1年半ほど心待ちにしてきた連載記事があった。産経の湯浅博特別記者・論説委員による「独立不羈《ふき》　河合栄治郎とその後の時代」である。毎週日曜日の紙面だった。連載が終了したと思ったら、連載に加筆し再構成された単行本『全体主義と闘った男　河合栄治郎』が産経新聞出版から刊行された。直ぐに求めた（以下、断りのない引用頁はすべて同書から)。

河合栄治郎は農商務省の官僚から東大教授になり、米国との戦争が終わる直前に亡くなった。自由主義者であった彼の死が日本にとってどれほどの損失であったかは、湯浅氏の筆が委細を尽くす。

「終戦後まもなく、連合国軍総司令部(GHQ)から一人の米国人が、大井庚塚町の河合邸を訪れた。しかし、前年に死去したことを知らされたGHQの使者は、その場に立ちすくみ、悄然として辞去している」(317頁)

「栄治郎夫人、国子の妹と結婚していた梶村敏樹(元東京高裁判事)は、『上陸前に米軍がそんなに河合さんを研究していたことを私は今更のように思った』と、この出来事を回顧している」とある。河合栄治郎全集の月報12に書かれているという。

湯浅氏は、さらにこう続けている。

「『もし戦後に河合が生きていたら』との感慨に耽るのは、河合門下の人々だけではなかった」として、河合の先輩である鶴見祐輔元厚生大臣の言に触れる。「片山哲内閣に代わって、河合栄治郎内閣が誕生していたであろうことを示唆するのである」と湯浅氏はいい、「彼の知性と剛直性をもって戦後改革と対GHQ交渉を成し遂げれば、片山内閣や吉田茂内閣とは違う日本再建を見せた可能性がある。…いかにも彼の早すぎる死が惜しまれる」(319頁)とまで述べる。竹山道雄氏も「戦後は河合栄治郎が首相になると期待していたが、昭和19年に亡くなってしまった」と述べていたという（『竹山道雄と昭和の時代』平川祐弘、藤原書店、２０１３　２５７頁）。

河合栄治郎が死んだのは53歳であった。

河合栄治郎の人となりを物語るのに最適の事件は、彼が４冊の本の出版をめぐって起訴された顚末であろう。

昭和14年（１９３９年）２月28日、「発禁処分にした『ファシズム批判』など四著書が、出版法二十七条の『安寧秩序ヲ紊《みだ》スモノ』にあたるというのが、その理由であった」（２７７頁）。起訴された河合は喜んだ。「天我を捨てず」と妻に言ったという。法廷で〝思想の自由〟のための闘いができると考えたのである。

さらに、対米戦争必至とみた彼は、「日本占領の連合国軍最高司令官との間で、国益を守りながら交渉するのは自分以外にな」いとも考えていたという（２９６頁）。

昭和15（１９４０年）年４月からの裁判闘争は、同年10月に報われた。無罪判決となったのである。判決を聞いた河合は、「法廷の空気が『いまの日本で一番自由であると思った』と感慨を述べている」と、弟子の木村健康東大教授が書き残している（２９３頁）。

ちなみに、裁判長は石坂修一といい、この判決のせいでか姫路の支部長に左遷されてしまった。第一審無罪は、高裁でひっくり返り大審院でも変わらなかった。

後日談がある。石坂判事は後に最高裁判事になっている。河合事件の判決を書いたのが45歳のとき、最高裁判事になったのが63歳のときである。私はネットでこの経歴を知り、日本の司法の独立に改めて尊敬心を抱いた。もちろん、心の中には、1945年の鹿児島での選挙無効判決があってのことである（拙著『この時代を生き抜くために』幻冬舎、2011　37頁）。

私も、もし河合が戦後日本をリードしていたら、と考えずにいられない。「自由、民主主義、法の支配といった価値観を共有する優れた人材」として、GHQも感服したに違いないと思うからである。

「祖国の運命に対して、奮然として立つことの出来ない国民は、道徳的の無能力者である。…戦いに敗れれば、再起の気力もない亡国の民となる。今や我々日本国民は道徳試練の下に立たされている」（318頁）と言った。

河合の危惧は、当たってしまったのだろうか？

内なる神の声は聞こえるか？

「ローヤー進化論」『BUSINESS LAW JOURNAL』2017年6月号

「三千年前の人類は、実際に神々の声を聴き、その通りに行動していた」という説がある（本村凌二『教養としての「世界史」の読み方』ＰＨＰ研究所、２０１６　１９４頁。以下、断りのない引用頁はすべて同書から）。

プリンストン大学の故ジュリアン・ジェインズ教授が『神々の沈黙』（紀伊國屋書店、２００５／原題〝The Origin of Consciousness in the Breakdown of the Bicameral Mind〟１９７６）という著書の中で、ホメロスの『イーリアス』と『オデュッセイア』の記述を紐解きながら検証した結果として唱えているのだそうだ。神々の声が聞こえていた時代は「二分心／Bicameral Mind」の時代と呼ばれる。

二分心とは、心の中に「自分」ともう一つ「神」がいるということで、その神は自分とは別の存在なのではなく、内なる声を発する自分の内なる神である。

本村氏自身、「明確な自己意識を持つ現代人には少々わかりづらい感覚かもしれない」と認めつつも、「私のように古代史を専門としている人間には、この説明はとても納得できるもの」だという。

「神というのは人間の脳が作り出したもの」というのが、現代人の常識だろう。

「人間の意識というのは、言語に深く根ざしています。…人類がまだ文字を使っていなかった段階では、意識というものも定かではなかったはず」で、約３０００年前の意識の希薄な人類は、二分心を活用していた。だから、古代人の作品には神々が生き生きと描かれているのだと本村氏は説く。

神といっても唯一神ではない。たくさんの神々、多神である。

二分心は右脳と左脳に対応し、「人間が明確な意識を持つようになったことで左脳が発達、対する右脳は退化してしまったため、神々の声が聞こえなくなった」とジェインズ教授は説明しているという。

もとより文系である本村氏は、解剖学者で脳科学にも詳しい養老孟司氏に聞いてみたところ、二分心というのは「十分あり得る」という答えだったので、この説の正しさを確信したようだ。

本村氏の説によれば、文字の使用で左脳が右脳の働きを抑制するようになり、神々の声が人の心から消えてしまったのである。1万年前、人類が農耕を始めた。それは一か所に定住するということを意味し、集落に住むことを意味する。そこではコミュニケーション手段が必要であり、言語が発達する。それがさらに文字となる。

この言語が人から右脳を奪い、神々の声を聞こえなくさせてしまうのである。

そうなったとき、人はどうするか？「自ら考えて、指針を持たなければならない」（207頁）

その指針が全知全能の唯一神なのだという。一神教の登場は、神々の声が聞こえなくなったときと同時なのである。

本村説はさらに雄大である。

「前1000年ぐらい、つまりアルファベットが生まれ、一神教が生まれ、貨幣が作られ、世界中で思想が花咲いた」時代があったというのだ。今から3000年前である。思想とは、エジプトの一神教であり、ギリシア哲学であり、ユダヤ教であり、ゾロアスター教であり、ウパニシャッド哲学であり、釈迦、さらには孔子、老子である。こうした「いまだに人々の心を捉える思想・哲学が、なぜこの時期に一斉に花開いたのかということは、歴史学の一つの謎」ということになる。

ここで私は、平川祐弘氏の『西洋人の神道観』（河出書房新社、2013）に記された古代ローマと民法典制定当時の日本との比較を思い出す。

平川氏は、フランスのフュステル・ド・クーランジュという学者によって1860年にフランス語で書かれた『古代都市』という本を紹介し、「この本が日本の法学者に非常なインパクトを与えたのは、そこに描かれているキリスト教以前の古代地中海世界の死者に対する感情や祖先崇拝の気持がいかにも日本人の感情や気持にそっくりで、それに心打たれ、日本は西洋キリスト教社会とは違う社会であると自覚させられたからです」といっている（拙著『現代の正体』118頁）。

単純に考えると、日本人はいまだに二分心を持っていて、神々の声を自らの内に聞いているのだろうか？　それとも、文字を使うようになって久しい以上、既に二分心を失い、したがって唯一神を必要としているのに、未だそれを得ていないのだろうか？

ここで私はジェシー・ベリングの書いた『ヒトはなぜ神を信じるのか』（化学同人、2012）も思い出す。

「良心ってのは、だれかが見ているかもしれんぞとわれわれに警告する内なる声のこと」であり、ここから道徳が誕生し神に至ったのである。「自分の良心は弱い。しかし、神は自分の外側に存在するものである」。当時、私は未だ二分心を知らないでいた。

本村氏は、誰もが知るローマ史の大家である。

氏いわく、歴史の専門家は「間違ったことを言うのを憚るという良心のささやき」を重んじるがゆえに、世界史全体を書くことをしない。しかし、自分は「狭義の歴史家だからこそよく見える出来事もあるはず」として、世界史を書いたと語る。古代ローマが日本にとって身近であること、ローマの歴史は人類にとって計り知れない意味を持っていることが、本村氏をしてこの本を書かせたのである。

末尾で本村氏は、英国の歴史学者Ｅ・Ｈ・カーに触れながら、すべての歴史は「現代史」である、という。現代とは、世界の中に置かれた日本で歴史について考える者、本村氏、そして我々自身の時代である。その歴史は、今、日本人として生きている者である以上、日本人の現代史に帰着する。その他のものは学者の専門または好事家の玩具に過ぎない。

この本は、「最近、日本人の明らかなモラルの低下を露呈するような事件が相次いでいます」(296頁)という本村氏の憂国の書でもある。「モラルが低下していくとともに、人々が優しくなっていく傾向」を憂える本村氏、恐るべし。

なお、本村氏について興味を持たれた方には、拙著『現代の正体』(195頁以下)を薦めたい。私はたまたま本屋の店頭で手に取った『愛欲のローマ史』(講談社、2014)で本村氏を知ったのである。

★何を望み、どう生きるか

「ローヤー進化論」『BUSINESS LAW JOURNAL』2017年7月号

私は、今、この文章をエアコンの動いていない部屋で書いている。

1年のうち、エアコンなしの環境にいるのはどのくらいの割合だろう? 春4月、窓を開け放しにすれば心地よい風が部屋に忍び込み肌をくすぐる。

同じ温度、湿度ではあっても、外からの風はエアコンのもたらすものとは違う感覚を私に与える。

そこで私は『コヘレトの言葉』のことを考えている。聞き慣れない名前かもしれない。以前は『伝道の書』として知られていたと言えば、ああそうかと思われる方もいるのではないか。

コヘレトとは、ソロモンの別名である。ソロモンは、もちろんダビデの子、古代イスラエル最盛期の王、この世の知恵の宝庫だった男である。

若いときには『雅歌』をつくり青春と恋愛の喜びを歌い、壮年になっては『箴言《しんげん》』を書き、人生の道を説いたという。そのソロモンが年老いてからの書が、この『コヘレトの言葉』である。

私は、H・S・クシュナー『私の生きた証はどこにあるのか――大人のための人生論』（岩波書店、2017）を読んで、コヘレトのことを改めて考えたのである（以下、断りがない限り引用頁はすべて同書から）。

ソロモンがダビデの子として生まれるについては、悲しい男の物語がある。ルーブル美術館にあるレンブラントの『ダビデ王の手紙を手にしたバテシバの水浴』という絵にすべてが描かれている。彼女の水浴している姿を見て道ならぬ恋に落ちてしまったソロモンの父、ダビデは、なんと彼女の夫である将軍ウリヤを戦場に送り、戦死させてしまい、彼女を妻とするのである。

神はそれを許さず、1人目の子どもは早世してしまう。2人目の子ども、それがソロモンである。

ソロモンは、この世にあるありとあらゆる富と権力と官能の悦びのすべてを手に入れる。その挙句、歳をとってしまうと、今度は「この世は虚しい」と言い出すことになる。

ソロモンは他人ではない。誰もが、若いときがあり、壮年になり人生の絶頂期に立ったとしても、やがて衰え死が迫ってくる。

「愚者に起こることは、わたしにも起こる。より賢くなろうとすることは無駄だ。……これまた虚しい…賢者も愚者も、永遠に記憶されることはない。やがて来る日には、すべて忘れ去られてしまう。愚者も賢者も等しく死ぬとはなんということか」(33頁)

不思議な気がする。ソロモンは自らを賢者と信じて微塵も疑わないがゆえに、愚者と同じ運命をたどらねばならないことがひどく耐えがたいのだろう。多くの人々は、自らをソロモンほどに高くは考えないから、永遠に記憶されたいなどとは思いもしない。

だが、例えば「ハリウッドで名声と栄光を築くために家を出た一人の若者」の話はどうだろう?

「自分の名が脚光を浴びること、ロールスロイスを持つこと、美人コンテストの優勝者と結婚するという三つの夢を目指し…三十歳になるまでに、その三つの夢すべてを手に入れた」。しかし、その結果、もはや創造的に働くことのできないひどく陰鬱な若者になってしまった。なぜなら、「三十歳までに彼は挑戦すべき目標がなくなってしまった」からだ(5頁)。

他人事ではない。成功を夢見る人間には、男女を問わず起きることである。成功はハリウッドでなくともよい。大手法律事務所の大パートナーという地位かもしれない。金持ちの弁護士かもしれない。ロールスロイスではなくベンツとしたらどうだろう。美人コンテストの優勝者でなくとも、他人に羨ましがられるような妻、または夫を持ちたいと願うのは、人の自然の情ではなかろうか。

私はこの一節を読んで、村上春樹の『プールサイド』という小説を思い出していた。やりがいのある仕事、高い収入、家庭、健康、外車。これらを手に入れたいと夢み、やがて35歳にしてすべてを手に入れる。すると男は「これ以上何を求めるべきか分からなくなり泣く」場面が出てくる。

マハトマ・ガンジーは、「人民の独立闘争に関与するようになったとき、弁護士として着ていた見栄えのよい洋服を処分し、簡素な白地の布の衣を身にまとい、質素に暮らし、食した」という(74頁)。「世俗的な快楽抜きに生きることで人生の真の道を見いだそうという主張のもっとも偉大な現代の唱道者」とたたえられるガンジーである。

それにしても、どうしてガンジーは弁護士であるときには「見栄えのよい服」を着ていたのだろう?

それは、弁護士として接する人々は、弁護士に自分の法律知識の不足を補ってくれるという特定の有用性を求めているからであり、全人格的な付き合いの相手として考えているのではないからだろう。弁護士もまた、相手のために法的な代理人として役立つことを望んでいるから、自分は弁護士として「見栄えのよい服」を着ることができるほどの収入を得ているのだと示したいのだろう。

昔、依頼者に見せるべき弁護士の必須アイテム二つを、アメリカ人の先輩ビジネスローヤーに教えてもらったことがある。古い鞄とパリッとした背広。前者は経験と知恵を、後者は良い依頼者に恵まれていることを表すから、と。過去と現在が未来を確実なものに見せるということである。

コーポレートガバナンスの世界で、経営者に、より業績に応じた高い報酬を与えることによって、攻めの経営にいっそう拍車をかけるべきであるという議論が行われている。株価を上げるためである。株価が上がれば人々の資産が増え、年金原資になると言う。

しかし、そう言う人々に社外取締役の報酬について尋ねると、固定の薄謝であるべきだという答えが返ってくる。名誉と社会奉仕のための仕事だから、という理由である。

だが、その発想も変わるかもしれない。最近の経産省によるCGSガイドラインは、社外取締役へのインセンティブとして高い報酬を排除しない。

社外取締役である弁護士は、仕立ての良い背広を着たままでいるべきなのだろうか？　白地の衣に着替えるべきなのだろうか？

社外取締役の中でも、弁護士である者には、この問いかけはことさらに重いもののように思われる。

夜明け前、人生の意味について考える

「ローヤー進化論」『BUSINESS LAW JOURNAL』2017年8月号

本を読み始める。

すぐに面白いと感じる。すると、そわそわとしたとでも表現するしかない感覚が心の中を走る。愉しさの予感といったところだ。これまでにもたくさんの本を読んでいて、読み始めにそうしたことが何度も起きた。

まず目次をたどる。項目にマーカーを引く。全体を読み切るとは限らないから、関心を惹いたところを読み逃さないためだ。

全体を読み切るとは限らないのは、同時に何冊もの本を読んでいて、そのうえに新しく読み始める本が加わるのが実態だからである。読み始め、大いに興味を抱いていたのに、結局そのままになってしまう本も多い。

もちろん、一気に読み通してしまう本もある。
初めにそわそわとした感覚を覚えるときには、いつもそうなる。『人類の未来』（吉成真由美インタビュー・編、NHK出版、２０１７）がそうだった。吉成氏の本は以前読んで、大いに愉しんだ（拙著『「雇用」が日本を強くする』幻冬舎、２０１３　１７５頁）。だから、新聞で広告を見た4月30日、すぐに購入した。

驚いた。

目次に「それで幸せになるのか?」「『よい人生』にとって何が最も必要なのか」とあったのだ。それどころか、大きな項目として「人生の意味」とまであった。この本を手にしたときには、人類の未来について書かれた本ではあっても、人生の意味についてまで書かれているのだとは思いもしなかった。

私はしばしば、生きる意味について考える。若い頃からそうだった。長い間考え続けてきたことになる。答が見つかったわけではない。だから相変わらず考える。

もちろん、仕事をしなければそもそも生きることができなくなってしまうから、その合間である。時間の取れたときである。人生のアマチュアのように、そうやって人生の意味を考えたところで無駄なことだろうと思わないわけではない。古来、宗教家が、哲学者が、休むことなく考え詰めて、それでも答が出ない問いなのだ。

49歳の森鷗外は、灰色のところに青い鳥を求めている自分について、夢を見ているのだと書いている。それでも止められない、と。「なぜだと問うたところで、それに答えることは出来ない」と述懐する（『妄想』）。

私は毎日働く。弁護士として働いている。社外取締役として、社外監査役として働く。そのほかにもＮＰＯや社団法人の役員をしているから、その役も務める。こうしてエッセイを書くこともある。小説も連載している。

そうした仕事が身過ぎ世過ぎの単なる方途と考えたことはない。ほとんどは頼まれて、喜んで応じた結果だ。

人生について主体的な野心がないわけではない。ただ、野心を満たそうと活動する前に、何かしらが起きて、私の時間を満たしてくれるのである。

巨大な組織のリーダーと話す。フォロワーとも話す。後者のほうがずっと多い。仕事である。

しかし、それが自分の生のすべてではないはずだと思うのである。

仕事は、人の世での与えられた役割、機能を果たしているに過ぎない。

人には、仕事以外にも、個人的な関係の人たちがある。家族もあり友人もある。何よりも、自分自身がいる。

そうしたすべてを含めての生の意味が分からない。

例えば、艱難辛苦を忍んででも苦労すべき意味である。

受験生だったときのことを思い出す。試験に合格するために勉強していた。

今でも本を読むのは、それが習い性となっているだけかもしれない。テレビも観るしネットものぞくし新聞も読むが、圧倒的に本を読んでいる時間が長い。

いつも何かに追われている。

それでも、文章を書くことは愉しい。

彫琢という言葉がある。推敲という言葉もある。「目に見えぬ鬼神をもあはれと思わせ」という一節がある。『古今和歌集仮名序』である。


冒頭の本の中で、ノーム・チョムスキーは人生の意味について問われ、「各個人が決めることですね。私からの答えはないです」と回答している（77頁）。

経済ジャーナリストのマーティン・ウルフは、三つの答えを出す。

「一つ目、知的な哲学的視点、普遍的な知という観点からすると、われわれが知り得るあるいは納得できる人生の意味はない」

「二つ目は、われわれ人間は誰しも根本的に十分よく似ていて、共通する何らかの人生の意味を持っています。…したがって、人生の意味というのは、他の人達との関係ではないか」

「三つ目は、自分の両親はいったい誰でどこから来たのかということが特別な意味を持ってくるのではないか」（217頁）

どうやら、もうすぐ夜が明けそうだ。4時を回れば、外が白み始める。5月も終わりかけている。あれほど寒かったのが、この数日、すっかり暑くなってしまった。桜も咲いて、散った。毎年のことでも、そこここに花が開くと目に留まる。

時が流れているなと感じる。すると、ああ、あの店のメロン・パフェが今年もまた食べられるなと思う。あのホテルのバーで、もうすぐ新鮮な桃を使ったベリーニが飲めそうだと考える。新しいスーツを買ってみようかと考える。新しき背広を着て、気ままなる旅に出ようと歌った詩人を思うからである。

酔生夢死。

それではならじと頭を振って、『こころ』でKが「精神的に向上心のないものは馬鹿だ」と先生に言っていたことを思い返す。やはり何かをしなくてはと思う。そうでなくては世間に相済まないと感じる。

ここまで生きてくるについては、ずいぶんと幸運に恵まれていた。人生のバランスシートに内部留保が過剰なままでは死にきれないと思う。健康なのだから、何かしらやることがあるはずだと考えて、ベッドに入ることにする。

これも一種の五月病だろうか。

非常事態における正義とは

「ローヤー進化論」『BUSINESS LAW JOURNAL』2017年9月号

こんな夢を見た。

夜中の11時、オフィスにあるライブラリーの棚に向かって探し物をしていた。遅い時間だが、珍しいことではない。だが、現実の事務所と違って、見たこともない場所だった。それなのに、そこにいる自分はそこが自分のいるべきオフィスだと感じていた。

秘書に「電話でーす」と大声で呼ばれ、慌てて手近の受話器まで走り出す。走りながら、どこからの電話と聞いたわけでもないのに、(あ、裁判所からだ。あの仮処分の件に違いない。裁判官が電話をくれたのだ)と直感していた。

電話に出る前に目が覚めた。

夢から醒めて、(ああ、こうしたことは本当にあり得ることだ)としみじみと感じていた。

夜中の11時に裁判所から電話がかかってくることはないだろう。しかし、夢の中の私は、それがあり得ないことだとは少しも思わず、仮処分の担当裁判官からの電話だと直感したのだ。

司法は国民生活を支えている。権利が侵されたと感じたとき、今の日本に生きる者は誰でも、裁判所に行けば裁判官が助けてくれると信じている。法の支配は国民の常識となっている。

しかし、裁判官の日々の精進なくしては、法の支配は架空の絵物語に過ぎない。生身の、多くは家族がある裁判官の一人ひとりが訴えに応ずる。仮処分であれば申立書を熟読吟味し、仕事が重なって時間に追われてしまったときには個人の生活を犠牲にしてでも、法と職業的良心に恥じない結論を出す。

夢から醒めてしばらくして、そういえばこんな夢を見たのには理由があったと思い出した。水野和夫氏の『閉じてゆく帝国と逆説の21世紀経済』（集英社、２０１７）を書斎で読んでいて、その面白さにベッドに入ってからも読み続けていたのだ。

第二章「例外状況の日常化と近代の逆説」の一節に、「法治国家から安全国家へ」とあった。そこを読みながら寝入ってしまったらしい。

そこにはこんなことが書かれていた。

フランスでは２０１５年11月のパリ同時多発テロで非常事態宣言が発せられ、それが継続している。「警察が令状なしに家宅捜索できるほか、集会やデモを禁じることもできます」（同書85頁）

水野氏は、ジョルジュ・アガンベンというイタリアの哲学者の説を紹介する。「緊急事態を宣言することは、『民主主義を守る盾』になるどころか、むしろ正反対に『全体主義的権力がヨーロッパに腰を据えたときの手立てだった』と言う」

アガンベンはヒトラーを例に挙げ、「緊急事態のもとでは、警察の取り締まりが司法権力にとって代わるようになる」と言い、それを「『法治国家から安全国家』への移行と見る」のだという。

水野氏はさらに続ける。

「では、『安全国家』とは何でしょうか。そこには国家と恐怖の驚くべき逆転があります」

「恐怖を維持することが目的化します。…国内に恐怖をつくり出すことで、自身の存在理由を維持するようになる、とアガンベンは言うのです」

そんなことなのだろうな、と私は思った。苦い思いだった。

テロに遭ったフランスでは、非常事態を宣言するほかにどんな社会防衛の道があったろうかと考えたからである。フランスに限ったことではない。テロに対決しようとする先進国すべてにとって、フランスの事態は我が事である。

幸い日本では、未だ国民に選ばれた政府によって非常事態の宣言などがなされたことはない。今の日本には、そもそも非常事態を宣言しようにもその根拠となる法律など存在しない。

と、ここでちょっと待てよと思う。

憲法31条は、「法律の定める手続によらなければ、その生命若しくは自由を奪はれ」ることはないと定めている。法律がなければ非常事態など宣言できようはずがない。

だが、だからといってテロが容赦してくれるわけではない。

どうするのだろう?

基本的人権は憲法の大原則の一つとされている。

テロがあるかもしれないから基本的人権に制限を加える法律を作ってよいとはいえそうにない。

大津事件を思い出す。あのとき大審院は、ロシアの皇太子を傷つけた男に皇族への危害を加えた場合の罪、大逆罪を当てはめることを拒否した。犯人は死刑ではなく無期懲役とされたのである。

「国家か法か」の問いに、「法」と答えたといわれている。1891年、明治24年のことである。

だが、国際的なテロは明日にでも日本で起こるかもしれない。起こさないために、政府は日々血の滲むような努力をしているに違いない。それでも起きるかもしれない。フランスやイギリスで起きた事態が日本で起きれば、国民はパニックに陥るかもしれない。

慣れ親しんだ、権利が侵害されたと感じれば裁判所に助けを求めることができる、そうすれば必ずや正義が実現されるに違いないという信頼、そうした信頼に依拠した社会がこのまま続くとは限らないということなのだろうか。

フランスで実現してしまったらしい裁判所の令状なしの逮捕があり得る社会とは、なんという社会だろう。多くのフランス人はそれをやむを得ないことと受け入れているのだろうか。

フランスでの大統領選挙の結果や議会選挙の結果は、フランス人がそうした不安にどう対処していこうとしているのかを示しているのだろう。若く、強いリーダーへの依存である。

日本は？

私は思う。東日本大震災のときの日本人の行動は、日本に大いなる希望のあることを示しているではないか、と。

その希望とは日本の文化、すなわち「潜在的な価値体系」、モーレス（習俗）のことである。抽象的な理念ではない（『さらば、民主主義』佐伯啓思、朝日新聞出版、２０１７　２３１頁）。

★維新革命から真の発展について考える

「ローヤー進化論」『BUSINESS LAW JOURNAL』２０１７年10月号

明治維新にはいくつか不思議な点がある。

例えば井伊直弼である。勤王の志士は、攘夷を目指していた運動だったはずが、維新がなるやいとも簡単に開国に転じてしまった。私は、あれでは開国を断行して水戸浪士に殺されてしまった井伊直弼は浮かばれまい、と桜田門の前を通るたびに考えていた。

島津久光という薩摩藩の事実上の藩主だった人物の運命も奇妙である。西郷隆盛や大久保利通をメッセンジャーに使って、幕末の実力者として自ら大きな影響力を行使したつもりだったに違いない。ところが維新後、一挙に影が薄くなってしまった。保守色が強過ぎたなどといわれるが、維新を実現させた大立者である。政権から排除されたことから、鹿児島湾に一晩中花火を打ち上げ続けて憂さを晴らしたと読んだことがある。

それどころか、西郷隆盛が征韓論に敗れて鹿児島に帰ったときにも、その後に西南戦争を起こして敗れたときにも、もはや島津久光は歴史の脇役ですらないように見える。

そんな私は、「日本の近代はすでに江戸時代に始まっていた——「明治維新＝文明開化」史観をひっくり返す！」という広告（朝日新聞2017年6月4日）を読んで、その本に飛びついた。しばらく本棚に積んでおいたのを、仕事の合間の土曜日を利用して一気に読み切った。

苅部直氏の『「維新革命」への道』（新潮社、2017）である。副題を「『文明』を求めた十九世紀日本」という（以下、断りのない限り引用頁はすべて同書から）。

「1868年における断絶だけに目を向けてしまうと、それ以前から進んでいた、社会と思想の構造変化というものを見落とすことになる」（23頁）とある。既に目次を読んでいた私は、「大坂のヴォルテール」が登場することを知っていた。富永仲基《なかもと》である。その後には荻生徂徠と太宰春《しゅん》臺《だい》、山片蟠桃《やまがたばんとう》、海保青陵、さらには會澤正志斎《あいざわせいしさい》も出てくる。

富永仲基は18世紀の人である。

私は、「長い19世紀」という言葉を思い出した。イギリスの歴史家であるホブズボームが、1789年のフランス革命から1914年の第一次世界大戦の開始までを一つのまとまりとしてとらえたのである。

苅部氏は『文明の衝突』のハンチントンに触れ、「日本は西洋化をともなわずに近代化に成功した唯一の例」だという彼の説を紹介する。そのうえで、「現在、専門の研究者には、こうした日本の近代化をめぐる歴史像をそのまま繰り返して大風呂敷を広げるような人は、ほとんどいない。しかし、非専門家による歴史叙述や映像作品においては、いまだに目にすることの多い物語である」と切って捨てる（25頁）。

私は少し慌てた。西洋化の定義にもよるだろうが、似たようなことを考えていたからである。戦前のマルクス主義知識人に始まり、戦後の「戦後民主主義」の言説によって浸透していった考えなのだという。私にも少し染みていた結果、大風呂敷の切れっぱしを握っていたのだろう。

苅部氏は言う。明治時代に「新たに渡来した鉄道や建築に群がった群衆は…西洋という先進地域の産物だから崇拝したわけではない。徳川時代に生き、その慣習のなかで培われた価値観に基づいて、鉄道や西洋建築が優れたものだと評価したのである」(37頁)。

福沢諭吉は、明治維新の8年後に『文明論之概略』を書いたとき、「王政一新」と「廃藩置県」を明治維新としてまとめてとらえていない(72頁)。

私は、受験生時代に勉強した「王政復古」「版籍奉還」「廃藩置県」を思い出していた。初め違いが分からなかった後二者のうち、片方はそれまでの継続であり、もう片方は政治権力の革命的移動であったと理解した。

著者が言うとおり、王政復古からは版籍奉還は出てきても、廃藩置県は出てこない。徳川時代の経済の発展があり、民間の私塾に始まった朱子学の存在感の高まりがあっての結果である。大坂の富商5人の開設した懐徳堂はその好例である。富永仲基も山片蟠桃もここに連なる。

門閥制度は親の仇と言った福沢諭吉は、そうした動きの集積していた幕末について「勢い」「時勢」という言葉を使う。「表面上は尊王攘夷の言論が公儀を倒したように見えるが、その動きを支えていたのは、徳川時代の間に積もり積もった、世襲身分制への批判であった」(74頁)

著者は、「勤王論」の思想や「外交の一挙」すなわち西洋諸国からの圧迫を、「維新革命」の原因とするのは「俗論」であるとする竹越與三郎に触れる。

現に、「廃藩論が政府内で公然と議論されるようになったのは、ようやく明治4年7月初旬のことであった」ともいう（220頁）。冒頭の島津久光の花火は、実はこれへの反発だったのである。

福沢によれば、王政一新にとどまらず廃藩置県を通じた世襲身分制の解体にまで突き進んだのは時勢である。時勢とは、言うまでもなく、経済の発展を指す。

會澤正志斎にはデジャビュを感じた。どこで？　いつ？

中野剛志氏の『日本思想史新論』（筑摩書房、2012）だった。そこには福沢諭吉もいた。「尊王攘夷の本質は…門閥制度打破」とあった（同書201頁）。「日常経験の豊かさ、実践力の強さ、直感の確かさ」という言葉（同書218頁）に励まされたことも思い出した。

私は山片蟠桃が成功した実業家であり、「世の中に不思議なことなど何一つないと両断し」たという苅部氏の記述に注目した（136頁）。コーポレートガバナンスのことをいつも考えているからである。ビジネス実務の側からの発信を必須と私は思っている。また、「不思議」なのは情報が不足しているからに過ぎない、というのは私の信念でもある。

弁護士は現行法を重視するから歴史は二の次になりがちである。しかし、過去がなければ現在はなく未来は見えない。苅部氏の中江兆民に触れての最後の問い、「本当の『進歩』とは、過ぎ去った時代との対話を通じて、停止と再開を繰り返しながら向上して行くものではないか」は、まことに他人事ではない。

勝者のビジネスモデルに見るローヤーの新たな使命

「ローヤー進化論」『BUSINESS LAW JOURNAL』２０１７年11月号

49ｅｒｓ（フォーティナイナーズ）という言葉がある。カリフォルニアで金が発見された途端、世に名高いゴールドラッシュが始まった。その年が１８４９年だったからである。文字どおり一攫千金を夢見てカリフォルニア州に殺到した人々の数は、30万人に達したという。

金は地表に露出していた。だから、誰でも川底をさらうだけで容易に手に入れることができた。膨大な数の人々の中には、アメリカの外からやって来た人もいたという。

では、金の出てきた土地は誰のものだったのだろうか？

ジョン・サッターという名の農場主である。「『領地』というのが適切なほどの広大な土地」を所有していたサッター氏は、さぞかし歴史に残るほどの大金持ちになったに違いない。砂漠から原油が湧き出るアラブの国々を考えれば、誰しもそう考える。

実はそうではなかったこと、似たようなことはゴールドラッシュ以前にも以後にも起きていたこと、要はビジネスモデルを考えつくかどうかなのだということを、野口悠紀雄氏は懇切丁寧に教えてくれる（『世界史を創ったビジネスモデル』新潮社、２０１７　４００頁）。元は『週刊新潮』に２０１４年６月から２０１６年８月にかけて連載されたもの。連載時にも読んでいたが、今回再読、夢中になって通読した（以下、引用頁はすべて同書から）。

例えば、イーライ・ホイットニーというアメリカ人の話である。

コットンジンと呼ばれる綿繰り機を発明した。綿繰り機というのは綿の花、あのふわふわした部分から元の種を取り除く機械で、「作業能率を従来の50倍に向上させた」という（３９６頁）。せっかく発明したのに「コットンジンの模造品を作る者が多数現れ、その摘発と特許侵害裁判に、彼は全精力を使い果たしてしまった」というのである。

野口氏はまた、ラジオの商業放送が「無料型」または「開放型」を創始したことを言う（３９９頁）。無線機を発明したマルコーニは、なんと「自社の装置間でしか通信できないようにしようとした」というのだ。だが、「直接料金徴収型」ビジネスモデルでは手も足も出なかった。「開放型」、すなわち「番組の間に宣伝を流し、広告料収入」を得た者が成功したのである。テレビが同じやり方で大成功したことは言うまでもない。

では、ゴールドラッシュで儲けたのは何をした人なのか？

「スコップ、斧、金桶、テントなど、金採集に必要な道具を買い集めておいて」から金発見のニュースをばらまいた人である。その名をサミュエル・ブラナンという。

「ブラナンはカリフォルニア一の大金持ちになった」(402頁)

重要なのは、「アメリカ東海岸からは、陸路でも海路でも半年以上を要した。だから道具を持ってこようにも持ってこられなかった」ことなのである。もっとも、人が動くのにも同じような時間がかかりそうな気がするが、体一つでカリフォルニアに来てしまった人が多かったということなのだろうか。

「あなたがサッターだったとしたら、どうするだろうか?」という野口氏の問いかけはまことに興味深い。

野口氏の答えは、「金採集を無料で開放してしまい、集まってくる人々を相手にビジネスを始めることである」(403頁)。

「この『金採集パーク』というアイディアは、金の所有権を放棄するので、もったいないような気がする。しかし、経済的には合理的なものだ」とした後、野口氏は、「ただし、このような発想転換をするのは、容易ではない。価値あるものを手放すのは、人間の本能に反するからだ」と言い、イギリスの詩人ポープを引いて、「『囲い込むのは人の常、開放モデルは神の業』と言いたくなる」と絶妙の比喩を語る(404頁以下)。

そのとおりである。実はその事情は今でも少しも変わらない。疑う者は、個人金融資産1800兆円の半分以上が現預金である実態を思い返してみれば分かることである。株は怖い、多くの日本人はそう信じているのである。

世界史に学ぶべく、野口氏はローマ帝国と大航海時代に触れる。

ローマ帝国については異質性の尊重と寛容政策を取り上げ、戦後のアメリカの対日・対独政策がローマの「ガリアの再現であった」と注目する（126頁）。もちろん、それが「時と場合によって変幻自在なご都合主義だ」と定義することも忘れない（130頁）。

次いで、大航海時代のポルトガルで海洋国家を夢見たエンリケ航海王子の戦略が、後にジョアンⅡ世治世下になって大躍進として実を結んだことを述べる。

しかし、我々はアメリカを発見したのがコロンブスであり、マゼランが世界一周したことを知っている。野口氏は言う。ポルトガルはチャンスを逸したのである、と。

電話の可能性を逃したウエスタンユニオン社のように、ＰＣの可能性を見抜けなかったＩＢＭのように。

原因は驕りである、と言う野口氏（257頁）は、もちろん「巨象が踊った」ＩＢＭの改革について触れることを忘れない。「改革者は部外者たることを運命づけられているのだ」と、同社ＣＥＯを務めたガースナー氏についての象徴的な逸話を述べる。

大航海時代にチャンスをものにしたスペインを凌駕したのが、エリザベスⅠ世のイギリスである。「自由な海洋国家」というビジネスモデルである。

なんといってもこの本の真骨頂は、野口氏によるグーグルのビジネスモデルの解き明かしにある。

バナー広告から検索連動型広告へ。一般向け広告からターゲットを絞った広告へ。個人情報の利用である。人々は「電子の足跡」を残すことを厭わない。野口氏は「個人情報保護など無意味な世界にわれわれはもうコミットしてしまった」とまで言うのだ（425頁）。

私は、いよいよローヤーの使命が重大になったのだと身震いした。

どうやら私は、この夏休み、怪談ではなく野口氏の著書によって冷をとったことになる。

尽きることなき読書の妙味

「ローヤー進化論」『BUSINESS LAW JOURNAL』2017年12月号

人生にどんな快楽を見いだすか。それは人それぞれであるに違いない。俗に、蓼食《たで》う虫も好き好きという。多くの虫の嫌う苦い味の蓼という草であっても、その苦さゆえに好む虫もいるということである。

体を動かすのが好きな人、外に出るのが好きな人、十人十色、さまざまであろう。

私の場合、人生最大の快楽は、休みの日に一日じゅう本を読んでいることである。興味の範囲は広く、読むべき本に事欠くことは想像もできない。少年時代の好奇心がそのまま野放図に育ってしまったようで、いささか忸怩たる思いがないではない。ただ、誰に迷惑をかけるのでもないから、これでいいのだということにしている。

たいていは、初め机に向かって読み始める。漱石もそうしていた。

しかし、机での読書に疲れるとベッドに横になる。その格好で読み続けるのだ。そのうちに、自然の摂理で眠くなってくる。面白い本だと眠くならないこともあるが、たいていは眠気を催してくる。なにしろ休日なのである。

休みが良いのはまさにこの瞬間である。待ってましたとばかり、そのまま本を横に置いて眠ることができる。

ものの30分もすると目が覚める。覚めたら、すぐに本を手に取って読み始める。体が元気になっているから机に戻ることも多い。

机が便利なのは、パソコンが置いてあるからである。スマートフォンでもiPadでもいいのだが、やはりパソコンが便利な気がする。分からないこと、調べたいことが出てきたら、即刻その場で調べるのである。

ネットは私を古今東西どこへでも連れていく。それどころか宇宙の果てまでも連れていってくれる。例えば土星の姿を間近から見ることができる。探査機カッシーニのおかげである。

過日、私はそうやって『悲しみにある者』（ジョーン・ディディオン、慶應義塾大学出版会、2011）という本を読んだ。その次の日曜日には、『「西洋」の終わり』（ビル・エモット、日本経済新聞出版社、2017）を読んだ。前者は書評が気になったので買ったのである。出版されてすぐのことだった。以来、ずっと本棚に積まれていた。どういうわけでか或る日、書棚の下のほうから私に向かって微笑みかけ、強く惹かれた私は手に取って読み始めたのだ。

夕食のテーブルに座っていた夫が目の前で倒れ、あっという間に心臓麻痺で死んでしまった。その女性作家が、それからの1年の間に考えたことを綴った一種のノンフィクションである。死んだ夫も作家だった。69歳のときのことだ。他人事ではない。身につまされないではいられない。個人的な体験。しかしそこに人生の普遍性がのぞく。まさに文学である。

後者は出たばかりの本だ。早く読みたいと思っていて、購入して休みを待ちかまえていた。「日本という謎」という第7章を最初に読んだ。そのあと序から始め、結局もう一度その章を読み直すことになった。いつもこうなる。

ひと月半ほど前に読んだ『爆発的進化論』（更科功、新潮社、2016）という本は面白かった。

これは、休みに読んだのではない。反対に、オフィスでの仕事の合間に途切れ途切れに読んだのである。つまり、後架に行くときに持っていっては読み継いだのである。そういう場所に行くときには本がないと不安なのである。新書版だからかさばらないのがありがたい。その9章のテーマが「性」となっていて、副題に「男は何の役に立つのか」とある。この本でも目次で先ずそこに目が行き、つい最初に読んでしまった。

性は細菌やウイルスなどの寄生者に対する防衛のためにあるのだという。迷惑メールを例に使っての解説は秀逸である。迷惑メールの数が増えてきてうるさくて堪らなくなると人はアドレスを変更する。しかし、また迷惑メールが入り始める。仕方がないのでまた変更する。すると、また迷惑メールが入ってくる。性懲りもない。

この迷惑メールが人間などの多細胞生物にとっての細菌やウイルスに相当するのだという。人間、つまり寄生されるほうを宿主という。宿主と寄生者との進化競争になる。そうなれば、人は確実に負ける。人が子どもを産むのはだいたい20歳から40歳の間。これに対して、例えば大腸菌は20分で分裂する。だから人間の防御システムは細菌に突破されて全滅してしまうことになる。

その対策の切り札が遺伝子である。

二人の遺伝子を交換することで変化を創り出すのだ。それが性なのである。遺伝子交換のためのシステムが性なのである。その結果が良くなっても悪くなってもかまわない。メールアドレスが変われば迷惑メールを出すほうにとっては痛手になる。つまり、進化のようでいながら、本質は現状維持なのである。

この学説は「赤の女王仮説」と呼ばれているのだという。

ルイス・キャロルの『鏡の国のアリス』に、赤の女王に手を引かれて全速力で走っていたアリスがへとへとになってしまい、もう走れないと木に寄りかかってあたりを見回すと、なんとびっくりしたことに、もとのところから一歩も進んでいなかったという場面がある。そこで赤の女王が言う。「ここでは同じ場所にいるためには、せいいっぱい走っていなくっちゃいけないのよ」

HFT（超高速取引）のある時代、なんとも人の世について考えさせる言葉ではある。この仮説が現時点で性の存在を説明する最も有力なものなのだそうだ。

そういうことだったのか、と改めて思いながら、ああ面白いことを知ったと感慨に耽る。少し賢くなったような気になる。

それから、待てよと思う。この世のありとあらゆることを知るには、いったいどれほどの時間がかかるのかと悠久の世界に思いをはせ、前途遼遠の嘆きを抱く。

濫読である。結果は雑学である。

弁護士業に少し似ている。実務は常に雑多な現象を相手にしている。錐《きり》の先も要るが鋸も要るのである。

第3章

2018年〜2020年

豊かさの中で模索する人生の意味

「ローヤー進化論」『BUSINESS LAW JOURNAL』２０１８年１月号

人生の快楽は人それぞれに違う。

１９４５年８月15日、日本との戦争に勝利したアメリカの人々は、有頂天になって喜んだ人たちばかりではなかったという。

「誰もがとても控えめで謙虚だ」った。それが、たくさんのセレブが出演したその日のラジオ番組を70年ぶりに聴く機会のあった、ある聴取者の感想だった。司会者が、「特になにか言うことはない…ともかく戦争が終わったことを神に感謝するくらいでしょう」と述べたというのだ。原子爆弾の使用も関係していたのだろうと、70年後の時点で聴いたその人は感じないではいられなかった。

デイヴィッド・ブルックス『あなたの人生の意味（原題：The Road to Character）』（早川書房、２０１７〈原著２０１５〉）の一節である（20頁。以下、引用頁はすべて同書から）。

あらかじめ私は書評で、「人生は本質的には道徳劇であり、快楽は人生の本質ではない、最終的には人格者への道をめざすべきだと説諭する」本であることや、「ビル・ゲイツ氏は2015年のベスト1に挙げ、全米で50万部が売れた」（読売新聞2017年3月5日付け朝刊）ことなどを知っていて読んだ。

著者は言う。70年前のアメリカにあった謙虚さは消えてしまい、その後アメリカ人はどうすれば自分が大きくなれるかばかりを考えるようになっている、と。

「『アダムⅠ』と『アダムⅡ』」のうち、「アダムⅠ」ばかりを追い求めているのが今のアメリカ人の姿だという嘆きである。

二人のアダムのたとえ話はユダヤ教のラビであるジョセフ・ソロヴェイチックの本に出てくる言葉で、「アダムⅠ」とは世俗の成功であり、「アダムⅡ」とは内心の道徳的満足である。人間は「皆、互いに矛盾する二人のアダムの間で揺れ動きながら生きている」（11頁）。

根底にあるのは、人は何のために生きているのかという自らへの問いである。この問いを持たない人間はいない。四六時中そのことを考えているのは哲学者か宗教家に限られるだろうが、市井に暮らす生きとし生ける誰もが、時により、環境に応じて、同じ問いを抱かずにはいられない。殊に、愛する者が死んだり、命をかけて取り組んだ仕事が失敗に終わってしまったときには、その問いはいっそう切実なものになる。

人とはそういうもののようだ。

答は人それぞれだろう。中には、生まれてしまったから生きているだけに決まっているじゃないか、いまさら何を言っているんだと、とっくに割り切ってしまっている向きもあるに違いない。

確かにそうかもしれない。問いを自らに投げかけること自体、自分が生きているからこそ可能なことではある。

しかし、それでもなお、再度、三度と同じ問いを自らに繰り返し、だからこそ生きていく目的を摑みたい、自分の人生にはいったいどんな意味があったのか、それを知りたい、と願うのも人の情だろう。

競争社会に生まれてしまった以上、競争に勝つこと、その勝利者としての成功を獲得することが人生の目的だという人は「アダムI」である。

だが、人はパンのみにて生くるものにあらず（『新約聖書』「マタイによる福音書」4章4節）。キリストが言ったように、パンを稼ぐことだけが人生の目的とは思えないと感じずにはいられないのも、古来少しも変わらない。

それどころか、現代を生きている我々にとっては、この問いは一段と深刻であるといえる。

なぜならば、命をつなぐだけのパンであれば、今の世では大きな苦労なくして手に入れることができるからである。人にもよろうが、子どものために一切れのパンを稼ぎ出さなくてはならないから、自分の人生の意味など考えている暇はないと言って自分を納得させることは、この時代を生きる者にはもはや叶わないのである。豊かな社会とはそういうことである。

その豊かさ溢れる社会で、生存競争に打ち勝ち、自分の存在の大きさを社会に示し納得させることが最大の願望だと自分に言い聞かせて澄ましていることは、どんな成功者にもできない。自らにそう言い聞かせる端から、それが何になるのか、という問いが心の内側で溢れ出さずにいないからである。心の中を隙間風が通り抜けずにいないからである。

「人生の方向は、周囲の期待や、自分の外にある基準によって定められてしまう。成功の定義も他人がきめたもの」（284頁）

「人生は、自分の願いをかなえるためにある」「周囲のなにもかもが、ある意味で成功のための手段に見える」「強い自己主張をしなくてはならない」「『忙しいこと』が良いこと」「人の称賛を求める機械のようになっている。自分の人生の価値を、他人に褒められるかどうかでしか判断できなくなっている」（430〜434頁）

「一定の規範が失われたことで、自分の人格をどう形成すればいいのかはわかりにくくなったと思う。…現代社会の大きな間違いは、『アダムⅠ』さえ成功すれば、人間は心から満足できると多くの人が信じていることだ。実際にはそんなことはない。…アダムⅡを成長させない限り、本当の満足を得ることはできない」

では、どうすればよいのか？

「アダムⅡを育てるためのマニュアルなどはない。…だが、実際にアダムⅡを大きく育てた人について深く知ることはできる。その人がどのような知恵を以て人生を生き抜いたかを知れば、きっと大きな助けになるだろう」（39、40頁）

だからこの本は、何人かの人物の人生をたどる。アウグスティヌスのように歴史上著名な人もいる。ドロシー・デイという名の、日本では知られていない人も登場する。ジョージ・エリオットという作家が実は女性であるにもかかわらず男性の名前で書いていたのだという事情も解説される。

著者自身は「謙虚さという美徳」を強調する。＝「一人の一生では完了しないような仕事に身を捧げ、その仕事のために生涯、働き続ける」ことが大事なのだと述べる（451頁）。

私は、例えば法の支配のために働くことは、その美徳の一つだと思っている。

日米の偉人たちとその器量を継ぐ同志を想う

「ローヤー進化論」『BUSINESS LAW JOURNAL』2018年2月号

ハリエット・タブマンについて初めて知った。以前に名前を聞いたことはあったかもしれないが、それがどういう人物かは知らないでいたのだ。

以前、米国の裁判に絡んでポジション（証言録取）の練習をしていた折、米国人弁護士が「前に知っていたかどうか忘れてしまっているんです」という模範回答例を教えてくれたことがあった。その心境である。

「アメリカでは中学校の歴史の授業にも出て来る知らない人のいない人物だ」そうだ（『列伝アメリカ史』松尾弌之、大修館書店、２０１７　61頁。以下、引用頁はすべて同書から）。２０２０年から発行される20ドル札の肖像が、第7代大統領のアンドリュー・ジャクソンからこの黒人女性に代わる予定なのだという。

「逃亡奴隷に居場所を提供した女性」であるハリエット・タブマンを知っている日本人はどのくらいいるものだろうか？

米国史について少しでも学んだ方なら知っているに決まっている名前なのだろう。しかし、日本人として一応の一般的知識を有しているつもりの私は知らないまま長年を過ごしてきた。

いつもの例に漏れず、この『列伝アメリカ史』も書評（日本経済新聞２０１7年7月8日付け）を見て買ったのだが、そこには「人物の評伝を並べる紀伝体で書かれた米国史である」とあり、「著者の人選はかなり変わっている」ともある。「15人の登場人物…ジョージ・ワシントンもエイブラハム・リンカーンも出てこないのだ」とあり、その後に「日本人になじみの薄い人物も選ばれている」とあって、その二人の内の一人が冒頭のハリエット・タブマンなのだ。

私は書評子が「『社会史や思想史、文化史を、政治史の流れと統合しようという試み』と著者は書く」と述べていることに惹かれて購入した。自分の米国史の知識が、一部に偏っていると常々感じていたからである。それも多くが現在に関わるものでしかない、と。

列伝という方法も興味を引いた。そうではないか。歴史の叙述には編年体と列伝体があって、後者の代表が司馬遷の『史記』だと読んだのは高校生の頃だったろう。しかし、以来、列伝体の歴史書というものにはほとんどお目にかかったことがなかったと思う。歴史は個人が創ると思っている私としては、うかつなことではあった。

1822年頃に生まれ1913年に死んだ彼女は、奴隷であり、逃亡して自由の身となり、その後、他の奴隷の逃亡を助けた。安全地帯にいて少し手を伸ばしたのではない。捕まれば元の奴隷に戻されてしまう危険を冒して「奴隷州」にたびたび入っては脱出するのだ。

やがて南北戦争になる。彼女は志願し、「戦地でのタブマンの活躍は、北部社会全体の知るところ」になった（77頁）。戦争が終わると、女性の参政権運動に加わった。

91ないし92歳で亡くなったが、「晩年になってもタブマンは病気で一文無しだった」。「自分のためではなく他人のために居場所を準備する」ことを生涯をかけて実践し続けた彼女の最後の言葉は、「先に行ってあなたたちのために場所を準備しといてあげる」だったという（80頁）。

この本には、ほかにポカホンタス、アン・ハッチンソン、それにメリー・B・エディが出てくる。ロックフェラー、リンドバーグ、チャップリン、ケネディ、TとFの二人のローズベルトやオバマ、トランプといった著名人に囲まれた彼女ら――何とすべて女性である――が米国史の15人にふさわしいとして著者は選んだのである。

セオドア・ローズベルトが大統領になった経緯は、これも知っていたかもしれないが忘れてしまっていた。若い頃、「優秀な物書きとして知られるようにな」った人だとは知らないでいた（124頁）。

私にとってのT・ローズベルトは、革新主義の旗手である。また、「勇敢に敵地に切り込む」イメージでもある。第一合衆国義勇騎兵隊の指揮官、すなわち「荒馬乗り（ラフライダー）姿」として米西戦争で活躍した勇姿である。時に39歳である（121頁）。そのイメージは映画『ナイトミュージアム』に出てくる蠟でできた彼そのものでもある。夜になって動き出したときの彼である。

しかし、ローズベルトはもともと副大統領だった。それがマッキンリーの暗殺で、42歳にして大統領になったのである。当時の共和党内の政治的思惑が改革派の彼を副大統領にしておいたのだ。「大統領には従来型のあやつりやすい人間をすえながら、副大統領には知名度の高い改革派の人物を任命するという作戦をとった」のだという（126頁）。

誰も大統領の暗殺など予想しない。

それにしても、「連邦政府の手によって『資本主義のゆがみ』を是正しようとした」ローズベルトは、「ものごとを変えるときには委員会などの集団で対処するのではなく、少数の人間に権力を集中するべきだ」という考えを、自己の経験から固めていた（124頁）。

ロシア革命の15年以上前に米国にそういう考えの人がいて、その人を支持する人がたくさんいたのである。

改めて日本を思う。

内村鑑三の著書に『代表的日本人』という本がある。その日本人とは、例えば西郷隆盛であり、二宮尊徳であり、日蓮である。西郷は敗れた人である。その屍の上に今の日本はある。「命もいらず、名もいらず、官位も金もいらぬ人は、始末に困るもの也」。まことにそのとおりであろう。懐柔の方法がないのである。いや、正面からぶつかって説得すべきなのであって、逃げてはいけない、ということだと納得すべきなのだろう。西郷は、勝海舟の説得であったにせよ英国のパークスの圧力であったにせよ、江戸攻撃をしない決定をしたのである。最後には圧倒的な官軍の前に敗れ去った。しかし、それは自ら選んだ死である。「政府に尋問の筋これあり」として上京しようとして死んだのである。

今の日本でそういう人は誰だろうか？「命をかける」と口にする政治家は数多い。しかし、幸いにして死んだという話を聞かない。

法律家はどうだろうか？

私は、一定数の法律実務家について、西郷が言った「艱難を共にして国家の大業」を成し得ているのではないかと感じることがある。それも日々の仕事を通してである。

★空の本棚に見出す人生の愉悦

「ローヤー進化論」『BUSINESS LAW JOURNAL』2018年3月号

つい最近、長年持っていたマンションを売却した。同じマンションに住んでいる方が管理人を通じて、もし可能ならば譲ってはもらえないかと問い合わせてこられたのだ。それがきっかけだった。

ある事情があってだいぶ前に購入したマンションだったし、それなりの愛惜の思いはあったのだが、林望氏の言われた「減蓄の弁」を思い出したのである。林氏は「死の訪れの得体のしれない不確定性に、私はおののくのである」と書いていた（『現代の正体―深夜の書斎から日本を思い世界に及ぶ』幻冬舎、２０１４　１５８頁）。私はこのマンションを既に住まいとして使うことはなくなっていて、もっぱら書斎として使用していた。で、売る決心をした。

日常の什器の類はほとんど置いていなかった。本と本棚、それにＰＣがあるだけになっていたのである。

売買契約を済ませてしまうと、明渡しの日が設定された。実のところ、契約もその前後のことなどもすべて知り合いの不動産業者と弁護士さんに頼んでしまっていたから、自分ではほとんど何もすることはなかったのである。

売ってしまうと決めたときには、あたまから本は移動しよう、でも、もう本棚は捨ててしまおうと思っていた。しかし、いざ明渡しの日が近づくと、やはり長年世話になってきた本棚を捨てるのはとても忍びない気がしてきた。前後に二重になった、棚を左右にスライドできる本棚で、幅40センチほどの棚が15段ある。高さは２メートルである。

太宰治が引越しに際して、「たのむ！　もう一晩この家に寝かせて下さい、玄関の夾竹桃も僕が植えたのだ」（『十五年間』）と嘆いた心境といったらよいだろうか。

で、本棚も移動することに決めた。といっても、決めただけで作業はすべて専門家に依頼したのである。

そんなこんなで、その本棚がオフィスの書庫に来てみると、これが驚いたことに棚に何も詰まっていない。

当たり前といえば当たり前のことだが、単純に喜びがあった。ああ、こんなに本を置くスペースが増えた、という思いからである。空いている棚、棚、棚。そこには、これから次々と読んでしまうであろう本、読もうと思って購入した本が並べられるに違いない。そう思っただけで、なんとも嬉しくなったのである。時間が遡ってしまう、一種のタイムマシン効果のような気すらした。どの本棚も、初めは空なのである。

その空の本棚を前に、紅茶を置いて感慨に耽った。

ティーバッグの表面には、ロイヤル・セイロンとあり、スリランカの山々の西側斜面、1200メートルほどの高地に生えるディンブラの茶葉だと印刷してある。牛乳を入れて飲むと柔らかい味わいがとても好ましい。

ティーバッグを使いながら、そういえばこうやって紅茶を自分で淹れて飲む習慣からずいぶん長い間遠ざかっていたと思った。

さしたる理由があってそうなったのではない。いや、ほとんど意識すらしていなかった。

スリランカの山々の西側斜面とあったのを読んで、以前、橘玲氏の『永遠の旅行者』（幻冬舎、2008）について書評を頼まれたときのことを思い出した。ハワイ島の描写があって、大きな山の西側斜面は乾燥した気候なのだと書いてあった。あれはいったい、いつのことだったのか。

今では、パナマ文書、続いてパラダイス文書と話題になっている世界的な節税策の話だった。

そういえばと、本棚を探し回り、角山栄氏の『茶の世界史』（中央公論新社）という本を見つけ出した。

1980年初版とある。私はどの本でだったか引用されていたのでこの本を知り、なんと2013年刊行の35版を求めたのである。読み終わったのが2014年5月9日と奥付の頁に記している。

ぱらぱらと拾い読みをしていると、18世紀のイギリスの農業革命の結果、農民や労働者の実質所得が著しく上昇したとある。「結局のところ、高賃金は国内の有効需要を増大させ、労働節約的機械の発明と企業化によってイギリスをして世界で最初の産業革命に導くことになるのである」（同書63頁）。

私は、政府主導で無理やりに賃金を上げたシンガポールのことを思った。リー・クアンユーが首相として行ったことだった。その結果、今のシンガポールはアジアで最高の一人当たりGDPを誇っている。

角山氏が経済史家だったことを、奥付で改めて確認した。

今、日本政府は、賃金上昇に積極的である。

私が親しくしているビジネスに関わる人々、識者は、例外なく賃金が上がらない現状を憂えている。日本企業が空前の好決算を示しているだけに、このままで良いのかという思いは人々の間に強いのである。

コーポレートガバナンスについて、私はいつもこう問いかけてきた。コーポレートガバナンスでどんな良いことがあるのか？

会社が儲かる、という答えには、それで？　と問いを繰り返す。国が豊かになる、と言われても、それで？　は変わらない。

そこで止まってはいけないというのが私の考えなのだ。

いつも同じ言葉を繰り返す。

「国の経済は居住する国民のために存在すべきである」という米国の経済学者、ロバート・ライシュの言葉である。

会社の繁栄は途中経過に過ぎない。それは、株主の利益中心が社会全体から見れば途中経過に過ぎないことと相似である。どちらも、株式会社という制度を使って、人々を富ませ、幸福にするためのもののはずである。

改めて法律実務家である自らのことを考える。ある姿とあるべき姿の両方について常に視野に入れることを要求されるこの職業を、素晴らしい使命を帯びたものと思い、そうした使命を帯びたこの職業に従事して人生の日々を送ることのできる自分を、なんとも幸せだと感じる。

何をしたから今のこの生活があるのか、私にはあまり理由が思い当たらない。日本に生まれ、健康に過ごし、仕事に恵まれた。幸運だったというほかない。

空の本棚を前に、私はこれからの人生の日々について、とてもとても愉しみに感じずにはいられないのである。

老いを知らない心

「ローヤー進化論」『BUSINESS LAW JOURNAL』2018年4月号

「私は八六歳の誕生日を迎えた。…私の周りには九〇代、一〇〇歳に近い人々が大勢活躍している。それを見ていて私などはまだまだこれからだと考えている」。有馬朗人氏の『わが道、わが信条』（春秋社、2016）のまえがきである。

原子核物理学者にして俳人であり、東大総長であり、文部大臣にして参議院議員であった有馬氏については改めて紹介の必要はないだろう。もし付け加えるとすれば、政治家になったことは有馬氏にとって、ノーベル賞を得る資格を自ら放棄したことになってしまったことくらいであろうか。

有馬氏の驚くべき告白は上記だけではない。

「八六歳は自分の過去の思い出にふけるより、将来いかに生きるべきかを考えなければならない年齢であると感じている」と続くのだ。

有馬氏のような存在は例外に過ぎない。例外は原則の正しさの証拠である、と片付けて済ませることもできるかもしれない。

私は、ある会合で毎月のように有馬氏にお会いする。隣り合わせのことが多いからお話しする機会に恵まれている。どちらも同じ9月生まれ。19歳の年齢差がある。しかし、差があるのは年齢だけではない。

私は有馬氏に、「先生ほどの方でも受験勉強には苦労されたりしたんでしょうか」と伺ったことがある。お答えは意外にも、「うん、したねえ。大変だった」というものだった。私は嬉しくなってしまった。自分自身が受験勉強には大いに苦労したからである。しかし有馬氏はこともなげに付け加えた。

「とにかく当時は教科書がないんだ。どうにもならない」

そういうことだったのである。当たり前である。勉強しても試験に受かるかどうかなどという心配をするようでは、とてもあれほどの業績を上げることなど叶うはずもないからである。私は小さな声で、「そうだったんですか。戦後すぐですものね。大変な時代だったんですね」とつぶやくほかなかった。有馬氏は１９３０年の生まれである。

まえがきの中には、「努力する力しかない無力な人間の苦闘の跡を記したこの本」という表現もある。

私は五木寛之氏を思い出した。生まれは１９３２年、やはり同じ9月である。

五木氏はこんなことを言っていた。

「努力することができるのがそもそも才能なんです。持って生まれたものなんです」

以前、五木氏のその言葉に出逢ったとき、なるほどと感じ入った。エジソンが「天才は１％のひらめきと99％の努力だ」と言ったことを思い出しもした。エジソンの伝記を子どもの頃、漫画で読んでいたのである。だから、努力する力があるという有馬氏の自覚に、なるほどと納得がいったのだ。

私は何が自分に不足しているか、受験勉強に苦労した時代から、それなりに分かっていた。努力である。ほかにも不足は多々あったが、努力しないのだから手に負えない。しなくてはという焦りに似た気持ちは溢れていても、それが努力という形にならなかったのである。

以来50年。努力という力のない事実は変わらない。

その五木氏の『孤独のすすめ』（中央公論新社、２０１７）という本を最近読んだ。

その「はじめに」の中で、五木氏はこう言う。

「人生は、青春、朱夏、白秋、玄冬と、四つの季節が巡っていくのが自然の摂理です。玄冬なのに青春のような生き方をしろといっても、それは無理です」（同書10頁）

それはそうだろう。

「だとすれば、後ろを振り返り、ひとり静かに孤独を楽しみながら、思い出を咀嚼したほうがよほどいい。…繰り返し昔の楽しかりし日を回想し、それを習慣にする。そうすると、そのことで錆びついた思い出の抽斗が開くようになり、次から次へと懐かしい記憶がよみがえってくるようになる」（同書11頁）

「ごくごく稀な、特殊な人」ではない人、世の中のほとんどの人々は五木氏の説くように生きるのが最大限のことではなかろうか。そうしたごくごく稀な、特殊な人を「我が身と引き比べると落ち込むだけですから、あまり自分と比べないほうがいい」と五木氏も言っている。

しかしこの本は、実は五木氏自身が「ごくごく稀な、特殊な人」である事実を垣間見せる。懐旧の生活の大切さを示した直後、五木氏は「それは実は非常にアクティブな時間ではないでしょうか」と述べているのである。

アクティブ。あるいは、「つきせぬ歓びに満ちた生き生きとした時間」。そこには、青春こそが人生の最良のときであり、心の持ちよう一つで青春は老齢になっても消えないというニュアンスがある。

このお二方の文章に出逢う前、私は今年の賀状の末尾に「未だ昔を偲ぶ心境に至っていません。夢のなか、若いままなのです」と書いた。もちろん、自分のことを「ごくごく稀な、特殊な人」であると思ってなどいない。反対である。人間は、外見は歳をとっても心は歳をとらないのである。90歳の老女の心は12歳の少女の心と少しも変わらない。ただ、世間慣れして、その外見に合わせて喋ることを覚えただけなのである。

歳月人を待たず、という陶淵明の有名な句は、時間は一度過ぎてしまえば戻ってこないのだから、今一生懸命勉強しなさいという意味だと思ってきた。努力の大事さである。

ところが、最近ラジオの『NHK高校講座』で、この瞬間を楽しめという意味なのだと教えられた。まさに、あのメディチ家の当主ロレンツォ豪華王が歌ったという「命短し恋せよ乙女」である。

いずれにしても、努力は天分だという思いは、有馬氏を見ていても自らを省みても、実感せずにおれない。それでも、少しでも努力を試みるのである。無駄な抵抗であるかどうかは結果でしか分からないのだ。有馬氏ですら「将来いかに生きるべきかを考えなければならない年齢である」と自らを諫めている。まことに、人間の評価は「棺を蓋いて事定まる」のである。

★フェアネスを実現する「法の支配」

「ローヤー進化論」『BUSINESS LAW JOURNAL』２０１８年５月号

２０１７年末、『少数株主』という題名の小説を幻冬舎から出していただいた。少数株主といっても、上場会社ではなく非上場会社、それも主として同族会社の話である。

20年前、『株主総会』という小説を書いてから、また株主に戻ってきたということになる。

弁護士となって38年、仕事の一環として同族会社のオーナー株主側に立ったり、反対に少数株主側に立って働いたりということは数えきれないほどあった。よく誤解されるのだが、私は上場会社の仕事だけをしていたわけではないのである。それが、２００５年に岩井克人氏の『会社はだれのものか』（平凡社）の91頁を読んで、上場・非上場の上位概念である株式会社について大いに学んだ。当時、ある上場会社同士の敵対的買収事件に防衛側の弁護士として関わっていたため、興味も格別だったのである。

そういえば、社外役員としての仕事が増えてきたのはこの頃からである。

さらにその後、２０１３年に日本コーポレート・ガバナンス・ネットワークというＮＰＯ法人の理事長になった。主として上場会社のコーポレートガバナンスについての団体であるから、私なりに岩井氏の言う株式会社について改めて思いを巡らせることが多くなったのは、自然の勢いであった。

上場会社であろうと非上場会社であろうと、個人の集まり、すなわち組織であることは同じである。その個人と組織というものが私の小説の根本にいつもある。もちろん男と女も人生の重要事である。偉大な老作家に、古今東西の文学の普遍的テーマはそれであると諭されたこともある。例えばロメオとジュリエット。しかし時が現代ならば、ロメオもジュリエットも株式会社と無縁で過ごすことはできないだろうと思わないではいられないのである。

個人と組織、その組織の典型が、上場した巨大な株式会社である。

小規模な非上場の同族会社であれば、個人の色彩が強く出る。男性であるオーナー社長は特定の女性への強い思いを経営に出すことも間々ある。

それが良いほうに働く場合もある。二人が夫婦であれば子どもがいて、子どもに仕事を継がせたいということにもなるだろう。

そうでない場合もある。オーナー社長とその妻、あるいは夫が他の株主を無視した経営をすることが珍しくない。利益を配当に回さず役員報酬として受け取ってしまうのである。同族会社の濫用的経営の一例である。

極端な場合には、オーナー社長が既婚であるにもかかわらず異性の関心を引こうと会社の資産を私する。そうなれば法的にはもちろん、道義的な非難も免れない。

いずれにしても、非上場会社の少数株主の立場が、会社法の建前はともかく、実際には無視されて久しいことが問題なのである。

果たして日本の裁判所が米国のミシガン州の最高裁判所のように、株主へ配当をせよという判決を出すかどうかということでもある。その事件では、1916年に6000万ドルの純利益を上げたフォード・モーター社のヘンリー・フォード社長が、4000万ドルを車の買主に返金したにもかかわらず、株主への配当は100万ドルしか支払わなかった。そこで少数株主であるダッジ兄弟が訴え、勝ったのである（『コーポレート・ガバナンスの経営学』加護野忠男ほか、有斐閣、2010 67頁）。

株式会社は自然人のように権利義務の帰属主体となることができる。それは社会がそうした制度を認めているからである。それが、世の中に最も多数の雇用を可能にするからだ、というのが私の考えである。

もちろん、上場会社に比べれば社会的に非上場会社を規律すべき理由は少ないといえるだろう。そこには上場企業に対するような投資家がほとんど存在しないからである。

だが、非上場の株式会社の少数株主はかつて投資家だった者であり、投資家らしく株式の譲渡によって投資を回収する道を保証されるべきである。上場会社のように株式市場で売却するという道がないからこそ、その要請は尊重されるべきである。

しかし、既存の会社法は、形式的には少数株主の売却権を尊重しながら、現実を顧みない。非上場の会社の少数株を買う者など現実的には皆無である。そうした状況の下、少数株主は投下資本の回収について途方に暮れるしかなく、権利を持っていながらも諦めているのである。

上場会社のコーポレートガバナンスについて思いを致せば、時として心が非上場会社に向かうのは人情であろう。私はそこに棹さし、小説を書いてみたのである。もちろん、小説はシミュレーションだけでは成り立たない。そこに血の通った心身を持った人々、老若男女が登場する。

文章を綴りながら私が意識したのは、フェアとは何かということであった。私の頭の奥底には、子どもの頃に読んだケネディ大統領についての逸話が長い間存在していたのである。

彼が大統領に選ばれた1960年、彼の友人が「ケネディはいつもフェアであることを大切にしていた」と評した記事を少年雑誌で読んだことがある。たぶんそれが、フェアであることが人の世でそれほど大事なことであると知った最初だったのかもしれない。

フェアはリーガルとは違う。現在リーガルでないとしても、人間にとって大切にすべき価値を志向する考えである。過去のフェアがその後少しずつ現実化してリーガルになるといってもよい。判例はその結果である。フェアは定義することが難しい。だが、自然法のように、人の心に宿っている。そのために、時として人は身命を賭すのである。

私は、日本に生まれて良かったと思っている。法の支配を信じることができるからである。現在の日本が理想的な状態にあると思っているわけではない。しかし、法的手続きがリーガルの確認だけではなく、フェアを実現することを目指していると信じているのである。

ことは裁判を通じて実現される。裁判は、民事に関する限り、弁護士と裁判官が関与する。その機能について、裁判官の職業的良心について、私は楽観的なのである。

移ろいゆく価値観　受け継がれた使命

「ローヤー進化論」『BUSINESS LAW JOURNAL』2018年6月号

「アメリカ人の国民性の恒久的な意識…起業と機会の国アメリカであり、勤勉に働くものは誰でも成功できる地アメリカであり、また自由で先を争って金儲けに奔走する個人が幸福を追求できる国アメリカであった」

私はこの文章に出会ってトランプ氏を思った。書棚からふと取り出したこの本に読み耽ることになった理由である。

本の名を『ベンジャミン・フランクリン、アメリカ人になる』(慶應義塾大学出版会、2010)という(冒頭の引用は296頁。以下、断りのない引用頁はすべて同書から)。著者のゴードン・S・ウッド氏は、「長らく米国の歴史学会でアメリカ革命史研究をリードしてきた歴史家」である(肥後本芳男氏による訳者あとがき)。

そもそも私がこの本を買ったのは8年ほど前の話で、朝日新聞2010年11月14日付けの書評を読んでのことであった。書評はアメリカ政治学の権威、久保文明氏によるものであり、私は「金のために働くことに対する何千年もの貴族的な軽蔑が、このアメリカの地において、たった数十年で、いとも簡単に粉砕された」との氏の一文に強い印象を受けたのである。「きわめて水準の高い歴史書である。通俗的なフランクリン伝記ではない」ともあった。

初めに、著者による「日本語版への序」がある。

「十九世紀の日本に起こった転換ほど劇的で重要なものは、歴史を探してもまず見あたらない」。そのとおり、と思う。続けて著者は、日本の指導層はペリー艦隊に「恐慌をきたし」、「近代的とは言えない中世的な国家」から、わずか二、三〇年で「きわめて稀といえる革命を成し遂げた」という。

福沢諭吉がアメリカの独立宣言を初めて訳したとは知らないでいた。福沢にとってのフランクリンは、「卑しい出自ながら、高名な科学者、政治家に上りつめた貧しいアメリカ人少年というイメージ」で、著者は、福沢が「日本のフランクリン」と呼ばれたといい、『フランクリン自伝』に『福翁自伝』を重ねる。

それにしても著者の博識には驚く。なんと明治天皇の美子《はるこ》皇后の歌を引くのである。「金剛石もみがかずば」で始まる歌は、「時計のはりのたえまなく、めぐるがごとく時のまの日かげをしみてはげみなばいかなるわざかならざらむ」と続く。

まさにフランクリンのタイム・イズ・マネーではないか。個人教師役だった元田永孚《ながざね》を通じてなのだという。

さらに著者は、同志社大学を創設した新島襄の同志社や、中村正直の訳した『西国立志編』に触れる。後者について、私は平川祐弘氏の『天ハ自ラ助クルモノヲ助ク』（名古屋大学出版会、2006）を11年前に読んだことを思い返した。

そうしたフランクリン像は、19世紀後半の西洋文化の一部となっていたのである。であればこそ、著者は、フランクリンが「自助と勤勉だけではなく、金儲けとビジネスという、まさに資本主義そのものを象徴するようになった」として、マックス・ウェーバーまで論ずる。『プロテスタンティズムの倫理と資本主義の精神』ではフランクリンが「近代資本主義の完璧なひな型」とされているのだそうだ。

しかし、この本を読む価値はそうしたフランクリンの伝統的理解が真実ではなかったという発見にある。

実はフランクリンは英国的貴族への憧れを持ち、それを実現し、アメリカの独立に際しても最後まで反対し、王党派であったのだ。それにもかかわらず、フランクリンが王党派の頑迷に失望し独立に参加する決断をした経緯こそ、この本の真骨頂である。

象徴的なのは、この本の中にある二人の人物の肖像画である。

一つは42歳のフランクリンである。1748年作で、「紳士としての」と副題がついている。音楽家のバッハのような鬘《かつら》をかぶり、袖に大きなフリルのある白いシャツとその上にゆったりとした黒い上着を身につけている（73頁）。印刷業者として成功し、ひとかどの金持ちになり、紳士すなわち上流階級の仲間入りをした記念に描かせたのである。

もう一つは、パット・ライオンという男の肖像画である。1826年作で、『鍛冶場のパット・ライオン』と題され、「シャツの袖口を捲《まく》り上げ革のエプロンを身に着けた姿」である（294頁）。彼は刑務所にまで行ったのち、自力で商売人として成功したことを誇りに思って描かせたのである。私は、私の師匠であったアメリカ人のリチャード・W・ラビノウィッツ弁護士がいつも、「さあ仕事だ。シャツの袖を捲り上げろ、ワイシャツの首のボタンを外せ、ネクタイを緩めろ」と言っていたのを思い出してしまった。

二人の肖像画の好対照は、アメリカの独立すなわちアメリカ革命が、いかに急速にアメリカの社会と文化を変えたのかを示して余りある。フランクリンは貴族の側からアメリカ独立派に変身した。だからこそ、時を経ずして、新しいアメリカ、勤勉と自由と金儲けの国の代表選手として尊敬されたのである。著者ならずとも、「アリストテレスは墓場のなかで仰天したに違いない。金のためにに商売し働くことに対する何千年にもわたる貴族的な軽蔑がたった数十年で粉砕されたのだから」と言いたくなるだろう。

そうしたアメリカは、「北部の白人男性」が創り出した（296頁）。工業化、産業革命である。これに対して南部は、原綿をイギリスに輸出していた。綿を生産していたのは、もちろん黒人奴隷であった。

フランクリンは奴隷解放を主張した（277頁）。フランクリンの代表するこのアメリカ文明は、例えば基本的人権や法の支配において広い普遍性を有している。日本は150年前に、アメリカを代表する者としてのフランクリン像とともにそれらを取り入れた。日本は西洋的価値、例えば法の支配という普遍的な文明を選び取り、育ててきたのである。この日本には、自らこれをいっそう充実させ、さらに世界に広げ伝える使命がある。

そういえば、未だ10歳になる前、私は漫画のフランクリン伝を読んだことがある。そこでは、エイモスという名のネズミがフランクリンに代わって彼の偉業のすべてを成し遂げたとあった。

識《し》ることで正す歴史観の歪み

「ローヤー進化論」『BUSINESS LAW JOURNAL』2018年7月号

ある夕食会を兼ねた勉強会でのことである。

「この本を書かれた方がここにいらっしゃいます」

主催者が掲げる緑色の表紙の本を見て、私は思わず、

「あ、それ、ここに来る直前まで読んでいた本です」と叫んだ。

『「未解」のアフリカ』（勁草書房、2018）と題するその本の、奴隷貿易に関する頁を私は夢中になって繰っていて、出かける時間になったと秘書にうながされ事務所から飛び出したのである（以下、断りのない引用頁はすべて同書から）。著者の一人である石川薫氏はカナダやエジプトの大使を歴任された老練の元外交官であり、アフリカ在住7年半という方である。しかし、この本の内容はその履歴をはるかに超える。例えば、コンゴ民主共和国（旧ベルギー領コンゴ）には昔コンゴという名の王国があり、そこには「国王を頂点とし宮廷官僚、貴族、自由民、州知事など国家の統治機構」があって、「王宮儀礼が確立していた」。1483年、初めてコンゴ川の河口に到達したポ

ルトガル人の報告は「アフリカに文明国がある」というものだったという（85頁）。

コンゴ王ンジンガ・ンクウは１４９１年にキリスト教徒となり、ジョアン1世と名乗った。その息子はアフォンソ1世として時のポルトガル王ジョアン3世と親しく書簡を交換したほか、ローマ法王にも書簡を送っていたという。ちなみに、伊達政宗の家来である支倉《はせくら》常長がローマへ向かったのは１６１３年のことである。

私は知らなかった。いや、そもそも、コンゴ民主共和国の国土がヨーロッパの大半を覆うほどに大きなものであることも知らないでいた。うかつであった。

インドの面積についてならば、実はそれがヨーロッパ全体に匹敵するほどの大きさだと知っていた。メルカトル図法の与える錯覚にもかかわらず、その程度の知識は持っていたのである。インドは約３２９万平方キロメートルである。メルカトル図法で世界を眺めると、グリーンランドの巨大さに辟易する。現実にはもちろん世界最大の島（約２１７万平方キロメートル）ではあっても、インドの３分の２程度でしかない。

コンゴ民主共和国は「イギリス、フランス、ドイツ、イタリア、スペイン、ポーランド、アイルランド、デンマークを合わせた面積に匹敵する」のである（18頁）。面積２３４・５万平方キロメートル。グリーンランドよりも大きい。「宇宙から見た地球」という写真を見れば一目瞭然である。そもそもロンドンからケープタウンまで飛行機で11時間40分であり、同じロンドンから東京は11時間だという（16〜17頁）。

「船に大砲を積むという発想を持ったポルトガル人たちの攻撃と略奪によって、多くの都市や王国が滅んだ。その後に、スペイン、フランス、イギリスが続き、16世紀末からはオランダ、デンマーク、スウェーデン、プロイセンが続いたのである」（24頁）。王族であると庶民であるとを問わず、奴隷に売られてしまったのである。中国、明代の武将である鄭和《ていわ》は、15世紀前半に、ポルトガル人の船の5倍の大きさをもつ船で航海した。しかし、後に続く者がいなかった。

奴隷貿易のアフリカ側での目的は何であったか。鉄砲と火薬である。「ポルトガル人は金や象牙では鉄砲を売らずに、ブラジルの開拓やプランテーションに必要な奴隷を持って来させる」（88頁）。奴隷に売られないためには奴隷を売るしかないという状況があった。

4世紀にわたる奴隷貿易ではこんなこともあった。1781年、奴隷を積んだ船で多くの奴隷が病気になった。しかし「積み荷として奴隷に掛けられていた保険金」は支払われない。なぜなら自然死には支払われないからである。船長は、飲み水が尽きかけたので健康な奴隷を救うために仕方なしに病気の奴隷を海に捨てたことにした。保険会社が支払いを拒否し、裁判になったとき、裁判長は「馬が船外に放り出された案件と同じ」と言った。荷主側の弁護士は、「これはモノ（goods）の案件なのである」と言い放った（84頁）。

以前、私は「モーツアルトが偉大なのは、イギリスの軍艦と大砲に関係があるのではないだろうか？」と書いたことがある（拙著『「雇用」が日本を強くする』幻冬舎、２０１３　48頁）。モーツアルトは私の好きな音楽家である。今も変わらない。だが、アフリカにも偉大な音楽家はいたに違いないと改めて想像する。

８世紀から13世紀のアッバース朝についてこんな記載もある。「イスラム教の地域では…シャーリア法による法の支配、すなわち為政者の恣意によらず是非が決まる世界があった」（１０８頁）。ここを読んだとき、私は私の「法の支配」がほとんど「西洋」によって組み立てられていることを思い知らされた。確かに、「為政者の恣意によらず是非が決まる」ことは、私の法の支配の概念に一致する。しかし、それはイスラムにもあったのである。

シャーリアについてまったく知らないではなかった。しかし、１４００年頃には年間1万２０００頭のラクダがサハラ砂漠を越え、それが六つのルートの一つに過ぎず、しかもそのサハラ越えの交易での最大の輸入品が書籍であったと聞くと、感慨を禁じ得ない（54頁）。スペインがイスラムの支配下にあった頃、コルドバにヨーロッパからたくさんの留学生が来ていたことを思い出す（伊東俊太郎『十二世紀ルネサンス』講談社、２００６　24頁）。

明治維新から１５０年。先達はたくさんの努力をしたに違いない。であればこそ、今の日本はある。西洋を手本として一心に勉強を重ねた。誇りに思う。しかし、「その土地に住んでいる人は誰も出席していない会議で、アフリカの海岸線を抑えている白人の国はその奥地まで垂直に線を引いて勢力圏とすると合意した」(39頁)。ビスマルクが開いた1884年から1885年にかけてのベルリン会議のことである。日本では明治17年から18年である。森鷗外がドイツにいたときである。もちろん日本はベルリン会議に出席していない。オスマン帝国は出席している。国力は経済力であるばかりでなく、一面は軍事力であるとつくづくと思わざるを得ない。

ネットでは出会えぬ大銀杏と恩師の面影

「ローヤー進化論」『BUSINESS LAW JOURNAL』2018年8月号

土曜日、午前中に仕事がない日には昼ご飯を兼ねて散歩に出ることが多い。もちろん土曜日には事務所は開いていない。

私の父は、土曜日は半ドンだった。私自身も、検事になったときには土曜日に出勤していた。やはり半ドンである。それが、外国人の名前のついた法律事務所に入ってから土日を休むようになったのである。もっとも、私は弁護士として遅れていると感じていたので、土曜日を平日のように働く日と独りで決めていたものだった。

そんな土曜日の午前、雑司ヶ谷霊園に行った。

実のところ東京の各所を歩き尽くしていて、さて今日はどこへと思ったとき、新聞に雑司ヶ谷墓地の緑がきれいだとあったのが頭に浮かんだのである。

そこで、出かける前に夏目漱石の『こころ』を取り出し、あの一節を探した。

「墓地の区切り目に、大きな銀杏が一本空を隠すように立っていた。その下へ来た時、先生は高い梢を見上げて『もう少しすると、綺麗ですよ。この木がすっかり黄葉して、ここいらの地面は金色の落葉で埋まるようになります』といった」

その大きな銀杏を眺めてみたいものだと思い立ったのである。

雑司ヶ谷の墓地には行ったことがなかった。それで私はタクシーを呼び停めた。運転手に雑司ヶ谷霊園へと告げると、なんと彼は未だ運転業開始10日目で、それがどこにあるか分からないと言う。車は走り出していたから降りるわけにもいかず、とにかく高速に上がって護国寺で降りてくださいと頼んだ。

なに、出がけに地図も見てきたし、スマホもある。有名な大霊園なのだ、近くへ行けば自ずと分かるだろうくらいに、過去の散歩の経験から気軽に考えていたのである。

ところが、護国寺で高速を出て左へ曲がってもらったものの、その先が分からない。スマホで見てみるのだが、どこをどう行ったらよいのか見当がつかない。

私はその辺りの入り組んだ道を愉しむことにし、車を降りた。

小さな道を何度曲がったことか。通りかかった老人に尋ねると、最近引っ越して来たという。そういえば老人用の施設の扉から出てこられたところだった。

霊園の事務所で、青山霊園にも置いてあった墓地マップをもらう。どこに誰の墓があると書いてある紙だ。

私には永井荷風のような掃苔《そうたい》趣味はない。まだまだ現在を生きることに忙しい。その荷風の墓が雑司ヶ谷にあるとは知らなかった。墓を眺めてもさしたる感慨もない。荷風は活字の中にいるのであって、墓にいるわけではない。漱石の墓もあった。夏目と墓石に刻まれていた。立派な墓だった。近くには東條英機の墓もあった。黒い小石を墓石の土台に貼った、少し変わった墓だった。

肝心の若葉の緑は、あったが、期待と大いに違った。青山霊園を見慣れた目には雑司ヶ谷霊園は鬱蒼とし過ぎているのである。空と樹々の配分割合とでもいうことになるのだろうか。単なる慣れに過ぎない気もする。とにかく、なんとも緑に覆い尽くされているなと感じたのである。

あの銀杏はどことも知れなかった。私は計算してみた。漱石が『こころ』を書いたのが、第一次世界大戦が始まった頃のことだから、100年になっている。もう人間の時間ではなく樹木の時間である。そのときに欝蒼としていたのだから、どうなってしまったか。

霊園を出て街の中を歩いていると、「旧宣教師館通り」という看板が目に留まったので足を向ける。白を基調に柱などが緑色に塗られた洋館が忽然と姿を現した。時代がかった外観に心惹かれる。中に入ってみると、テネシー州生まれのキリスト教の宣教師、ジョン・M・マッケーレブという方が、1907年から1941年まで住んでいたのだと案内があった。1892年に夫人と共に31歳で来日したのだという。古びた木の床に長い年月の経ったことがしのばれた。太平洋を二度渡ったという鉄のベッドもあった。

2階から下を眺める。緑溢れる庭が広がる。どんな思いで異国の日々を過ごしたのかを遥かに思いやる。もう80歳になっていたのに日本を離れたのは、きっと戦争のせいだったのだろう。そういえば私はそのとき『内村鑑三　悲しみの使徒』（若松英輔、岩波書店、2018）を読み進めていたのだった。二人のキリスト者の人生は東京で重なっていた。

きっと豊かな宣教師の派遣元が所有しているから館が今に残っているのだろうと思いながら後にしたが、ネットで調べてみれば豊島区が保存のために買い取ったのだという。

自宅に戻った私は、深夜、同じように太平洋を渡って来日し、長い間日本に滞在し、そして離日したリチャード・W・ラビノウィッツ氏のことを思い出し、来日はいつだったのかを知ろうと思ってネットで探してみた。私の指導者であり、当時日本で最大手の法律事務所の主宰者として君臨していた。しかし、結果はなんとも愕然とするものだった。ほとんど彼個人の事績は出てこないのである。私は『ラビノウィッツ山脈』という本を書くことを夢見たことすらあったのだ。私はネットの世界について思い知らされた気がした。現代を支配するメディアは現在を支配する情報にしか興味がないのである。

その後私は、『誰もが嘘をついている』（セス・スティーヴンズ＝ダヴィドウィッツ、光文社、２０１８）を読み始めて、グーグルの検索履歴を使って人々の心の中が探られていると知った。要するに、「伝統的な情報源では現れない闇や憎悪が、人々の検索行動には顕著に現れていた」のである。例えば、人種差別的検索と共和党候補予備選挙におけるドナルド・トランプ支持率を州ごとに示す二つの地図の重なりは雄弁の一言に尽きる（同書27頁）。トランプの勝利は約束されていたのである。

私はネットが匿名であればこそ、こうした結果が自ずとついてくるのだと考え、人類の隠された心理がビッグデータでこれからどれほど解明されるのかについて、興奮を禁じ得なかった。法しか頼るものがない近未来。だが、その新世界で法はこれまで同様の役割を果たしていけるのだろうか。

★歴史の「なぜ」を問い、この国の行方に思いを凝らす

「ローヤー進化論」『BUSINESS LAW JOURNAL』2018年9月号

日大のアメフト事件が発生した直後、私はあるメディアから急ぎの取材を受けた。いつもながら率直に、私には外見からすると刑事事件、つまり犯罪のように見える。だから、ルール違反だとか反則という言葉の持つ弱いニュアンスはふさわしくないのではないかとお話しした。さらに、起きた事柄の性質から、組織としての大学のガバナンス問題が問われることになると思うとも申し上げた。

その後、関西学院大学を卒業された親しい方からアメリカンフットボールのルールを教えていただく機会があって、私のコメントは間違っていなかったのだと改めて感じた。

コーポレートガバナンスについて考えることが多いせいか、関係のないことを見聞きしても、思いがそこへ行き着くことがしばしばある。

先日も『未完の西郷隆盛』（先崎彰容、新潮社、2017）という本を読んでいて、明治維新の時、司法卿、江藤新平が「誤訳も妨げず、ただ速訳せよ」と命じたという有名な言葉を思い出した。

コーポレートガバナンスに関する目を見張るような速度での世の中の進展に、皮肉な感想を抱いたのである。同時に上村達男先生の「任意の指名・報酬委員会設計の視点とは何か」（資料版商事法務395号 23頁）という論文にある「あくまで会社法の基本設計をめぐる議論から検討する」というご見解に接していたせいかもしれない。上村先生のご趣旨には、いつもながら大いに同感させられていたからである。

歴史は勝者が書くという。後世にとって勝者とは、初めから勝つべく定められていた者としか思えない所以なのだろうと思っている。事実を探れば、実は明治維新を初めとした多くの歴史は、勝敗は紙一重だった瞬間の積み重なりなのだと分かることも多いのである。

長い間私は、第二次世界大戦でなぜ日本がパールハーバーに先制攻撃をかけたのかが不思議でならなかった。そうではないか。戦争は、当否はさて置くとして、中国大陸でしていたのである。大軍を張り付けている状況でもあった。もちろん米国が蔣介石を援助していたという事実はあった。

だが、素人の単純な疑問として、いったいパールハーバー攻撃で成功したとして、その後どうするつもりだったのだろう、と感じないではいられなかったのである。その向こう側、米国大陸を攻撃する力が日本側にあったとは到底思えないからである。その思いは今でも変わらない。山本五十六は何を考えていたのだろう、と。ルーズベルトの陰謀であろうとなかろうと、攻める側にはその先の見通しが何かあったはずである。

無謀な戦争に突っ込んだだけ、愚かな軍人が国を誤っただけ、という見方がすべてとは思えない。結果はそのとおりになった。負ける戦争はしてはならないのである。だが、戦う前から勝つに決まっている戦争だけをしてきたのが人類の歴史ではないことも明らかである。そもそも戦争をすること自体が愚か極まりないという見方に賛成してもいる。

しかし、と思うのである。私の祖父母の世代の人々がリードし、父母の世代が前線で戦い、空襲に逃げ惑った戦争である。私には、「なぜ?」といまさらながら気にかける理由が大いにある。

「秋丸機関」という調査機関があった話は、『近衛文磨　野望と挫折』（林千勝、ワック、2017）で読んだ。「秋丸機関」については『経済学者たちの日米開戦』（牧野邦昭、新潮社、2018）という本もある。

その「秋丸機関」が出したという結論は、今の世の常識と異なっている。

英国の東南アジア植民地を目標とし、シンガポールから英領マラヤ植民地、次いでビルマに向かい、さらにインドを目指す。そうなれば、欧州戦線の状況次第では、英国は戦争を継続する能力を失うだろう。そうなるまでの時間次第では、米国の対英協力も限界になるに違いない。

そうなるまでの時間とは、米国の世論、対日戦争などするつもりのない米国の多くの人々の意向がどうなるかによって決まる。

それなのに、よりにもよってパールハーバーである。もちろん不意打ちになってしまったことは山本五十六の計算外のことなのだろう。しかし、対日世論は沸騰し、日本と開戦したのである。

こんなことを述べるのは、過去の歴史を探ることに興味を持っているからである。だが、歴史は現在から過去へ投げかけた光の中に浮かび上がる像である。どこへどんな光を投げかけるかによって像は変わる。象についてのたとえのとおりである。目で見ることがなければ、柱のようだと思う。尾を触って綱のようだと答え、鼻を触れば木の枝のようだと言い、耳を触れば扇のようだとなり、腹を触った人は壁のようだと言う。牙を触ればパイプのようだとなり、それぞれの象は異なったものになる。

目の前に北朝鮮の問題がある。戦争の脅威である。日本が戦った過去の戦争に光を投げかける理由は大いにあるだろう。

現に韓国の人々は、我々とまったく異なった見解のようだ。米国から見れば違う北朝鮮像がある。ではヨーロッパにとっては？　アフリカにとっては？

我々にとっては、何よりもまず拉致問題があると私は思っている。国家が国民のために何をしなければならないのかという問題である。大衆の一人に過ぎない大半の人々にとっては自分のことである。かつてイスラエルは、ミュンヘン・オリンピックのときにイスラエルの選手たちを殺したテロリストを長い年月をかけて探し出し、次々と「処刑」していった。あの国は、ウガンダのエンテベ空港でのハイジャック事件のときには、特殊部隊まで他国へ送り込んで自国民を救助した。

日本には平和日本のやり方があるはずである。

もちろん核の問題は決定的に重要である。

この国はどうするのか。リーダーはどこへ我々を連れて行くのか。

私は自らと家族、友人たちの運命に無関心でいることはできない。

経済史が映し出す米中貿易戦争の内実

「ローヤー進化論」『BUSINESS LAW JOURNAL』２０１８年10月号

トランプ大統領が世界を相手に貿易戦争を始めた。トランプ氏と言ってトランプ大統領と呼ばない向きもあるが、それは、これが米国の国策ではなく、トランプ氏のおかしな思い付きに過ぎないと考えたいからだろう。

もちろんそれは間違っている。米国が動き始めたのである。

中国との関税競争に、日本人は1985年のプラザ合意を思い起こす。あのときドルは数年で240円から120円台に切り下げられ、日本はバブル経済に踊ることになった。それは今に尾を引いている。日本はバブルの後、失われた25年を経験しつつあるからである。

世界では、大恐慌後の保護貿易主義が第二次世界大戦を準備したといわれている。だからトランプ氏を今止めなければならない、ということになる。

私は改めてグローバル経済を思う。

「国際分業が深化し、経済が相互依存的であることは、決して平和の絶対的条件ではない」。小野塚知二氏の『経済史 いまを知り、未来を生きるために』（有斐閣、2018）の一節（452頁。以下、断りのない引用頁はすべて同書から）である。この598頁に及ぶ浩瀚な本をゴールデンウィークの初めに読んだ。夢中になって読んだ。例のごとく、目次によって、中ほどの商業革命から読み始め、重商主義、そして産業革命、第一のグローバル経済、第二のグローバル化の時代と進み、そこから冒頭に戻った。「はじめに」を後になって読み、「近現代の二世紀あまりの中で、この四半世紀の日本のように成長しなかった経済は非常に稀です」という一文に出逢った（ii頁）。

私は、私の年来の疑問である失われた25年についての説得力ある回答があるのではないかと期待して、読み終わった頁を参照しながら序章から読み始めた。

答えは、端的なものとしては与えられなかった。しかし私は、私の求めていたものが経済学ではなく経済史の中にあるのではないかという積極的疑問を持つに至った。まことに、「本書の魅力の一つは、特急列車に乗って現代という目的地に向かうのではなく、鈍行列車で各駅停車しながら、歴史を旅するところにある」（朝日新聞２０１８年４月７日付け朝刊、間宮陽介氏の書評）。また、「古典力学が無限の時空間を前提としていたように、経済理論も無限の時空間という非常に素朴な前提をおいて、無限の時空間における市場経済や資本主義の普遍的な論理の解明に全精力を傾注します」（４頁）。しかし、「市場経済や資本主義自体が時の流れの中で生成し、変容する現象ですから、歴史を完全に捨象してしまうなら、経済学は非常に脆弱な学問になります」（この文章のうち「歴史を」以下の部分は、日本経済新聞２０１８年４月28日付け朝刊のコラム「活字の海で」において前田裕之編集委員が引用するところである）。

私は、「歴史とは、現在知り得る過去の事実から取捨選択して、現在の人が関心を持ち、現在の人に役に立つ物語を叙述する行為です」という著者の考え、したがって「歴史は、過去にではなく、現在に属しています」（９頁）という思いに満腔の賛意を表したい。

では、「史料に記載されず、また歴史家に叙述されていない事実の存在」（11頁）は否定されるのだろうか？

この問いへの答えは、証拠のない判決はあり得ない、という法律家にとってはごく当然の結論となるだろう。そんなものは「実証」できないからである。

それでも、再審の請求はあり得る。そのときに新しく出てきた証拠は、過去に存在していたのだろうか、それとも存在していなかったのだろうか？　DNAに基づく鑑定は、資料が過去にあったという意味では存在していたといえるだろう。だが、それを読み解くすべがなかったという意味では、存在していなかったともいえる。

いずれにしても、トランプ大統領の最近の動きに、私は、E・E・ウィリアムズという人が1896年に書いた『ドイツ製』というパンフレットをきっかけに「ドイツの不公正貿易によって、イギリスが当然享受すべき利益が損なわれているとの認識が徐々に強まった」という記述（444頁）を思い出したのである。私がこの本を読んだときには、トランプ大統領による貿易戦争は未だ存在していなかった。

「全体として世界経済も自国経済も繁栄傾向にあるのに、なぜ、自分の業種・地域は苦難を味わなければならないのか、という問い」（440頁）は第一次世界大戦の前の第一次グローバル経済についての解説だが、まるでトランプ大統領の誕生について述べたかの如くである。

さらに著者は、「繁栄の中の苦難」について、「もう一つ別の、大変お手軽な解釈がありました」としてナショナリズムを挙げ、「自国が当然享受すべき富や利益を損なう敵が外側に存在するという被害者意識と、そうした外敵に内通する裏切り者が国内で妄動しているという猜疑心との複合した心理」を指摘する。

第一次世界大戦前のドイツとイギリスについての解説は、現在進行形の米中関係について述べたかの如くである。

つい最近、あるパーティの席で私は、ワイン片手の著名な碩学《せきがく》の方に「米中の貿易戦争はどこへ行きつくのでしょうか?」とお尋ねした。すると、「貿易戦争なんかじゃないよ、あれは安全保障の問題なんだよ」というお答えが返ってきた。

私はなおも、「ではどうなるのですか?」と問いを重ねた。今度は少し間があって、「どちらも譲れないからねえ」と言われた。「戦争になりますか?」という私のさらなる問いには、「それはない。アメリカと戦争はできない」という明快なお答えだった。「では、中国が譲るしかないのですか?」という次の問いかけには、「どちらも負けるわけにはいかないからね」というお言葉だった。

それは、パーティでのやり取りの域を超えていたかもしれない。中国についての分析で知られた方だから、簡単な回答などなかったのだろう。物事には簡明な決着が与えられるものと結論しがちな実務の法律家には立ち入ることのできない世界なのだろうと、後になって大いに反省した次第である。

未だ書かれていない世界史

「ローヤー進化論」『BUSINESS LAW JOURNAL』2018年11月号

高校時代に世界史を習っていたときのことである。ゲルマン民族の大移動にも苦労したが、先生に質問してみてもどうにも隔靴《かっか》掻痒《そうよう》の分野が一つあった。中央アジアである。中国からは匈奴と呼ばれていた人々である。中国史に時々登場する。いつもそこにいたはずである。その人たちはいったいどういう人々だったのかという疑問が解消されなかったのである。

岡本隆司氏の『世界史序説―アジア史から一望する』（筑摩書房、2018）を読んで、謎が解けた気がした。

日本から中国を通じて向こう側を見ていたから分からなかったのである。

実は、誤りのもとは中国中心の東アジア史しか知らず、それが東ユーラシア史ととらえるべきものだと知らなかったことにある。東ユーラシアとは「西方・遊牧とのつながりをより意識した表現で、地理的には東アジアと中央アジアを合わせた範囲とみればよい」。

例えば唐である。7世紀の遣唐使の時代、唐は「ちっぽけな日本からすれば、外国・世界そのものである」。しかし、当時、「さらに先進的な『イラン文化』の流入と武力に勝る遊牧世界の動向が、唐の政権・体制を規定した」というのだ（93頁）。

遊牧民族は、馬が軍事の中心であったつい最近まで、定住の農耕民に対して圧倒的な軍事力を有していた。「人口の多い農耕民が軍事力を編成した場合、兵数・物量や構築物で優越するから、個別の戦場・戦術で、騎馬軍団に勝ることは可能であろう」。しかし「総合的には、騎馬軍団・遊牧世界の優位は動かなかった。…その転換は火器・動力を発明、利用した16世紀の軍事革命まで待たねばならない」（49頁）。

そう見れば、中国史は豊かな農耕民とそれに勝る軍事力を有する遊牧民族との闘争史、それも騎馬民族が圧倒的に優勢な歴史になる。

岡本氏の掲げる「唐と突厥《とっけつ》」という図は、インドのヴァルダナ朝だけでなくウマイヤ朝をも含む。こちらはイスラムである。イスラムは「オリエントの広汎な範囲で受け入れられ」ていた（84頁）。その西向こうに東ローマ帝国があったが、地中海のさらに向こう側、スペインもイスラムである。フランク王国とイスラムのウマイヤ朝が戦ったのが有名なトゥール＝ポワティエ間の戦いであり、732年のことである。

もともと「ギリシア・ローマもオリエントの外延拡大の産物」であり、ローマ帝国を含む「いわゆる地中海文明とは、オリエントの一部たるシリアの拡大、つまりオリエントの一部としてとらえるのが正当である」（96頁）と読み進むと、頭の中で歴史が大きく揺れ動く。

したがって、「地中海文明・ローマ文明をヨーロッパの祖先ととらえるのも、誤解である」。そうした誤解が「ヨーロッパ人のアイデンティティとなり、以後の歴史を動かし、現代世界の礎になっている事実は、当時の客観的な史実とは別に認めなくてはならない」（56頁）としても、である。

そうした動きの集大成が、チンギス・カンによるモンゴル帝国である。それはモンゴル・トルコの軍事力とトルコ・イランの経済力との結合であった。元《げん》はその一部に過ぎない。ここでも「そもそも軍事力では、遊牧勢力のほうが圧倒的な優位」に立つものの、「人口に勝り、経済力を有するのは、定住社会の方だった」という基本は変わらない。モンゴル帝国によって「これまで東西に棲み分けていた経済圏が一つの政権のもとに統合し、ユーラシアの最大幹線たるシルクロードも貫通した」のである（147頁）。そこには仲間、パートナー、組合を意味する「オルトク」という共同出資の企業形態を指す言葉もあったという（152頁）。

そのモンゴル帝国に発した世界図は、「10世紀以来、温暖になっていた気候が、この時（14世紀も後半）再び寒冷化に転じたことをきっかけに崩壊、瓦解していった」（160頁）。

では、ヨーロッパはいつヨーロッパになったのか？

民族の大移動は、3世紀以降の地球寒冷化の結果である（193頁）。10世紀にはその「長い寒冷化が終わりを告げ、温暖な気候に転じていた」（194頁）。

ヨーロッパでは、温暖化による生産力の回復がルネッサンスにつながる。

しかし、スペイン・ポルトガルの繁栄は未だヨーロッパを誕生させない。

ヨーロッパはオランダから始まったのである。西欧・北欧の豊富な森林資源が造船を可能にし、従前のイタリアによるアジアとの中継貿易を押しのけたオランダが「直接にアジアと結びついた」（211頁）からである。

だが、オランダはイギリスに取って代わられる。法の支配と議会制を持っており、「君も民も縛る法」を持つ強みである（222頁）。イギリスでは国債が生まれ銀行が発展する、そして信用制度が確立する。民間の株式会社も生まれる。不可欠だったものは、「政府権力のコントロール、つまり背任に対する制裁が実行できる『法の支配』」であった（223頁）。

やがてその信用制度が可能にした膨大な資本をもとに産業革命に至る。インドからの木綿輸入の代替が機械制工業の大量生産を生み出したのである（227頁）。さらには工業木綿の輸出を求めてインドを軍事的に征服する。インドに対し、「経済条件を『経済外的』強制で改めて、イギリス工業製品の市場」にした。もちろん産業革命こそが軍事革命を準備したのである。

もう我々の知っている世界に近い。「イギリスを嚆矢《こうし》とする法治国家というシステムをつくりあげた西欧にしか出現しえなかった」近代世界経済の誕生である。進歩・発展という考えの誕生でもある。

では日本は？

18世紀に、中国から輸入していた生糸・茶・木綿・砂糖の国内生産化で国内市場をつくりあげた。ちょうど西欧と同時期である。そこに明治維新の成功の源を岡本氏は見る（258頁）。「日本史の経験は、東西のアジア史と決して同じではなかった」（259頁）。それを知らなければ、正しい東アジア史理解はできないと警告する。

★イギリスの自国観に一理を認める

「ローヤー進化論」『BUSINESS LAW JOURNAL』2018年12月号

イギリスがコーポレートガバナンス・コードを改定したと報道された（日本経済新聞2018年8月23日付け朝刊）。大きな見出しが「英、企業統治『従業員重視』に」と躍っている。もちろん、「日本での将来の改定論議にも影響」とある。発祥の地たるイギリスでの見直しだからである。なんと「従業員から取締役を選ぶ」ことが選択肢の一つとして規定されているのである。

分かっていたことである。ブレグジットからイギリス政府は学んだのである。格差への労働者の不満がEU離脱の原因になったと考えたがゆえに、労働者の権利を重視し、既に2017年11月の段階で、企業統治の改革方針に盛り込んでいたのだという。

私は、日本で民主党が政権を取った際、労働者代表の社外取締役を義務付けるという議論があったことを思い出した。あのときには、さしたる進展もなく、いつの間にか立ち消えになってしまったのだった。

日本のコーポレートガバナンス・コードはステークホルダーを中心とするがゆえに、イギリスで従業員重視の動きと聞いても、さしたる驚きはない。ただ、日本での新しい議論の「お墨付き」ができたことになるのか、という程度である。

その2週間ほど前の同紙には、「日本は米国型の株主重視モデルまねるな」というS・ヴォーゲル教授（カリフォルニア大学バークレー校）の論考もあった（2018年8月10日付け朝刊）。「米国型の株主重視の経営モデルが当の米国で失敗に終わったのに」、日本の政府と産業界がそのモデルを取り入れようとしているとの警告である。同教授は「労働者などのステークホルダーを代表する社外取締役を置く」ことを提言してもいる。

海の彼方、イギリスの動きが伝えられたとき、私は『大英帝国の歴史（上・下）』（ニーアル・ファーガソン、中央公論新社、2018〈原著2003〉）を読んでいた。

著者はイギリス人で、2004年にはタイム誌により「世界で最も影響力のある100人」に選ばれた方とある。著書の『憎悪の世紀』『マネーの進化史』は私も読みかじった記憶がある。

『大英帝国の歴史』は「イギリス帝国は、その歴史の大部分において……自由市場、法の支配、投資家保護、比較的腐敗していない政府を、世界のおよそ四分の一の場所に押し付けるアクターとして機能していた」と始まる。つまり「帝国は、良いものだったのだ」（上巻24頁）。「世界政府にもっとも近い存在であった」（上巻31頁）

次にチャーチルの引用が来る。

「文明の進んだ社会が行う事業で、肥えた土地と多数の人口を未開から救い出すこと以上に崇高で有益な行いなど存在するだろうか？」

「しかしながら、気高い志の理想郷から目を離し、足元の見苦しい企てや手柄を見つめると、これに反する思いが、多く浮かび上がってくる。悪い面に目を向けてみるならば、薄汚れた者たちによって正しい行いがなされる、と信じることは、なかなか難しいものとなってくる」。決して手放しの自賛ではない（上巻33頁）。

ファーガソン自身は、「イギリス帝国に瑕疵《かし》があったかどうかということではないのだ。瑕疵がなかったはずはない。問われるべきは、近代への歩みのなかで、流血を少なくするような道が他にあり得たであろうか、ということなのである」として、結論を読者に委ねる（上巻34頁）。

だが、読み進む者は、例えば、アメリカが独立してから二、三〇年も経たないうちにイギリスが、まず奴隷貿易を禁止し、次いで奴隷制そのものを廃止したことを教えられる。あの『英語辞典』の編纂で有名なジョンソン博士が「自由を一番うるさく叫んでいる連中が、黒人たちをこき使っている連中だというのは、どうしたことであろうか?」と辛辣に述べたことも読む（上巻179頁）。

あるいは、奴隷制を廃止して「情熱的に回心」したイギリス人は、それまで「イギリスの商品、イギリスの資本、イギリスの人々を送り出して来た」が、「イギリスの文化を輸出しようという大志を持つようになったのだ。…未開の異教徒の魂を救おうという大志を持つようになったのだ」（上巻206頁）と説く。「イギリス帝国における道徳心の変容」（上巻202頁）である。

なんともイギリス人にとって好都合なイギリス中心史観である。少なくとも日本人である私はそう感じてしまう。

しかし、著者はスコットランド出身のイギリス人である。スコットランドからは、イギリス国内での人口比率を超えた人々が植民地であったインドに出稼ぎに行っていたのである。こうした発想こそ実は健全なのかもしれないという考えも、私の心には浮かんでくる。サッチャーが「私たちヨーロッパ人は植民地化の事業について何も謝る必要はない」と言い放ったことも思い出す（平川祐弘「昭和天皇とヴィクトリア女王」『WiLL』2015年10月号　282頁）。

シンガポールが日本軍によって陥落させられたときにも「相手がアジア人であるということが、最大の屈辱であった」と触れる（下巻185頁）。第二次世界大戦について「イギリス帝国に代わり得るドイツ帝国と日本帝国が、イギリス帝国よりも、はるかに悪い帝国だったので、これらの帝国と、刺し違えたのだ」と述べる件は、F・ルーズベルトの参戦の真意がイギリス壊滅にあったという話につながるところである。

だが、著者は、インド綿の輸入を高い関税で防いでいたイギリスが、対抗できる技術を自ら持つようになると「今度は自由貿易を要求し…イギリスの技術力とインドの安い労働力を組み合わせた」（上巻321頁）事実に触れる。そこで独立したてのアメリカが自由貿易に屈することなく「生まれたての産業を、高い関税障壁によって保護していた」（上巻352頁）事実を挙げてもいる。

俗に、理屈と膏薬はどこへでも付くという。しかし、真実はそうではない。理屈が付くことは大事なことなのである。現に、イギリスが押し付けたものであろうがなかろうが、「法の支配」は、今、我々の一部である。

イギリス人の自国観には、それなりに見習うべき部分があるというべきなのではないだろうか。

データが奪うもの、データには奪えないもの

「ローヤー進化論」『BUSINESS LAW JOURNAL』2019年1月号

「キリンもトマトも人間もたんに異なるデータ処理の方法に過ぎない」という命題に私は驚いた。「これが現在の科学界の定説であり、それが私たちの世界を一変させつつあることは知っておくべきだ」と言われれば、そんなものかと思う。

『ホモ・デウス』（ユヴァル・ノア・ハラリ、河出書房新社、2018）のこの部分は、強く私の記憶に残った（下巻210頁）。私はこの上・下2冊の本を下巻から読み始めたのである。

いつものように目次を繰って、面白そうなところを探し、「どの自己が私なのか？」という節に目を留め、そこから読み始めた。

「科学は、自由意志があるという自由主義の信念を崩すだけではなく、個人主義の信念も揺るがせる」（下巻114頁）、「自由主義者たちは、わたしたちには単一の、分割不可能な自己があると信じている。個人であるとは、分けられない、ということだ」（下巻114頁）。

体の細胞は毎日入れ替わる。しかし、変わらない自分があると信じていない人はいないだろう。

以前、拙著『日本よ、いったい何を怖れているのか』（幻冬舎、２０１２）に、「夜の間の意識の断絶にもかかわらず、寝る前の自分と起きた自分が同じであるという確認は…寝る前に目に映った室内光景と起きた時の室内光景が同じであるからによる」という説を読んだ（『フジモリ式建築入門』藤森照信、筑摩書房、２０１１ 14頁）と書いたことがある。

変化はするが、それは変わっていないという自分を意識しながらのことである。

「21世紀のテクノロジーのおかげで、外部のアルゴリズムが人間の内部に侵入し、わたしよりも私自身についてはるかによく知ることが可能になるかもしれない」

「私のことを私以上に知っていて、私より犯すミスの数が少ないアルゴリズムがあれば十分だ」

「医学に関するかぎり、私たちはすでにそうしている」。例えば、糖尿病患者は自動的に血糖値を調べてくれるセンサーに頼る。血圧も心拍数も同じである（下巻１６３頁）。

その向こうは、「音楽学から経済学、果ては生物学に至るまで、科学のあらゆる学問領域を統一する、単一の包括的な理論だ。データ至上主義によると、ベートーヴェンの交響曲第五番と株価とインフルエンザウイルスは三つとも、同じ基本概念を使って分析できるデータフローのパターンにすぎない」（下巻２１０頁）という世界だ。

だから、冒頭の、キリンとトマトと人間の話になる。

これは現代文明に対する重大な問題提起である。なぜなら、「ある人がなぜナイフを抜いて別の人を刺し殺したのか」という問いに、「そうすることを選んだからだという答えは通用しない」ことになるからである。

代わりに、遺伝学者や脳科学者は、もっとずっと詳しいことを答える。「その人がそうしたのは、脳内のこれこれの電気化学的プロセスのせいであり、それらのプロセスは特定の遺伝的素質によって決まり、その素質自体は太古の進化圧と偶然の変異の組み合わせを反映している」

「殺人につながる脳の電気化学的プロセスは、決定論的か、ランダムか、その組み合わせのいずれかだ。…どの選択肢にも、自由意志の入り込む余地はない」（下巻104頁）

つまり、行動に法的責任を負わせることはできないのである。

下巻の途中から読み始め、下巻を読んでしまった私は、次に、上巻の1頁を開いた。

「飢饉と疫病と戦争」が人間にとってこれまでの大問題だったとある。

「この世の終わりまで私たちがそれらから解放されることはないだろうと結論した」（上巻9頁）

だが、それらは解決されてしまう。3000年紀（西暦2001〜3000年）の夜明けという設定での話だから、未だいつのことか定かではない。しかし、定かではないのは数百年後のことばかりではない。明日の株価もまた定かではない。

何はともあれ、人類はいずれ「火事のない世界の消防士」になる（上巻10頁）。

そのとき消防士は何を求めるのか。

「不死と幸福と神性」である（上巻32頁）。

「人間はいつも、何らかの技術的な不具合のせいで死ぬ。…どの技術にも技術的な解決策がある。…医師は、『人はどのみち、何かで死ぬものです』などとは決して言わない」（上巻35頁）

「人間は至福と不死を追い求めることで、じつは自らを神にアップグレードしようとしている」。ホモ・デウス、超人の誕生である。

その方法は、生物工学、サイボーグ工学、非有機的な生き物を生み出す工学の三つだ（上巻59頁）。

遺伝子コードの書き換え、無数のナノロボットと一体化した体を思い浮かべれば、初めの二つは何となく想像できる。

しかし、三つ目は分からない。「人間の心と欲望が変容させられるため、現在のような心と欲望を持っている人々には、そうした変容の意味合いは当然ながら突き止めえないからだ」。聖書に、孔子に、自分を見つけることのできた人間というものはいなくなってしまった世界なのだ（上巻63頁）。

印象的な一節がある。

「私たちは突然、いわゆる『下等な生き物』の運命に、今までにない関心を見せている。…私た

ち自身が『下等な生き物』の仲間入りをしそうだからかもしれない」(上巻126頁)
「犬の飼い主のほとんどは、犬は心を持たない自動機械などではないと確信している」(上巻153頁)
つまるところ「グーグルとフェイスブックのアルゴリズムは、あなたがどのように感じているかを知っているだけでなく、あなたに関して、あなたには思いもよらない他の無数の事柄も知っている。したがって、あなたは自分の感情に耳を傾けるのを止めて、代わりにこうした外部のアルゴリズムに耳を傾けるべきだ」(下巻239頁)。
それが現代なのかもしれない。しかし、私はつぶやく、それでも私が未来を選ぶ、と。

虚構に秘めた作家のたくらみ

「ローヤー進化論」『BUSINESS LAW JOURNAL』2019年2月号

むかし男ありけり。

生まれてから32歳になるまで東京に住んでおり、遠い京都に相思相愛で結婚を約束した女性がいたのだが、その女性をおいて1951年にフランスへ留学した。女は夫を早くに亡くして、小さな子どもと二人で暮らしていた。その頃に男と出逢ったのである。

男は1952年、イタリアでオーストリア人の女性、男よりも14歳若い女性に出逢い、結婚を約束し、1955年、日本に戻るや、京都の女性に別れを告げ、来日したオーストリア人の女性と一緒になった。

似たようなことは、事の当否は別として、この世の中で稀有なことではないだろう。もちろんその京都の女性にとっては理不尽極まりないことだが、男女が共に相手を好きだったのに何かの事情が起きて結婚することなく別れてしまう。どちらかが悪いとしたところで、最終的には元に戻ることは難しいだろう。裁判で争ってみても、そこは別の世界である。


森鷗外は1884年、22歳のときにドイツへ留学し、1888年に帰国した。帰国したときには男爵の息女との結婚話がまとまりかけていた。そこへベルリンで知り合ったドイツ人の女性が鷗外との結婚のためといって訪ねて来て、1か月ほど日本にいて帰った。

その女性を題材にしたといわれるのが、有名な小説『舞姫』である。

冒頭の男性と似ていなくもない。ドイツ語圏から若い女性が結婚のために訪ねて来たという点ではそっくりである。

いや、鷗外が結婚の約束をしていたのかどうかは、はっきりしない。ただ、そうでもなければ赤道を2回も超えてはるばる極東の、事情も分からない、当時のドイツから見れば未開の小さな島国にやって来はしないだろうと思っているのである。その女性は鷗外の子を宿していたのではないかという者すらある。

往時茫々。130年前のことである。

冒頭の男性には京都に結婚を約束した女性がいたのではなく、実は26歳のときに4歳年下の女性と結婚して東京に暮らしていたという話を読んだ（『加藤周一はいかにして「加藤周一」となったか』鷲巣力、岩波書店、2018 486頁）。私はその経緯を既に知っていたし、加藤氏にさほどの興味を抱かなくなってから久しくもあった（拙著『この時代を生き抜くために』幻冬舎、2011 118頁）。

しかし、加藤氏を知った高校生の時から40年余を経た今、私には別の感慨があった。加藤氏がどんな思いを込めて『羊の歌』という自伝を書いたのかと、つくづく考えたのである。なぜ鷗外が『舞姫』を書いたのかを再考させないではいなかったからでもある。

『舞姫』はフィクションである。『羊の歌』は半生を回顧した自伝である。

どうして加藤氏は自ら半生を顧みたという自伝の中に、こうした虚構を組み込んだのだろうか。

鷲巣氏は、加藤氏の「累を他に及ぼすことをおそれて」ということだけではないだろうという。

私もそう思う。

鷲巣氏は続けて、「離婚のことを触れられたくなく、みずからも触れたくなかった。心のなかで克服できない事柄を半生記のなかに記すことはむつかしい」と説明する（鷲巣・前掲書494頁）。

そうかもしれない。しかし、私はそれだけではないかもしれないとも思う。鷗外の『舞姫』以上の壮大な構想があったのではないかと勝手な想像をたくましくするのである。

鷗外は、『舞姫』を書くことによって、正確には出版することによって、彼のドイツでの「情人」との関係についての正史を定めた。鷗外はその遺言に「余ハ少年ノ時ヨリ老死ニ至ルマデ一切秘密無ク交際シタル友ハ賀古鶴所君ナリ」と書いている。その賀古に宛てて、鷗外は「もともと源の清からざること」と、ドイツから訪ねてきた女性について述べている。

しかし、『舞姫』のヒロイン、エリスと鷗外の分身である太田豊太郎の出逢いは清い。豊太郎は、偶然に、「鎖《とざ》したる寺門の扉に倚《よ》りて、声を呑みつゝ泣くひとりの少女《おとめ》」に出逢った。その十六、七歳とおぼしき、薄いこがね色の髪をした女性が、長いまつ毛の目に涙をためて「我を救い玉へ。わが耻《はじ》なき人とならんを」と懇願して二人の関係が始まる。

私は、日本へ鷗外を訪ねて来た女性との馴れ初めはそうではなく、当時「珈琲店」と呼ばれていた、女性が男性客の来訪を待つ施設での出逢いではなかったかと想像している。『独逸日記』にある、ツルゲーネフに興味を持っていた女性かと独りで想定してすらもいる。

だから、鷗外を知る人々の間では知らぬ者のなくなってしまった彼女の訪日について、鷗外は、鷗外版の正式の説明書きを書かねばならないと考えたのであろう。そうしければ自分の将来には、未来永劫あの女性との具体的な事実を知った人々の陰口がついて回ってしまう、と。

加藤氏も鷗外と同じことを考えたのではないだろうか。それも鷗外がフィクションの体裁をとったのを超えて、自伝という形式をとることによって、より効果的な正史を創ろうとしたのではないだろうか。自白は証拠の王というではないか。

こう考えた私は、もしそうなら、と思った。もしそうなら、それは文章の力を信じている一人の人間の大きな野望と賭けだったのではないか、と。

加藤氏はその賭けに成功したのだろうか。『羊の歌』は翻訳がいくつもある。「京都の女」の存在感は大きい。

平川祐弘氏が加藤氏の『頭の回転をよくする読書術』（光文社、1962）について、「だれかがこちらの読んだことのない本について話しだしたときには、間髪をいれず『あれはおもしろい』といって会話をつなげという社交術…を推奨していることに、私は不快を覚えた。…そんな生き方でもって、外国の学者と胸襟を開いた交際ができようはずはない」（『日本語は生きのびるか』河出書房新社、2010　217頁）と書いていたことを思い出す。

なんにしても、弁護士という我が職業に引きつけて、つくづくと事実なるものの確定の困難を改めて思うのである。

★経営者が実践すべき不易と流行とは

「ローヤー進化論」『BUSINESS LAW JOURNAL』2019年3月号

「利益のためなら世界の果てまで旅をするオランダ人など、禽獣の如きもの」という文章に接して、不易と流行という言葉を思い出した。もちろん、利益のために世界の果てまで飛び回る、いや、電子情報をやり取りする現代の流行を思ってである。

この言葉は本阿弥光悦の家書ともいうべき『本阿弥行状記』にあるという。「禽獣」という表現も天文に通じたオランダ人への畏敬を含むだろう。私は、船橋晴雄氏の『藝術経営のすゝめ―強い会社を作る藝術の力』（中央公論新社、2018 101頁）で知ったのである（以下、引用頁はすべて同書から）。なお、船橋氏は「藝」であって「芸」ではないということを力説される（5頁）。芸だけでは埶の部分が消えてしまうからである。しかし、本書では、読者になじみ深い「芸」の字を使わせていただくことにした。

船橋氏はその引用に続けて、「今や日本国中、この『蛮夷の風俗』に犯されてしまったようにも見える」と述べつつも、「商いの駆け引きまで否定している訳ではない。大切なことは実《じつ》があるということである。実のない虚だけの商いは認められない」という。

私は、それこそが不易だろうと思ったのである。

しかし、何が不易で何が流行かは、その渦中にいる者には分かりにくい。バブルは終わってみて初めてバブルだったと悟るのだという言葉もある。

歴史を顧みて確かなのは、そうしたオランダ人、その後の英国人、次いで米国人が世界を支配し切り回してきた事実である。今や、それがグローバル化し、どこの国籍の人間であるかは重要ではないという方々もある。能力のある者が支配するのが世界のためになる、という信念なのであろう。

では、何をもってその能力を測るのか?

金を稼ぐ力である。

確かに年に5兆円を超える売上げがあり、7500億円の利益が上がる自動車製造会社を経営している者への報酬が10億であろうが20億であろうが、会社にとっては大同小異だろう。いや、その考えを推し進めれば、100億でも1000億でも適正な額かもしれない。彼または彼女がいなければ、その会社は半分の売上げ、利益しか上げられないと仮定すれば、きわめて合理的な話かもしれないからである。

いったいいくらが適正な報酬の額なのだろうか?

その疑問は、誰が決めれば適正なのかという疑問に重なる。

今の時代の考え方では、独立した社外取締役ということになるだろう。そうした人々が少なくとも過半数である委員会で決めれば、一方で世界レベルの経営者は驚くほどの高額の報酬を出さなくては来てくれないという流行にも合致し、他方で中長期的な経営、持続的成長を目指すという不易も満たすに違いないということになりそうである。

要するに、日本の経営者への報酬は余りに少な過ぎ、だから日本の会社は業績が振るわないのだ、という論である。

そうだろうか？

今は昔、バブルの時代に、私は不思議に思ったことがある。どうして何兆円という含み資産を抱えた日本の巨大不動産会社の経営者たちは、率先してＭＢＯをしないのだろうかという理論的な興味である。米国の事情を少し知っていたので、そうしたことを考えたのである。具体的には、ＲＪＲナビスコのＭＢＯが起きたのが１９８８年のことであった。

30年前のことである。日本では未だコーポレートガバナンスともスチュワードシップとも誰も言わなかった。総理大臣が竹下登氏だった頃のことであるといえば、話の古さを理解していただけるだろうか。

創業者である社長が多額の配当を受け取ることには誰も疑問を呈さない。株主として当然の権利だからである。だが、配当の額を決めるのは、形式は株主総会であるが実質は社長であることが多い。他の株主と同じ立場なのだから問題はない、ということになっている。

そのとおり。

それどころか、そうした創業者たちがいればこそ、この世に存在しなかった職場が生まれ、たくさんの雇用が実現しているのだと思えば、社会は未だ創業者に対して感謝し足りないのかもしれない。

では、サラリーマン1年生として入社し、何十年かの勤務の後、遂に社長になった人々についてはどうだろう？　1億円以上の年収を得る社長の数は上場会社の一部に過ぎない。日本人に限れば、ほんのごく一部といっても過言ではないだろう。それでいいのだろうか？　どうすべきなのだろう？　どうなるべきなのだろう？

船橋氏は本居宣長の漢心、すなわち「漢籍…を一冊もみたこともない人にも漢意が取り付いている」（172頁）とは、現代に当てはめれば、例えば米意（アメリカごころ）であって、それこそが日本人の今日的課題であり、したがって宣長の試みは今日なお有効であると説く。私は、コーポレートガバナンスについて考えるとき、深く「日本人のアイデンティティがなにものであるか」との船橋氏の問いに心を研ぎ澄まされる思いがするのである。

また船橋氏は、その著書の冒頭で「時代が変わるということは、自らを変えなくてはならないということである。成功体験を捨て、新しい時代に合った生き方を自ら作り出していく」と宣言してもいる。「多くの経営者が、未来への漠然たる不安に耐えつつも、新しい企業のあり方とは何かについて、自問自答し、模索しつつある」としたうえでの『藝術経営のすゝめ』なのである。

息《いこ》いや癒しといった芸術の効用ではなく、芸術が人間に感動を生むこと、その心を揺さぶられるような思いこそが「生きる意欲、何事かを成し遂げる意志につながってゆく」と説くのだ。

船橋氏は、「おわりに」と題した最終章では、「自利と利他との調和、私と公を一致させるという精神」と述べて、住友グループ各社で経営理念に掲げられているという「『自利利他公私一如』という言葉を置いて他にないという結論に達した」と結ぶ（203頁）。

私は一読し、人が生きているのは何のためなのかという日頃の疑問、解けない疑問への痛棒の一撃を食らった思いがした。敢えて一文を綴った所以である。

もしシンギュラリティの到来が必然だとしたら

「ローヤー進化論」『BUSINESS LAW JOURNAL』2019年4月号

シンギュラリティという言葉が人口に膾炙するようになって久しい。

電子技術の長足の進歩によって、現在の人間には理解できない世界に突入することを指すのだという。カーツワイルという斯界《しかい》の権威によれば、2045年にそうなるという。

コンピュータがディープラーニング（深層学習）により自学自習し、独自の発展を遂げていくことができる段階に達したことがその原動力のようだ。

現在存在する職業の半分が必要なくなるという話も伝わる。

例えば、白内障により目の水晶体が白濁して視力を失ってしまったとき、今の技術では、水晶体を取り換えること、それも多焦点の水晶体に取り換えることができるという。そうしてしまえば、「遠くにも近くにもピントが合うため、白内障が治るだけではなく、近視、遠視のみならず乱視までが一気に解消してしまう」。

「この手術を受ければ、『身体の外側の技術』だった眼鏡が、『身体の内部の改造』に取って代わられる。…これはもう『人間のサイボーグ化』への一歩」（『「AI資本主義」は人類を救えるか──文明史から読みとく』中谷巌、NHK出版、2018　73頁）

『サピエンス全史』『ホモ・デウス』の著者であるユヴァル・ノア・ハラリによると、「このような動きを止めることは不可能」だという。健康な人をより健康にする技術だからである。疑う者は、第一次世界大戦の負傷者救済に発した形成外科が美容外科に変化し、繁盛を極めている事実を思い返せばよい。

私も眼鏡に注目していた。なぜなら、レーシック手術をしたという人が私の周囲にもいるからである。角膜に切り込みを入れて近視を治すのだから、サイボーグといえなくもないと思っていたのである。

人がテレビのない時代に戻れないように、また、原爆のない時代に戻ることが困難なように、医療技術の進歩も止めることができないのではないか。

そうしたことに興味を持っていた私は、西垣通氏の『ビッグデータと人工知能』（中央公論新社、2016）という本を求め、一読した（以下、引用頁はすべて同書から）。2年前の本であるが、大いに薦められていたのである。

一読後、どうも西垣氏はシンギュラリティに反対ではあるけれど、それは、シンギュラリティなぞ決して来ないと言っているのか、それともシンギュラリティは来させてはいけないと言っているのかがハッキリと摑めなかった。それで、私の読書習慣には極めて珍しく、すぐに再読を始めたのである。

既にマーカーで色を付けてあるうえに、もっと大事なところでは頁の端を折り、さらには付箋を頁の上端部に貼り付けてあるから、作業はゼロからというわけではない。

再読後の印象は、やはり西垣氏は、シンギュラリティについて必然性を感じているような気がした。

「白人の男性支配が築いてきた絶対的秩序観は徐々に突き崩されていった。…人間が動植物より上位だという考え方にも疑問…シンギュラリティ仮説の信奉者は昔の絶対的位階秩序にとらわれている」（167頁）という表現を使ってまで、シンギュラリティがやって来るという考え方を批判する西垣氏は、しかし、大魔神という言葉も使う（147頁）。シンギュラリティのやって来た世界は、人間にとって大魔神ができあがってしまった世界、フランケンシュタイン博士の作り上げた異形の怪物が人類を支配する世界になってしまっているのではないか、という発想自体が、実は西垣氏が、そうなってしまうのではないかという恐れを抱いていると感じさせるのである。

ディープラーニングで独自の学習を続けるコンピュータは、そのあげく、社会について人間の持つ概念とは別個の概念を社会について持つに至るかもしれない（146頁）。そうした大魔神は、唯一神としてのユダヤ・キリスト教的な神に代わるものとなる。絶対神の下に人間がいて、その下に動物がいてという宇宙秩序のうち、絶対神が大魔神になるのだ。その大魔神の下に人間が存在することになる。

実は、絶対神と大魔神の間には大きな違いがある。神は喋らないし行動もしない。しかし、大魔神は話し、動く。

私はイソップ物語の蛙と鶴の話を思い出した。王様が欲しいと大王様に頼んだ蛙たちは、初め丸太を与えられる。しかし、丸太は声を上げず動きもしない。蛙たちはそれに不満で、また大王様に別の王様をくださいと頼んだ。すると、大王様は今度は鶴を王様として遣わした。何が起きたかは言うまでもない。蛙たちは次々と鶴に食べられてしまったのだ。

私は、どうなるにしても、自分には関係ないことだろう、なにせ2045年といえば生まれてからほぼ100年後のことなのだから、と或る若者に話した。するとその若者曰く、「いや、関係あります。150歳まで生きる世界になっているんですから」。

唯一神のもとでの人間は、理性を持ち、その点で他の生き物よりも優越している。だから劣る者たちを統治する。そうした考えを批判して、西垣氏は犬の側から世界がどのように見えているかは、いくら犬の脳を研究してみても分からないという（115頁）。

私は飼っていた犬を見るたびに、こいつには私、飼主はどのように見えているのかと思っていたことを思い出した。

それだけではない。例えば土地を買う。人間の世界、それも日本での約束事に基づいて完全な所有権を取得したつもりになっている。だが、その土地に住み着いている虫にとっては、何の関係もない。その虫は、その上に家を建てて住んでいる私の部屋に夜中に勝手に入ってきて、どんな悪さをしないとも限らない。いや、勝手、という表現自体が人間である私の側からの一方的な言い方に過ぎないのではないか。

虫はともかくとしても、人間世界での多様性、多元性を思わされる。

おそらく、シンギュラリティが近づくにつれて、我々は倫理的にどうすべきか、正義はどこにあるのかという問いへの答えを迫られるのだろう。法律家の役割はますます大きいと感じないではいられない。

★資本主義の果てに待つ世界とは

「ローヤー進化論」『BUSINESS LAW JOURNAL』2019年5月号

百聞は一見に如かず。

1950年代の米国の心理学者ハリー・ハーロウによる、サルの発達の研究を示す1枚の写真がある（『サピエンス全史（上・下）』ユヴァル・ノア・ハラリ、河出書房新社、2016　下巻176頁。以下、断りのない引用頁はすべて同書から）。

針金でできた母親の代用物に、哺乳瓶が取り付けられている。その右側には木に布を張ってある、同じく母親の代用物がある。こちらには哺乳瓶はない。

赤ん坊のサルは「栄養を与えてくれない布の母親よりも、ミルクを与えてくれる金属の母親にしがみつくものとハーロウは予想した」。

ところが意外にも、サルの赤ん坊たちは布の母親をはっきり選び、ほとんどの時間を彼女ととともに過ごした。暖かさのせいではないことも確認された。

金属と布の母親が隣同士に置かれると、サルの赤ん坊は金属の母親の哺乳瓶からミルクを吸う間も、布の母親にしがみついていた。

結論は、「サルたちは、物質的な必要に加えて、心理的な欲求や欲望も持っており、それが満たされないとおおいに害を受けるのだ…布の母親の下で時間を過ごすのを選んだのは、ミルクだけではなく情緒的な絆も求めていたからだった」。

「その後の数十年間に行なわれた多数の研究から、この結論がサルだけではなく他の哺乳動物や鳥類にも当てはまることがわかった」という。

私は驚いた。

「今日、合計すると何百億もの家畜が機械化された製造ラインの一部と化して暮らしており、毎年そのうち約500億が殺される」からである。

工業化された畜産法は今の我々にとって当たり前のことになっている。であればこそ、植物栽培の機械化と相俟って、現代の人々の豊かな生活が可能になっている。私は知らないではなかったはずである。

工場式食肉農場の現代の子牛は、「誕生直後に母親から引き離され、自分の身体とさほど変わらない小さな檻に閉じ込められる。そこで一生（平均でおよそ4か月）を送る。檻を出ることも、他の子牛と遊ぶことも、歩くことさえも許されない」（上巻126頁）。

もちろん、柔らかく肉汁がたっぷりのステーキになるためである。

「子牛が初めて歩き、筋肉を伸ばし、他の子牛たちに触れる機会を与えられるのは、食肉処理場へ向かうときだ」

著者は言う、「絶滅の瀬戸際にある珍しい野生のサイのほうが、肉汁たっぷりのステーキを人間が得るために小さな箱に押し込められ、太らされて短い生涯を終える牛よりも、おそらく満足しているだろう」。

ここにも写真がある。小さな箱に閉じ込められた子牛は頭だけを後ろにひねって、大きな瞳でこちらを見ている。

人は人に対してだけセンチメンタルになるのではない。ペットにも、人工的な愛玩物にすら、心の結び付きを感じる。その同じ人間が、美味で安価な牛の肉を求めているのだ。

子牛の情緒の満足を考えていては、多くの人の口に牛肉が入ることはないだろう。

16世紀から19世紀まで、約1000万人のアフリカ人が奴隷として米国に連れてこられた（下巻158頁)。正確な人数は別として、知らない者はない。

「7割ほどがサトウキビのプランテーションで働いた。労働条件は劣悪だった」

ヨーロッパ人が甘い紅茶と菓子を愉しむため、そして砂糖王たちが莫大な利益を享受するためだった。

私もそれは知っていた(拙著『「雇用」が日本を強くする』〈幻冬舎、2013 58頁〉に、砂糖王はイギリス本国にいたと書いている)。

だが、奴隷貿易は民間の事業で、その企業は「アムステルダムやロンドン、パリの証券取引所に上場していた」とは、知らないでいた。純粋な営利事業であり、需要と供給の法則に則って自由市場が運営し、出資していた。

株主になったのは、良い投資先を求めていたヨーロッパの中産階級である。

著者は、そう述べた後に、「これが自由市場資本主義の重大な欠陥だ。自由市場資本主義は、利益が公正な方法で得られることも、公正な方法で分配されることも保証できない。…人々は利益と生産を増やすことに取り憑かれ、その邪魔になりそうなものは目に入らなくなる。…大西洋奴隷貿易はアフリカ人への憎しみが原因ではなかった」(下巻159頁)。

では、こうした不公平さへの批判に対し、資本主義には答えがないのか? 著者は二つ挙げる。

一つは、資本主義が気に入らなくても、資本主義なしでは生きていけない、というものだ。共産主義は失敗してしまったのだ。

もう一つは、あともう少しの辛抱だというものだ。楽園はすぐ目の前にある。過去に過ちがあったことは事実だ。だが、私たちはそこから学んだし、パイがもう少し大きくなるまで待てば、みんなでより大きな分け前にありつける。

「だが、経済のパイは永遠に大きくなり続けることが可能なのだろうか。…破滅の予言者は、ホモ・サピエンスは遅かれ早かれ地球の原材料とエネルギーを使い果たすと警告する。そのときには、いったい何が起こるのだろう?」(下巻162頁)

もう一つ、憂鬱な話が出てくる。

オルダス・ハクスリーのディストピア小説『すばらしい新世界』(1932年刊行)に出てくる「ソーマ」という合成薬だ。この薬を誰もが毎日服用する。「この薬は、生産性と効率性を損なわずに、人々に幸福感を与える」(下巻231頁)。もう警察も投票も要らない。「誰もが自らの現状にこの上なく満足している」

著者は問う。「ハクスリーの描く世界は、多くの読者にとって恐ろしく感じられるが、その理由を説明するのは難しい。誰もがつねにとても幸せであるというのに、そのどこが問題だというのだろうか?」

私は思う。何事によらず、できるだけ自分で決めたい、たとえ後悔するとしても、と。それが人生の意義だと思うからである。

変わり得る未来のために

「ローヤー進化論」『BUSINESS LAW JOURNAL』2019年6月号

今は昔、こんなことがあった。

依頼者を交えて5人ほどで会議をしていたときのことだった。夕方早くに始まって7時頃には終わるつもりでいたのが、予定を超過してしまい、午後8時を回ってもとても終わりそうにない。誰もが空腹感を覚える頃合いとなっていた。

私は、「すぐには終わりそうもないので、寿司でも取りましょうか？」と依頼者に尋ねた。するとと、その依頼者の男性は、「どうぞどうぞ、皆さんはよろしかったらお食べください。でも、私は要りませんから」と答えた。

「仕事の途中で食事をすると、かえって緊張が解けてしまいますかね」と、遠慮がちに重ねて尋ねると、彼は、

「そうではありません。ただ、私の一日の愉しみの一つは、こうやって」と、目の前で右手の親指を横へ伸ばし、人差指と中指を軽く広げて輪を作り、その輪で架空の盃を支えるや唇へ運び、ぐぐっと飲み干すしぐさをして見せた。

「一日が終わって、冷えた日本酒をこうやって飲むと胃の中でじわーっと広がるのが感じられる。五臓六腑に染み渡る、というやつです。何か腹に入れてしまうとその愉しみが消えてしまいますのでね。

あ、どうぞどうぞ皆さんは遠慮なくお食べください。私のことは気にしないでください」

当時の私は日本酒を飲む習慣がなく、彼の言葉に不思議の感に打たれずにはおれなかった。まして、口には出さなかったが、空腹に日本酒を流し込んで体に良いはずがなかろうにという思いもあった。

こんな昔話を書くのは、その私が何十年も経った最近、彼の言ったように、夕食の前に、何も入っていない胃に冷たい日本酒を流し込むことの快楽を知ったからである。

きっかけは単純だった。ある方から冷で飲むととても美味しい日本酒をいただいたのである。

それで夕食時の新しい儀式が始まった。

儀式の後で夕食を済ませると、気持ちのよい眠気が訪れ体全体を包んでくれる。

江藤淳という文芸評論家が、生前、夕食の前にウィスキーをダブルで2杯飲み、その後に夕食を摂るとほどよく酔いが回ってくるので寝椅子に横になり、レコードを聴きながら1時間ほどぐっすり眠ると書いていたことがある（『夜の紅茶』北洋社、1972 153頁）。

その目覚めの後、江藤氏は夜の紅茶を飲むのである。私が紅茶を飲む習慣は、この文章から始まった。私は22歳だった。

江藤氏は、後になって「思うところがあって」夕食前のウィスキーを止めたと書いておられた。私の空きっ腹への日本酒の愉しみは、すぐに打ち切りになってしまった。

「日本酒やシャンパンは血糖値によくないんですよ」と、かかりつけのお医者さんに言われてしまったのである。定期的に血液を採取し、いろいろな値を測ってもらっているのだが、そのうちの血糖値が、低位安定から急に跳ね上がったのである。原因として思いつくことはこれしかない。ストレスはずっと以前からのことだからである。それで、お医者さんとの問診のやり取りとなったのである。

いつも懇切丁寧に、我がことのように私の体を心配してくださる先生の言葉に、私はすぐに新しく見つけた玩具を放擲《ほうてき》する決心をした。

そのとき、どういうわけか私の頭に、中前忠さんの書かれた本の言葉が浮かんだのである。

「日本においては、消費税の廃止と法人増税の組み合わせが必要なのです」（『【メガトレンド】家計ファーストの経済学』日本経済新聞出版社、2019 4頁）

このまえがきを読んだとき、私は、それはそうなのだとしても、とても現実にはなるまい、と感じた。

中前さんは私の尊敬するエコノミストである。根拠を示す千里眼だからである。毎年『日本経済の現状と見通し』（中前国際経済研究所）を送っていただくようになって10年を超える。手にすればすぐに拝読する。

中前さんの言われるところは、要旨、消費税を廃止し20兆円の消費力を得る、不足は企業増税をすればよろしい。消費が増えれば企業の売上げが増え、国内で活躍する企業は元が取れる、とある。さらには、貯蓄金利を3％に戻すという提案もある。これで日本の実質的な消費210兆円が2割から3割増える、とあった。「いまのアベノミクスを全部逆にすれば、消費が増える可能性がある。それしか生きる道はない」とされた後、中前さんは、「これがバブル崩壊後の経済政策になる」と言う。

中前さんによれば、中国バブルも技術革新・ＩＴバブル、さらに資産インフレも近く崩壊する。崩壊は必ず大きな構造変化をもたらす。今回は40年ぶりになるというのだ。70年代から80年代への移行で企業ファーストの時代となった。今度は反グローバライゼーション、反企業主義ということを通じて家計の再生が課題になる。デフレ経済は再定着し、中国では成長がピークを越えたのではなく成長が止まった。日本は家計の再生に懸けるほかない。実は日本はそれが最もやりやすい国なのである。

ＧＡＦＡの成長もまもなく止まる、テンセントもアリババも同様で、成長のピークはもう見えている。結局、「スモール・イズ・ビューティフル」の時代がやってきて、日本企業にとって勝ち目が出てくる。１９９７年に銀行国有化が国会で議論になったとき、その5年前に英国を見た自らの体験に基づいて議論した中前さんに、多くの人は本気かと答えたという。

私は一気に読み切り、中前さんが言われるのだからきっとそうなのかもしれないという読後感と共に本を閉じた。


それにしても、どうして空腹時に日本酒を飲まないことにしたのが、中前さんの予言を連想させたのか？

いま現在、目の前のことがすべてではない、先が続いていることを忘れるな、と自らを叱咤する思いが、中前さんのユニークな発想の描く未来の存在を感じさせたのか。先を生きるためには、高くなった血糖値を放置せず、再び低位安定としなくては人生を愉しむことはかなわない、と考えさせたのか。

奇妙な体験をしたものである。

発想源としてのイスラムの歴史

「ローヤー進化論」『BUSINESS LAW JOURNAL』2019年7月号

「人生に目的はあるのか。

私は、ないと思う。何十年も考え続けてきた末に、そう思うようになった」

五木寛之氏の『人生の目的』（幻冬舎、2019）に出てくる、なんともあっけらかんとした宣告である（30頁）。五木氏本人も「身もフタもない言い方だが」と言う。「万人に共通の人生の目的などというものはない、と私は思う」

意外ではない。

「人間は人生の目的をもたなくても、生きてゆくことはできる」

そのとおりだ、と思う。

しかし、「人間はこうでなくてはならないという、道徳的な規則などない」と言ってみたところで、文明国では誰もが法律には縛られずにはいない。

サマセット・モームという20世紀の英国小説家の言葉を思い出す。

「街角の警官に気をつけながら、自分の好みに従うべし」（『サミング・アップ』岩波書店、2007 293頁）

さしずめゴーン氏などは、この格言が身に染みていることだろう。無罪かもしれない。しかし、とにかく「街角の警官」ならぬ特捜部の請求により、裁判所は逮捕・勾留を許したのである。

私はその法律を解釈し、適用する仕事の一端を担っている。それが生活の大半だから、まことに単純明快な原則の下に生きている。その意味での人生の目的は、依頼者のために最大限の働きをすることである。私はその人生を大いに気に入っている。他の仕事に就いたとしたら、こんなに熱心には働かなかったろうなと感じないではいないほどにそうである。

だが、その私も法律家としてだけの時間で、1日24時間が満たされているわけではない。

「宴会嫌いで世に謂う道楽というものがなく、碁も打たず、象棋も差さず、球も撞《つ》かない自分は…境遇の与える日の要求を果たした間々に、本を読むことを余儀なくせられた」（『妄想』〈森鷗外全集〉筑摩書房、1965）と書いた森鷗外のように、私も本を読む。ありとあらゆる本を憑かれたように読み耽る。

宇宙の構造について、人類の発生について、文明の発展について知ることほど、私を興奮させるものはない。自分自身への興味もあるのだが、それ以上に自分以外への関心が大きいのである。

最近も『コンスタンティノープル千年―革命劇場』（渡辺金一、岩波書店、1985）という本を読んだ。古い本だが、新聞に広告が出ていたので早速購入したのである。

私のコンスタンティノープル、いやイスタンブール趣味は、中学を卒業した頃に遡る。『トプカピ』という映画を観たのである。例えば、私の『買収者（アクワイアラー）』（幻冬舎、２０００）という小説の主人公の男女は、若い頃の道ならぬ恋を年老いてから晴れて実現し、二人でイスタンブールへ行って金角湾に沈む夕日を並んで眺めながら、名物の揚げたサバを食べる。

東ローマ帝国が、１４５３年にオスマン帝国のメフメット２世によって滅ぼされるまで、１０００年続いたことは知っていた。正確には３９５年の東西ローマの分裂からであるから、１０００年を超えている。滅んだのは、日本で足利義政によって銀閣が築造された頃である。

ビザンツ帝国として、またギリシア正教の総本山として独特の存在感のある国ではあったが、これほどとは知らないでいた。

なんと、成文としての憲法ではなく「書かれざるソフトな憲法」があった（27頁）というのである。ビザンツ帝国は文民政治体制であったという。したがって、ゲルマン傭兵隊長が牛耳るローマ帝国西半部の運命も、またマムルーク軍人が君臨するエジプトの運命もたどらないで済んだのだという（１０２頁）。

もちろん、私は憲法典という成文のない英国の憲法のことを思い出していた。

しかし、著者によれば、「ヨコ社会的編成原理は、同時代の西ヨーロッパと違って、なかなか貫徹しにくかった。例えば、社会上層部では、世襲的貴族身分の形成はまず不可能であり、まして身分制議会形成への萌芽のごとき、現れるはずがなかった」(208頁)。

　西ヨーロッパの手工業者のギルドが生まれるには、縦組織の系列下の傾向があまりに多かったとも著者は言う。マックス・ウェーバーによれば、ギルド類似の現象が見られても、本質的差異性を明確にする手がかりに過ぎないのだとも言う。

　また著者は、20世紀の経済人類学者カール・ポランニーに触れて、経済を互酬、再分配、市場交換の三形態に分け、ビザンツ帝国を「国家という再分配の巨大な機構に経済の重点がある」とする(14頁)。まさに現代の英国である。

　私が本書を夢中になって読んだのは、もちろん習い性になっていることもあるが、どうやらそれだけではなく、現在の世界経済、その中での日本経済について考えることと重なり合うものを感じたからに違いない。

　歴史は過去の事実の羅列ではなく、現在の視点から見た過去の事実のふるい分け、並べ替えだというE・H・カーの発想からすれば、ビザンツ帝国は再分配に国家が強く関わるという意味で、まさにミルトン・フリードマン流の新自由主義から、次の時代への発展の大きなヒントになりそうである。

　私は、ヨーロッパを手本とした日本人の発想はもう役に立たなくなっているのではないかと、つくづく思っている。漂流する英国の現状が雄弁な証拠である。

では、どこにモデルがあるのか？

どこにもなく、自分で過去の中に探し、未来のために形作るしかない。

そのときに、コンスタンティノープルに千年続いた国の歴史は、大きな光を投げかけてくれるのではないかと感じ入った次第である。

現に、並行して読んでいるデービッド・アトキンソン氏の『日本人の勝算　人口減少×高齢化×資本主義』（東洋経済新報社、２０１９）は、最低賃金の引き上げを強調してやまない。まさに再分配への国家の関与ではないか。

目的は別にして、まことに愉しい人生である。私は、どうやら次はイスラムについてもっと本を読むことになりそうだな、と思っているところである。

★現代の仕事論から見えてくる思想

「ローヤー進化論」『BUSINESS LAW JOURNAL』２０１９年８月号

10連休。私は半分を読書に、半分を仕事に過ごした。以下は前者の一部の紹介である。

「オーストラリアのあるコーポレート・ロイヤー（企業弁護士）は、『私はこの世界になにひとつ貢献しておらず、すべての瞬間がとてつもなくみじめだ』と書いています」

橘玲氏の『働き方2・0 vs 4・0―不条理な会社人生から自由になれる』（PHP研究所、2019）の171頁に出ている言葉だ。

デヴィッド・グレーバーという文化人類学者で「アナキスト」を自称するという人が、「ブルシットジョブという現象について」という短いエッセイを雑誌に書いた。

「――世の中には、部外者から見てなんの役に立っているのかまったくわからない仕事がものすごくたくさんある。たとえばHR（ヒューマンリソース）コンサルタント、PR（パブリック・リレーションシップ）リサーチャー、フィナンシャル・ストラテジスト、コーポレート・ロイヤーなどなど（中略）こうした仕事にはもともとなんの意味もないのではないか…」

するとたちまち大評判になり、その雑誌の「WEBサイトに数百万のアクセス」があり、たくさんのコメントが寄せられたようだ。その一つが冒頭である。

橘氏は、「騒動を受けて調査会社が『あなたの仕事は世の中になんらかの貢献をしていますか?』と訊いたところ、37%が『ノー』と答えました」と述べ、「内心では自分の仕事が世の中に存在すべきではないと思っているときにどうやって労働の尊厳について語り始めることができるだろう」とも記している（172頁）。

この一節を読んで、私はハーディ智砂子氏の『古き佳きエジンバラから新しい日本が見える』（講談社、２０１９）という本を思い出した。直前に読んでいたのである。

ハーディ氏は、エジンバラに居を構える日本株ファンドマネージャーである。

「最初はひたすら生活費を稼ぐために働いていたのだが、あるときから、これは私の天職だと確信するようになった」と、まえがきで自己紹介している（6頁）。

その彼女が、「『好きなことだけをしていたら、本当に好きなことには出会えない』――これが私の実感なのだ」と言っている（80頁）。まことに同感である。

その彼女が語る、どうしてエジンバラの機関投資家のためのファンドマネージャーになったのか、そもそもどうしてエジンバラに「長期的に株を保有してくれる」機関投資家が存在しているのか、といった話はとても興味深い。

例えば、「長い間多種多様な人々を見てきて、いま確信を持って言えるのは、優秀な人は性格的に謙虚な人であることが多い、ということだ。実際、これは理に適っている。というのも、謙虚な人は常に学ぼうとする人であるからだ。自分の失敗から学び、他人の失敗からも成功からも学ぶ人だ。だから加速度的に優秀になっていく」（１９３頁）。

そうした彼女の、ファンドマネージャーとしての見解は、「逆説的なのだが、『経営者がいつも利益のことばかり考えている企業は、だんだん利益が出せなくなってくる』という事実だ。また、これに関連していることなのだが、経営者が従業員をコストとしてしか見ていない企業は、絶対に長期的に繁栄しない」。

「企業は人の集まりだ。人が生き生きと能力を発揮していない企業には、明日はない」（195〜196頁）

いわゆる「経営のプロ」についての批判は辛辣である。

「日本では経営の素人でも社長になれる、だからダメなのだ——そんな風に言われるが、私は納得がいかない。

その会社になんの思い入れも愛情もない人がトップとして君臨し、『手腕』を発揮してV字回復を実現、また次の段階に移っていく。すると、とても正気の沙汰とは思えない巨額の報酬を手にする。一体、なにをどう計算すると正当化できるか、私には皆目、見当もつかない。多くの従業員の生活を犠牲にして絞り出した利益を、自分のポケットに入れているようにしか、私には見えない」

「事業自体に愛着のない人が経営トップに君臨している企業には、絶対に投資したくない。なぜなら長期的な成長性を感じないからだ。

私は長期投資家だ。（中略）経営者の考え方と振る舞いが、決定的に重要な判断要因となるのだ」（197頁）

また、私は、『「やりがいのある仕事」という幻想』（森博嗣、朝日新聞出版、2013）を読みながら、上記の2冊のことを思い出してもいた。

森氏は、仕事を「働いて金を儲ける行為のことだ」と冒頭で定義する（30頁）。

しかし、森氏は「巨大な橋の建設に関わった人は、大根を毎年収穫する人よりも偉いわけではない」（49頁）と言う。

「人は働くために生まれてきたのではない。どちらかというと、働かないほうが良い状態だ。働かないほうが楽しいし、疲れないし、健康的だ。あらゆる面において、働かないほうが人間的だと言える。ただ、一点だけ、お金が稼げないという問題があるだけである。（中略）もし一生食うに困らない金が既にあるならば、働く必要などない」

「若い人は自由にものを考えられる柔らかい頭脳を持っているから、そういう『遊んで暮らせる身分』に素直に憧れる。（中略）人間として正常である。ところが年寄りになるとなぜか、そういうものの考え方に否定的だ。

たぶん、自分が一生懸命働いて生きてきた人生があって、それに価値を持たせたいのだと思う。それは、そのとおり価値がある。立派な生き方だ。しかし、だからといって、仕事をしないで遊んでいる人を非難するのは、まちがいなく行き過ぎだろう」（51～52頁）

こうも言う。

「どんな仕事に就いても、社会はこれからどうなっていくのか、という意識を持っていることがとても大切だ。（中略）未来のことを見ない人は、決して成功しない」（129頁）。「今の自分の状況は、全部自分が仕込んだ結果だということである」（170頁）

最後に、森氏の言葉が身に沁みたので紹介したい。

「エッセイ的な文章は（中略）自分の思想が自分で見える良い機会だ」（220頁）

★社外取締役に求められる姿勢とは

「ローヤー進化論」『BUSINESS LAW JOURNAL』2019年9月号

「社外取締役 知らぬが仏？」という大きな見出しが目を引いた（日本経済新聞2019年6月14日付け朝刊）。副題に「相次ぐ不祥事、第三者目線働かず」とある。

一読して驚いた。

「『知らないことには責任を負えない』。これが日本の社外取締役の原則だ」と書いてあったからだ。

スルガ銀行の不正融資問題をめぐる第三者委員会で委員長を務めた中村直人弁護士に取材した

ようで、その報告書の言葉が引用されている。そこでは「知り、または知り得た証拠もなかった」として法的責任が認められなかったとある。

当然である。だが、知らないことには責任を負えない、として澄ましていられようはずもない。そもそも知らぬが仏というのは、「当人だけが知らずに平気でいるさまをあわれみ、あざけっていう語」である（『広辞苑』）。

であればこその、この記事なのである。

記事は、「日本のルールでは不正の防止は主として内部監査部門の役割だ」としたうえで、中央大学法科大学院の大杉謙一教授の「社外取締役の不正防止機能は副次的」という言葉を引く。

確かに、「あざけられた」ものである。

しかし、それが現実なのである。

私自身、取締役の社内情報へのアクセスについて、それも間近に迫った取締役会での発言の準備のために必須の情報を取得すべく、仮処分申請をしたことがある。裁判所は仮処分命令を出す代わりに和解を斡旋し、当方の目的を遂げさせてくれた。裁判所なりに、命令を出すための法的根拠に迷いがあったのであろう。

「社外取締役が情報を入手しようとしてもルートは限られる」のは、望ましくないが、現状である。記事は、「会社法や各種の指針で、情報収集の仕組みをつくる義務は明示されていない」と伝える。

また記事は、「米国では社外取締役がすべて社内資料を見られるようにするという例もある」として、「日本ではどうか」と問う。

結論は、なんと「情報を知ろうと誠実に努力する社外取締役ほど有事に窮地に陥りかねない」ということなのだという。「日本の裁判例では、役員が悪い情報を知り得た場合、責任を認める傾向が強い」（中村氏）からだとされる。

それでよいのだろうか？

そんなことであってよいはずがない。国広正弁護士は「何もしないほうが安全という状況は健全でない」と言う、そのとおりである。

記事も、コーポレートガバナンス・コードに触れて、「社外取締役への情報提供の必要性」を指摘しているという。

そんな程度のことでよいのか、と私は思う。そして議決権行使助言会社の方の最近の言葉を思い出す。

曰く、米国では社外取締役に就任すると、その瞬間から天上から剣がいつ降ってくるかと緊張する。ダモクレスの剣のようである。もちろん、剣とは訴訟を指している。日本では？　性善説でしかない。司法による規律付けは実際問題として存在していないに等しい。

その違いを無視しての昨今の社外取締役についての議論は、いかにも虚しいと私は常々思っている。早い話が、もし世の中が性善説で片付くのなら、裁判所など要らないだろう。

私がいつも強調するのは、メディアの役割である。

ある会社で不祥事が起きたとき、メディアは真っ先に社長の首が飛ぶかどうかに関心を集中させる。分からないではない。だが、せめてその10分の1でも社外取締役がどうしていたのかを取材してほしいとお願いするのである。

「社外取締役の自宅へ夜討ち朝駆けし、その発言が1行でもメディアに出れば、すべての上場会社の社外取締役に緊張が走るに違いない」。そう言う私への反応は、いまだはかばかしくない。分かる。メディアは目の前の重大事である社長の進退をまず追いかけなければならないのだ。

だが、私は同じことをもう何年も言い続けている。

当然ながら、日本の司法も捨てたものではない。例えば、今、私は裁判所がスルガ銀行の株主による巨額の訴訟に対してどんな回答をするのか期待を込めて待っている。オリンパスの株主代表訴訟のときもそうだった。

だが、米国でも司法が独りで荷物を背負っているわけではない。訴訟の提起、判決は報道されなければ広く社会の知るところとはならない。また、司法判断が出ない場合であっても、メディアによって個人のレピュテーションは傷つく。それは、名誉ある経験と現在に誇りを持っているに違いない社外取締役個人にとって、重大事である。

具体的には、私は監査役会での経験を思い出す。まず第一歩として、権威あるビジネスマンたる社外監査役が「先ほどの取締役会での社長の発言の背景には何があるの？」と質問を発し、次いで、同じく社外監査役である弁護士が、具体的な回答を社内出身の常勤監査役に促す。4、5人のミーティングである。質問を無視することはできないし、社内出身であるから知らないということもあり得ない。常勤監査役の蚊の鳴くような声での回答に、権威ある社外監査役が「よし分かった。帰り、社長のところへ寄る！」と宣言するに至ったことは一度や二度ではなかった。

その機能を取締役会に取り入れるのにはどうしたらよいのか。

社外取締役事務局の充実である。

事前に担当部署の人々と一緒に社外取締役に説明する。その場の受け答えで足りなければ、社外取締役は事務局に連絡すればよい。自分で社内の誰かを探す必要はない。もし事務局の対応に不満があれば率直に申し述べ、担当の取締役に物言いをする。

では事務局の方々はどうしたらよいのか？

そのために、私が理事長を務めている日本コーポレート・ガバナンス・ネットワーク（CGネット）では、毎年取締役会事務局講座を開いている。8講座にわたる充実したコースである。そこで知り合った他の会社の同じ立場の人々との輪も広がり始めている。

コーポレートガバナンス・コード等に取り入れられる日も近いだろうと大いに期待しているところである。

江藤淳が現代に甦るべき理由

「ローヤー進化論」『BUSINESS LAW JOURNAL』2019年10月号

紅茶を飲む習慣ができたのは、今を去る47年前、江藤淳という文芸評論家の『夜の紅茶』（北洋社、1972）というエッセイを読んで以来のことだ。正確な年が言えるのは、その本を買った年月日を本の見返しの遊びに書き記しているからで、池袋の芳林堂という本屋で買ったことまで分かる。そのころには一冊一冊の本への執着がよほど強かったのだなと、我がことながら微笑みを禁じ得ない。

そういえば、今も本棚にあるその本は紺色の紙で作られた函に入っていて、本自体には橙色の布で装丁が施されている。価格は760円とある。昔、本はそのように函に入っていたのだ。しかも私は、その上にパラフィン紙という薄茶色に淡く透きとおった紙を掛けている。それはたぶん本の上にかぶせて売っていたのを捨てず、自分で函に巻き込むようにして貼りつけたのだろう。

若いころ、私の手元にはそうやって大切に保存した本がたくさんあった。

私などはいまだ紙の本を読む機会が多いが、もっぱら電子情報で読む方にとっては別世界のことだろう。

日々接する情報の量ということになれば、私も電子情報が圧倒的に多い。毎日送受信するメールや添付ファイルなどなどである。

その江藤淳について、『江藤淳は甦える』（新潮社、２０１９）という本が出た。江藤氏の最後の原稿を受け取った編集担当者の平山周吉という方の書いたもので、原稿用紙にして１６００枚、本の頁数で７８３頁という、浩瀚という表現のふさわしい本である。

さらに、「没後20年　江藤淳展」というのが２０１９年5月18日から7月15日まで、神奈川近代文学館で開催された。私も某日出かけてみた。行ってみて、さもありなんと感に堪えなかったのは来館者の少なさである。さほど大量というほどでもない展示を私が約1時間をかけて見回っている間に、同じ展覧会を見ている人は2、3人しかいなかった。「生きているうちが花なのよ死んでしまえばそれまでよ」とは世間でもよく言い、江藤氏自身も39歳の時に書いていたことだが（『夜の紅茶』２２８頁）、帰り、蕭々《しょうしょう》と降る霧雨を浴びながら霧笛橋という名のレンガ造りの橋を車まで独り歩いていて、ああ、人というものは死んでしまうのだな、そうして誰も、いなくなった者には関心がなくなるのだな、きっと自分もそうなるのだなと思わないではいられなかった。

だが、江藤氏は別格である。本が書かれ、読まれ、新聞にその本についての書評がいくつも溢れ、さらには回顧展までが開かれているのだ。決して歴史に埋もれてはいない。それどころか、「甦える」と題した本まで出ている。

だがその江藤氏について、長い間私は、彼が達成したところにふさわしい評価を受けていないという気がしてならなかった。例えば、どうして生前、それも若い時代に著作集まで出た江藤氏の全集が出ないまま20年もの時が経ってしまったのか。

江藤氏の現代における意義は、米国による日本占領についての解明である。もともと文芸評論家であり、慶應義塾大学の学生時代の「夏目漱石論」に始まって最後の『漱石とその時代 第五部』（新潮社、1999）に到っている。漱石とその嫂《あによめ》との関係について独自の説を投げかけたその著述は、これからも漱石研究者にとっては大きな重石であり続けるのだろう。

だが、現代の日本を生きている我々にとっての江藤氏の意味は、米国の日本占領とそれがもたらした「閉ざされた言語空間」の研究である。なぜならば、我々は戦争に負けて以来74年間、一貫して米国に依存して生きてきたし、これからもそうであるに違いないからである。

米国に依存などしてはいないという見方もあり得るだろう。例えば、ひと昔前には「ジャパン・アズ・ナンバーワン」と言われ、東京の不動産の価格だけで米国本土がいくつも買えると言われたことがあった。私が弁護士として独立してからしばらくは、米国の不動産を買いに行く、買った不動産の始末をするといった仕事が重要な分野の一つであった。

だが、その以前も、その時も、その後も、日本にはたくさんの米軍基地があり、その基地に国の防衛を委ねていたのである。沖縄の基地はその代表である。私の書いた小説、『買収者（アクワイアラー）』（幻冬舎、２０００）にも、某省の高級官僚が友人の弁護士に日本を米国の「属国」と表現する場面がある（同書129頁）。

江藤氏の『落葉の掃き寄せ—敗戦・占領・検閲と文学』（文藝春秋、１９８１）という本で、川路柳虹の『かへる霊』という詩の検閲の経緯を知ることがなければ、また、占領軍による検閲が検閲のあったこと自体を隠ぺいするというやり方であったと教えられる（同書131頁）ことがなければ、そうした表現を使いはしなかっただろう。

平山氏は江藤氏の『近代以前』（文藝春秋、１９８５）から引用する。

「日本の歴史で、時代を転換させてきた主動因はほとんどつねに外圧であり（中略）文学の持続が落伍者によって保たれた（中略）。生活様式や思想の次元でどれほど外来の要素に適応できても、人は言葉という虚体を活かしている呼吸—その呼吸を息づかせている深い情緒を捨てることはできない。それを守ることは自分の存在の核心を守ることであり、『こころ』を守ることであった」（『江藤淳は甦える』４７８頁）

しかし、江藤淳はもういない。

私は青山霊園にある江藤氏自身が作ったという墓に参ったことがある。霊園の端っこといってよいところに、端正な平らな黒御影石の墓石が建っていた。江藤氏らしいなと思い、私は深く頭《こうべ》を垂れた。もう10年以上前のことになる。

今ごろ江藤氏は天国でどうしているだろうか？

4歳の時に亡くなってしまった母親にすがりついて動かないのだろうか？

あるいは母親の死の後で日本に起きたことを繰り返し話し聞かせているのだろうか？　それとも「脳梗塞の発作に遭いし以来の江藤淳は、形骸に過ぎず。自ら処決して形骸を断ずる所以なり」と67歳の時に遺言を書いてねと何度も同じ報告をして、そのたびに母親の優しい微笑みを誘っているのだろうか？

だが、どうやらこの地上に江藤淳が甦る時が来たようだ。

★訴訟王エジソンの逸話に見る株式会社というもの

「ローヤー進化論」『BUSINESS LAW JOURNAL』2019年11月号

『訴訟王エジソンの標的』（グレアム・ムーア、早川書房、2019）という本を読んだ。小説であって史実ではないのだが、相当程度、事実に即しているとある。

私は日本経済新聞の書評で知った。2019年、6月20日の夕刊に、野崎六助氏の評があったのだ。

すぐに買い求めて、すぐに読み始めた。

エジソンとは、あの発明王エジソンである。しかし、主人公はエジソンではない。主人公は、クラバスという名の弁護士である。ポール・クラバスという、ロースクールを出て18か月という26歳の若い弁護士だ。先輩二人とパートナーシップを組んでいる。

もう気づかれた方が多いのではないか。あのクラバス・スウェイン・ムーア法律事務所の創業者である。小説を読み終えてから「著者注」に進むと、「その後アメリカで最もすぐれた法律事務所を創立した人物だとはじめて知ったとき、私はその弁護士活動について手あたり次第に調べたくなった。そして、ポール・クラバスのまともな伝記がないのがわかって衝撃を受けた」とある。

著者であるグレアム・ムーアが、「この小説を書こうと思い立ったのは、この人物が研究に裏付けられた経歴を持たないからである」という。「小説という形にすべきだと判断したのは、得られる情報が足りなかったからである」というのだ(530頁)。

クラバス弁護士の活躍の中心にあるのは、トーマス・エジソンが敵であるジョージ・ウェスティングハウス相手に起こした、312件の電球特許にかかる訴えである。背景にあるのは電流戦争、1880年代、未だ電気の普及していないアメリカを舞台にした、エジソンの直流に対するウェスティングハウスの交流の闘いである。

交流は、ウェスティングハウスの盟友である天才ニコラ・テスラの発明した発電機が可能にした、送電が直流に比べて圧倒的に容易な方法である。しかし、エジソンは既に発明家としての名声を有し、金も持っている。後ろについているのは金融王J・P・モルガンである。対するウェスティングハウスは、所詮、若手のクラバス弁護士に頼むほかはない立場である。

箴言ともいうべき引用が、全72章の初めにそれぞれちりばめられている。私が一番気に入ったのは、「数学者ならいくらでも雇えるが、数学者はわたしを雇えない」というものだった。「わたし」とはトーマス・エジソンである。確かに、そのとおりではないか。

ストーリーは一転二転、さらに三転以上もする。小説としての読み応えがあるということである。だが、法律小説としてだけ読めば、所詮退屈な読み物かもしれない。裁判とはそうしたものである。

それが、裁判外の展開、男女の微妙な関わり合い、女性の過去、弁護士の父親との関係、天才発明家であるテスラの異様極まりない言動などを含めての物語となると、話は違ってくる。ここでは、法律論に濾過《ろか》され、結晶する以前の、法律家の言う社会的事実が躍動しているのだ。

最も印象的だった部分は、「すぐれた物を発明して富を得たのはトーマス・エジソンが最初ではない。（中略）エジソンはすぐれた頭脳を働かせるための工場を造った最初の人間だった。イーライ・ホイットニーも、アレグサンダー・グラハム・ベルも、素晴らしい物を一つ発明して名を成した。エジソンは多くの物を発明する研究所を造った。エジソンの才能は発明ではなく、発明体制を発明することだ」。

そこで、主人公のクラバス弁護士は思う。「何よりもまず、ポールは妬ましかった。エジソンの組織と同じものが自分にもあったなら。エジソンが技術的な問題解決のために発達させたような体制が、法律問題を解決するためにもあったなら。では自分でつくったらどうだ？」（259頁）

著者は、第34章への注でこう述べる。「法律のための産業システムを作るというポールの壮大な構想は―ウェスティングハウスが製造のために、エジソンが発明のために作ったシステムと同様―実際そのとおりのものだった。クラバスは近代の法律事務所を発明したと言っていいだろう」（537頁）

私がまだ雇われ弁護士だった頃、つまりクラバス事務所の「補助弁護士」と翻訳でいわれている、アソシエイト弁護士という立場だったとき、私は、クラバス事務所について読んだことがある。White-shoeという英語の単語を、私はそのとき初めて知った。典型的なホワイトシュー・ファーム、法律工場とあった。まだローファームという言い方が、日本では珍しかった時代のことである。

昔のことに過ぎない。

それにしても、過去についての物語は、どうして安心して愉しめるのだろうか。事実が固まった、動かないものとして読む者に提示されるからではないだろうか。未来は分からない。未来について話す者、預言者は、正しいことを言っているのかどうか分からない。しかし、過去について語る者は、証拠に基づいて、確実なものとして語ることができる。聴く者は、心を許して耳を傾けることができる。

この物語に出てくる最大の過去の出来事は、エジソンが創業し、エジソン・ゼネラル・エレクトリックと名づけた電機会社から、エジソンの名前が消えてしまった事実である。私は、GEを

GEとしてしか知らない。今回、エジソンとウェスティングハウスの争いが、クラバス弁護士の、両社の提携という発想により解決したと知った。それができたのは、エジソン・ゼネラル・エレクトリックの株の60%を、J・P・モルガンが持っていたからである。エジソンは最後の場面でJ・P・モルガンに哀願する。「名前だけは（中略）ほかのものなら何を差し出してもいい。だが頼む。わたしの名前を除かないでくれ」。J・P・モルガンの答えは簡潔である。「すまないな、トーマス」モルガンは言った。「きみがほかに持っているものはいらないんだ」（488頁）

株式会社というものについて、考えさせるエピソードではある。19世紀末のアメリカでは、株の過半数を持っているものが経営を支配した。1657年にクロムウェルが決めたことである。2019年の日本では？　支配株主は少数株主を無視できない。

「道具《ツール》としてのアート」から見えてくるもの

「ローヤー進化論」『BUSINESS LAW JOURNAL』2019年12月号

人と生まれた以上は、誰もが有意義な人生を送りたいと願うものだろう。「給料をもらうだけではなく、できれば有意義な仕事をしたい」と。

「有意義な仕事には二つの条件があるようだ。ひとつ目は、多少の差はあれ世界をよりよくする一端を担っていると感じられること。（中略）二つ目はより難しいが、自分の奥深くに横たわる興味や才能に一致していること」

『美術は魂に語りかける』（アラン・ド・ボトン、ジョン・アームストロング著、ダコスタ吉村花子訳、河出書房新社、2019）という本のこの頁（210頁）を読んでいて、私はなるほどと深く感じ入った。

著者らは、プッサンという17世紀フランスの画家の『泉で足を洗う男のいる風景』（221頁）を題材にしてこう言う。――絵の話は映像抜きに説明することが難しいのだが、その絵は、泉とその周囲にある大きな木立、さらに遠くの山と空を背景にして、画面左下に足を洗っている男、右下に一組の男女ともう一人、荷物を頭に載せた女性とを少し離れた場所から描いている。

「プッサンが言わんとしているのは、どんな仕事をしようとどうでもいいということではなく、役所の仕事であろうと、利益優先のビジネスであろうと、クリエイティブな仕事であろうと、いかにやりがいのある仕事であろうと、外からどんなふうに見えようと、当人にとってはさほど魅力的には感じられないということだ」（222頁）

足を洗っている男は、いまだ長い旅の途中で、また歩いて行かなくてはならない。目的地は気が遠くなるほど遥か彼方だ。

「いつかすぐ身近などこかに、楽で高報酬で面白くて楽しいものがあるはずだ、でも不当にも自分はそれを手にできない、あるいは愚かだから、それがどこにあるのかわからないという思い込み。プッサンは、そんな私たちの過度な期待や妄想を抑えようとしている」(221頁)

人生は、ここではないどこか別のところにあるのではない。

「今起こっていることはまとまりがなく、わかりにくく、緩慢で、平凡で、うんざりするように感じられるかもしれないが、過去の激動期とされる時期でさえ、当時の人は同じ感覚を抱いていたのだと唱えている。仕事も同じだ。自分の仕事は同じことの繰り返しで、陳腐で、評価も報酬も不当に低いと思いがちだが、どんなにやりがいがあって順調な仕事でも、同じように感じられるものなのだ」(222頁)

この本は、原題を〝Art as Therapy〟という。

「現代では、アートは人生の意味に迫るような何かとても重要なものだと考えられている」(10頁)

美術館の新設、作品の購入に充てられる公的予算、威光を放つ美術研究、そしてなによりも途方もなく高額なアート取引など。アートは高尚な何かであるように見える。

しかし、美術展に出かけて行ってがっかりするのはなぜなのか、と著者らは問う。多くの人は、自分の無知や感性のなさが原因だと思うのではないか、と。

著者らの考えは「道具としてのアート」である。

自分ではモノを切ることができないのでナイフに頼る。水を運ぶには瓶《かめ》を使う。

アートは、身体ではなく、精神的な弱さを補ってくれる道具なのだ。
①愛しい思い出を記憶にとどめ、②つらい人生に希望を与え、③悲しみを受け入れられるようにしてくれ、④欠けている感情を補ってバランスを取ってくれ、⑤混沌とした自分自身を理解させ、⑥よりよい人生を探求し、⑦欲望や不満を感謝の気持ちへと変える。
それが道具としてのアートの七つの働きなのである。

その結果、現在の美術館についての批判に及ばないではいない（97頁）。

例えば、作品解説である。ファン・デ・フランデスという画家の『母の前に復活したキリスト』という絵について、その由来、所有の変遷、所有者だったイザベラ1世がいつ亡くなったかなどは、いったい鑑賞者にとって意味のある情報なのだろうかと問うのだ。

大事なことは、「ほんの一瞬でも母のもとに戻る（そしてよみがえる）ことは、人生にとって決定的に重要だと訴えており、世の息子たちに、母を理解し、ときには電話せよと諭している」ことだと言う（99頁）。

私はこの一文に接して、そのとおりだと思った。

私は歴史にも興味があるから、イザベラの遺言により1504年にグラナダの王室礼拝堂に遺贈されたという事実にも関心が湧かないではない。

しかし、そんなことよりも、世の中の人々に侮辱され見捨てられるさまを見ていたその当の息子が自分のもとへ戻ってきてくれたことへの母の思いほどに重要なものはない。無力な母は息子を助けることも、守ることもできなかった。息子は母のもとから去り、世の中に出、自らの務めを果たした。そして、今、復活して、一瞬だけ母のもとに戻ってきたのである。

残念ながら私にはもう電話する母はこの世にいない。しかし、母がこの世にいるときに、私は仕事の忙しさにかまけてばかりいたのではないか。

私はこの絵を見たことがない。仮に見る機会があったとしても、母に電話しようとしたろうか？　キリストの右胸の傷に気が付けば、もうこの世の中の定めの向こう側のことについての絵だと分かっただろう。だったら今のうちに。そうしたかもしれない。そう思う。

著者らは言う。「現代の美術館は整然としているように見えて、アートの真の役割という意味では、根深く深刻な混乱を抱えている。アカデミックなカテゴリー化にこだわるあまり、感情への理解に基づいた展示法がおろそかにされている。そのため美術館は、かつての教会や寺院のように、人を変え救いを与えるアートの力に訴えることができない」

「過去の作品を収蔵する生気のない保管所」（102頁）でしかないのではないか、と問いかけるのである。

殷鑑《いんかん》遠からず。弁護士である私にも、権威はあっても「生気のない」世界はすぐそこにあるような気もしてくる。

★職務の平等か、社員の平等か

「ローヤー進化論」『BUSINESS LAW JOURNAL』2020年1月号

会社に入っても大学で学んだ知識は役に立たない。多くの会社員の実感ではないだろうか。辞令一枚で、全国、いや全世界どこへでも飛ばされてしまう。これも決して珍しいことではない。

では、以下の問いについて、読者の皆さんはどう答えるだろうか？

「スーパーの非正規雇用で働く勤続10年のシングルマザーが、『昨日入ってきた高校生の女の子となんでほとんど同じ時給なのか』と相談してきたという」のである。

設例は「社会の価値観をはかる、リトマス試験紙のような問い」で「2017年に、労働問題関係者の間で話題をよんだエピソード」なのだという（『日本社会のしくみ　雇用・教育・福祉の歴史社会学』小熊英二、講談社、2019　577頁）。

著者は三つの回答例を挙げる。
①おかしい。なぜなら、賃金は労働者の生活を支えるものだから、年齢や家庭背景を考慮すべきだ。このシングルマザーの人は正社員になるべきだ。
②正しい。年齢、性別、人種、国籍で差別なく、同一労働同一賃金が原則だ。高賃金を望むなら資格や学位をとることを考えるべきだ。
③仕方ない。労使関係の枠内ではなく、児童手当などの社会保障政策で解決すべきだ。最低賃金の切上げ、資格取得、職業機会の提供を公的に保障すべきなのだ。
著者自身は、「どれが正しいということはできない。それぞれ、別の価値観や、別の哲学にもとづいているからである」という。さらに、①は戦後日本の多数派が選んだ回答だったとし、非正規労働者との格差を生じさせたとする。

では、改革の方向性は、と議論を進め、②ではある種の正義は実現するが格差は別の形で拡大し、治安悪化などの問題もつきまとうという。

回答③は？　別の正義は実現しても、税や保険料の負担増大などは避けがたい。

「社会の合意は構造的なものであって、プラス面だけをつまみ食いすることはできないのだ」（579頁）というのが、自らは③が良いとしつつも、著者の考えである。

「他国の長所とみえるものを、つまみ食いで移入しようとするものが多かった」と批判する著者ならではの結論である（571頁）。いつもコーポレートガバナンスのことを考えている私には、ひょっとすると最近のコーポレートガバナンス改革のことを批判しているのかと思わないではいられなかったほどである。

著者によれば、日本の経営者が、経営者に都合の良い部分だけをつまみ食いしようとしても、必ず失敗に終わる。なぜなら、それでは労働者の合意を得られないからだ。逆でも、経営者の合意を得られないから、同じことである。

つまるところ、「長い歴史過程を経て合意に到達した他国の『しくみ』や、世界のどこにも存在しない古典経済学の理想郷を、いきなり実現するのはほとんど不可能に近い」（571頁）という著者の考えに、私は同感する。しかし問題は、ではどうすればいいか、である。

最低限必要なことは、「透明性の向上」である、と著者は力説する。「具体的には、採用や昇進、人事異動や査定などは、結果だけではなく、基準や過程を明確に公表し、選考過程を少なくとも当人には通知することだ」（573頁）という。だが、それは実行可能であろうか?

過去の年功賃金や長期雇用廃止への改革、例えば、「成果主義」が失敗したのは、経営側の短期的視点からのもので、労働者側の合意が得られなかったからだと著者は言う。年功賃金や長期雇用は、経営者側の裁量を抑えるルールとして、労働者側が達成したものだった（573頁）という分析は、著者の冴えを感じさせる。なぜなら、「日本の労働者たちは、職務の明確化や人事の透明化による『職務の平等』を求めなかった代わりに、長期雇用や年功賃金のルールが守られていることを代償として、いわば取引として容認されていた」からである（574頁）。

実は、全608頁という、新書本としては異例の厚さのこの本の真骨頂は、この結論に到達するまでの途中経過にある。前記の「取引として容認されていた」ということの歴史的、国際比較的な説明が詳細に、説得力をもって語られているのである。それがなければ、最後の部分も単なる概説に過ぎない。

雇用主や職長の気まぐれで賃金や仕事内容が決められ、簡単に解雇される社会から、米国は職務を記述書によって明確化し、同一労働同一賃金という「職務の平等」を目指した。日本は、職員というエリートの特権だった長期雇用と年功賃金を労働者にまで拡大させ、「社員の平等」を志向した。

代償は、米国では一時解雇であり、職員と現場の階級的な断絶である。日本では経営者の裁量で職務が決まることであり、他企業との間の規模などによる相異である。

要するに、企業横断的な基準がないのが日本なのである。米国の職務の観念がなく、ドイツの職種の考えがないということである。ドイツの職種とは資格による採用・昇進である。ドイツでは伝統的に労働組合が資格証明の役割を担ってきた。組合は企業の枠を横断した産業別であり、国または州の単位で賃金を決めることとなる。企業単位で決めることはできない。日本人は電気工を選びとるのではない、例えば、日立に入って電気工に配置されたから電気工になるのである。大学で何を学んだかはさほど関係なく、たとえ単身赴任になるとしても転勤を拒否することはできないと、冒頭に述べた所以である。

問題は、その日本が停滞したまま30年経ってしまったことである。

私は、日本はなんとかなるだろうと考えている。コーポレートガバナンスの驚くべき速度での普及は、問題はあっても、楽観的に考える理由になると思っている。

ところで、この本を読んで、弁護士業はまことに日本的ではない仕事だという感慨を抱いた。企業横断的な資格が、当然のように確立しているからである。弁護士のものの見方は、これからの日本の役に立つかもしれないなどと考えている次第である。

★さまざまな立場で話し聞くこと

「ローヤー進化論」『BUSINESS LAW JOURNAL』2020年2月号

中国情報に詳しい方に、現状と将来像を聞いた。毎月1回の定期的な勉強会でのことである。この勉強会には途中から参加したのだが、もう201回目になるのだという。

いくつかの勉強会に参加している。

直接仕事に関わる内容ではないものが大半である。そうした、ふだんは本でしか縁のない分野について、専門の方のお話を伺うのは何とも愉しい。殊に、話の後に質問の時間が設けられていると、私は必ず何かを伺うようにしている。既に著書を読んで知っている方ならばもちろん、そうでない方にも、講演を伺いながら疑問に感じたことを率直に質問し、教えていただく。

私自身が関係している団体が講演会を開くことも多い。すべてに出ることはできないが、関心のあるテーマのときには、できるだけ時間の都合をつけて拝聴する。これは仕事に近いものが大半である。立場上、質問はご遠慮するのだが、途切れたときには、質問をさせていただく。日頃からの私にとっての「謎」について伺うことができるのだから、これ以上のことはない。答をいただくと、なるほどとすっきりする。そうはいかないこともあるが、それは、現在の最前線にいる方でもそうだということで、やはり納得がいく。

講演する側に回ることも数えきれない。弁護士としての立場から、それもコーポレートガバナンスに関わることが主な演題だが、小説家としての立場からお話しすることもある。私は学者ではないから、質問してくださる方々も必ずしも学術的な回答を求めてというわけではなく、いろいろな思いで質問してくださる。

いずれにしても、講演は、聴くだけのときにはわからない類の、お願いするときの準備がけっこう大変である。人選に始まって、日程を調整する、資料をいただく、プロジェクターが必要かどうかも忘れてはならない。私が直接準備するのは一部に過ぎない。はっきりしているのは、誰かが水を用意しなくては、お話しくださる方は講演途中で水を飲めないということである。

自ら講演するときには、たいていの演題では以前の資料や話の中身の使い回しができる。準備には事務所の弁護士さんたちに手伝ってもらえるから、大いに助かる。

それでも、喋るのは自分自身である。聴いてくださるのがどういう立場、職業の方々なのかを伺って、頭に入れて、話の中身を考える。同じビジネスの方といっても、監査役をしていらっしゃるという、専門的知識に溢れた方々の集まりであるということもある。

初めての講演がいつだったのか。たぶん40年近く前、ある依頼者の新商品の紹介の席に花を添えるという立場だったような気がする。

シンポジウムという、何人かがひな壇に並んだうちの一人ということもある。その場合には、一人で喋るときと違って、他の方がお話しされるのを聴いている時間も結構ある。しかし、油断はできない。モデレーターという名の司会者が、いつ何時こちらに話を振ってくるかもしれないからである。何がどう話題になっているかを常に把握していなくては、とんちんかんな発言になりかねない。

テレビに出ることもある。テレビ番組というのは、まことに不思議な作業の塊、結果である。

私は、そもそも番組作りに参加することはない。ただテレビ局が、この点についてはあの人に頼んで喋ってもらおうということになったときに白羽の矢が立つのである。スケジュールから言って無理だとお断りしても、なんとかかと言われて当日にばたばたと決まってしまったことすらある。

いつも感心するのは舞台裏である。テレビの画面を作るそのために、たくさんの人々がそれぞれの立場で貢献される。間違いなく、私が知っているのはその一部に過ぎない。しかし、スタジオにあるいくつかのテレビカメラの後ろ側にいる方々、ときに、あと何分とか、このあとはＣＭが30秒入りますといった指示板を示したりする方々の存在抜きには、画面はできあがらない。テレビについて、私の知っている範囲で申し上げれば、何といっても感心するのはスピードである。まさに、促成栽培、それも見事な促成栽培である。

私が何を喋るのかは、おおよそ、ここここでこんなことを、という程度、ものの10分程度の説明で終わりのことが珍しくない。それで、何とも見事な番組になっているのである。

スタジオではなく、事務所までインタビューに来てくださることもある。テレビの画面を通じて一方的に顔なじみの方がお見えになって、ズバリといろいろ質問される。驚くほど勘が鋭い方たちである。そうでなければ、早送りのようなスケジュールをものともせずに、テレビの世界で生き抜いていくことはできないのだろうな、と感嘆する。

二、三〇分もお話ししていると、的確な質問が組み上がり、私はカメラに向かって語りかければよいことになっている。番組のポイントからずれたことを話しても、ビデオは編集される。キャスターの方が、こういう点を出したいと言われてもう一度質問をしてくださり、それに応じてお話をすることもある。

しかし、こうして1時間かけてやりとりをし、間違いなく30分は回ったと思われるビデオがあっても、実際のテレビ画面に出てくるのは、ものの数十秒である。いや、もっと短いこともある。それでも、さすがにテレビである。思いもかけない方が観てくださっていて、感想をくださることがある。恐ろしいもので、話した中身は良かったが、どうもネクタイの柄がね、と言われてしまうこともあるのだ。

冒頭の中国のことであるが、60年安保のときに岸首相が何と言ったか覚えていますかと講師が質問された。国民にとっては、後楽園球場で長嶋がホームランを打ったかどうかのほうが大事だ、と岸首相が話したということをたとえに挙げられた。私は「声なき声」という言葉を思い出していた。

なるほどそうなのかもしれない、と思う。しかし、私には香港で何が起きるのか、大いに関心を持たずにはおれない。法の支配について思うからである。

だから、先日、香港の高等法院が覆面禁止規則について基本法違反、つまり憲法違反という判決を出したと新聞で読んだとき、私は紙面に涙を落とした。今、ここでの、法の支配を見たと感じたからである。もちろん上訴があり得ることは承知である。

アドバイザーとしての役割とは

「ローヤー進化論」『BUSINESS LAW JOURNAL』2020年3月号

親しい友人がこんな話をしてくれた。金融の世界で活躍していた男だ。

自分は安倍さんを支持しない。知的でないものを好まないからだ。しかし、今の世界を見回すと、トランプといい習近平といい、乱暴な人々が威勢を示して競い合っている。プーチンも同じ、ボリス・ジョンソンもエルドアンもそう。ほかにもいくらでも例を挙げることができる。そういう世界になってしまっている。

そんな世界に立ち交じって、日本で彼らに対抗できそうな政治家となると安倍さんしか思いつかないんだ。だから、自分は安倍さんが日本のためには必要なんだろうと思う、と。

私は、友人の言葉に相槌を打った。賛意である。

その翌日、尊敬するある分野の専門家からこう言われた。大きなパーティで隣同士に座ったのである。旧知の間柄である。

人間、15分も一対一で話していると、頭が良いか悪いか分かっちゃうわけでしょう。私は安倍さんと何度もそうしたことがある。結論は、頭が良いというほうではないね、だ。

そういうことか、と私は思った。その方の言を信じない理由は何もないほどに尊敬している方だったからである。そして、前日の友人の話と照らし合わせ、むしろ安倍さんの強さを支えるものはそういうところにあるのかもしれない、と感じたのである。

だが、「政治家たちは自分には選択権があるという幻想を抱いているが、本当に重要な決定は、メニューの選択肢を決める経済の専門家や銀行家や実業家によって、ずっと以前に下されている」（ユヴァル・ノア・ハラリ『21 Lessons 21世紀の人類のための21の思考』柴田裕之訳、河出書房新社、2019 99頁）。ハラリはさらに続けて、「20年ほどのうちに、政治家はＡＩが用意したメニューから選ぶようになっているかもしれない」という。

私は政治家に実際の選択権がないという説をあまり信じない。ヒトラーの政治的決定がなければ第二次世界大戦はなかったろうと思うからである。また、民主的な選挙を通じて選ばれた政治家であれ独裁的な政治家であれ、国民の支持を意識しないで決定することはないと思うからである。もちろん、だからその決定が正しいと考えているわけではない。

例えば、「新しい種類の攻撃兵器と防御兵器が登場すると、新興のテクノロジー超大国は、自国は無傷のまま敵をせん滅できると結論するかもしれない」（同書１６７頁）。その結論による決定は専門家のアドバイスを得たものであろう。しかし、決めるのは国の意志を決定するものとして広く承認されている政治家である。専門家のアドバイスがなければ、その政治家は、自分の手の指、または脳を使って新しい種類の兵器の始動をしなければならない。そんなことができる知識など、はなっからその政治家にはないだろう。政治家はアドバイザーを必要とする。

それでは、アドバイザーというのはどんな役割を果たすのだろうか？

その一つの例を、私は高坂正堯《こうさかまさたか》に見た。「高坂が最も前向きに協力したのは、沖縄返還を成し遂げた佐藤栄作内閣であろう」（『高坂正堯―戦後日本と現実主義』服部龍二、中央公論社、2018　同書v頁）とあり、その後に三木武夫、大平正芳、中曽根康弘と歴代首相の名が続く。ほかにも田中角栄や宮澤喜一と対談したとある。

だが、その佐藤栄作は、「若泉を密使として用い、『核密約』をニクソンとかわしていた。そのことを高坂は知らなかったと思われる」ともある（同書143頁）。若泉というのは、若泉敬のことであり、彼は後に『他策ナカリシヲ信ゼムト欲ス』という本を書いて、自らの沖縄との関わりについて述べている。つまり、高坂は4歳年上である若泉よりもはるかに著名であったものの、政治家佐藤の心からの信頼を得たアドバイザーではなかったということかもしれない。権力のあるものは、紙を切るには鋏を、石を砕くにはハンマーを使うべきことを知っているのである。

高坂自身は、「現在のことだけを専攻することも私を満足させない。（中略）『ディレッタント』

という言葉は、元来ものごとに関心を持ち、喜びを見いだす人というというくらいのことであったらしいが、私は今後もその意味での『ディレッタント』でありつづけたいと思っている」と同書にはある（211頁）。

私は、高坂の考えていたことが良く分かるような気がする。頼まれれば意気に感じて精進する。しかし、自分がディレッタントであることを深く自覚している者にとっては、所詮、淡い君子の交わり以外のものであり得ようはずがない。それを、政治家である佐藤栄作の側も感ずればこそ、核持ち込みの密約などといった重大事を託す気持ちにはなりようがなかったのである。

弁護士に似ていなくもない。弁護士は会社の外側にいて、アドバイスをする。全力を尽くしてくれるだろうとは思っていても、会社のトップから見れば、所詮法律の内側にいる人間で、ビジネスの世界でのリスクをともにとって人生を懸けてくれるとは信じきれないのかもしれないからである。弁護士からすれば、いちいち案件に人生を懸けるほどの弁護士では、逆に弁護士として心もとないということがどうしてビジネスをしている人間には分からないのかとも感じるが、それぞれの立場ということだろう。

ハラリは、アドバイザーについてこんなことを言っている。

「大統領やＣＥＯ（中略）彼らは大勢の顧問や巨大な情報機関を自由に使えるが、必ずしもそれで状況が改善されるわけではない。世の中を支配しているときには、真実を発見することは極端

なまでに難しい」「時間を浪費する特権なしには真実は決して見つからない」（ハラリ・前掲書285頁）

ハラリは「巨大な権力は、周囲の空間そのものを歪めるブラックホールのような働きをする」という。要するに誰もがへつらう、ということである。

私は、そうではなく、へつらう者しか権力者には近づかないということだと考えている。それを知っている権力者は、アドバイザーを使い分けるに違いない。へつらわない者の価値を知っているからである。

最後に、どんな権力者も法の上にいない。それが法の支配ということである。

AIがもたらす人類の進化とは

「ローヤー進化論」『BUSINESS LAW JOURNAL』2020年4月号

馬と人が競走したらどちらが速いだろうか？

馬に決まっている。人間が馬にかなうはずがない。誰もがそう思うのではないか。

ところが、英国のウェールズでは、1980年から何百人もの人と何十頭もの馬が走って優勝を競っているのだそうだ（『残酷な進化論』更科功、ＮＨＫ出版、２０１９　１７５頁）。

ただし、マラソン大会である。35キロメートルを走るのだ。つまり、それだけの長距離なら人と馬は十分に競走となるということである。１９８０年に始まって以来、いつも馬が勝っていたのが、２００４年、ついに人が勝ったのだとある。

それにしてもである。馬よりも人のほうが速いというのは驚くべきことではないか。

秘密は、発汗にある。多くの哺乳類は、長時間走り続けると体温が上がってそれ以上走り続けられなくなる。

では人は？　みなさんご自身がよくお分かりのとおり、人は体温を下げるために汗をかくことができる。だから体温が上がりにくく、長距離走に向いているのである。

実は、馬も哺乳類の中では例外的に汗をかくのだという。だから人と馬とは好勝負ということらしい。

つまり、ほとんどの動物は長距離走では人にかなわないということである。逆にいえば、人は短距離走では負けるが長距離走では勝つ。つまり、逃げるのは苦手だが追いかけるのは得意なのである。牛や鹿を人が追いかけてもすぐに引き離されてしまう。しかし、勝負はそこからである。人は追跡をやめない。姿が見えなくても足跡を追うことができる。しつこく、いつまでも、どこまでも追いかけてくる人に、牛や鹿は疲労や心臓麻痺で死んでしまうこともある。

継続は力なり、は長く生きてきた人間の実感である。決して諦めない、Never give up! といえば、それが自分の人生のモットーだという方も多いのではないか。どうやらその発想は、何百万年も前にサバンナで動物を狩っていた時代からの人類の実感なのである。

しかし、人は四足歩行時代から二足歩行に変化したのだろうか？　その間に「中腰のヨタヨタ歩きが、自然淘汰によって進化するとは思えない」（同書157頁）。

草原で進化したと前提すれば、そのとおりである。しかし、人は木の上で生活する過程で二足歩行に変化したようである。木から木へ、手を使って飛び移れば便利ではないか。もちろん、手は前足から進化したのである。親指対向性のある形なので、細い木の枝などを摑むのに適しているのだ。

更科氏の本を読んでいると、目から鱗が落ちる思いがする。

例えば、眼である。

「眼というものは完成して初めて役に立つものなので、進化によって少しずつつくられたはずがない。半分出来上がった眼があっても、何の役にも立たないからだ。だから（眼も含めて）生物は、何らかの目的を持った存在（イメージとして神のようなもの）によって、一気につくられたと考えるほうが合理的である」という説があるという。インテリジェントデザイン説という（同書98頁）。

しかし、現在の人間の眼に至る進化の過程とは、初めは体の表面にある視細胞が明暗だけを感じていたのが、次にその表面が少し窪んで凹型になると、光が来る方向が分かる。さらにその窪みの入り口が小さくなれば、そこを通過した光は窪みの内側で広がって、ちょうど針孔《はりあな》写真機のように上下反転した像を結ぶ。形が分かるのである。その窪みの入り口にレンズをつければピントが合う。こういう進化をたどったのではないか、ということである（同書１０４頁）。

ミルクの話も面白い（同書83頁以下）。

哺乳類は生まれてすぐに母乳を飲み始める。ところが、大人は飲まない。それは成長するにつれてラクターゼという酵素を作らなくなるので、ミルクに含まれるラクトースという糖を消化できなくなるからだという。もっとも、チーズやヨーグルトはこのラクトースが少ないのでたいていの人が食べられる。

面白いのはこの先である。

何千年か前に酪農が始まると、遺伝性疾患であったラクターゼ活性持続症の人、つまり大人になってもミルクを飲める人が自然淘汰で有利になったのである。同時期に、ラクターゼ活性持続症を起こす突然変異が広がったのだ。

妙味はここにある。ラクターゼ活性持続症の突然変異は、ホモ・サピエンスが現れた30万年前から何度も起きている。しかし別にそれで何も良いことは起きない。ところが酪農が始まると状況が変わり始めた。生きてゆくうえで有利になったのである。

進化について更科氏はこう言う。

「進化は一直線に進むものではなく、進んだり戻ったりする。だから、自分の眼について、完成品というイメージを持つのはおかしい」。更科氏によれば、眼の進化という点では鳥、中でもワシやタカの眼は人間の眼よりもはるかに性能が良いという。

私は更科氏の鋭い進化論を読んでいて、AIを思った。人類は進化の突然変異としてAIを取り入れてゆくのではないかと感じたのである。現に、人類にとって近視であることは眼鏡のおかげでほとんど不便を感じない。とすれば、AIで補った機能は、人間にとって遺伝子が突然変異したことと同じ意味を持つのではないかということである。


今年の年末年始は9連休だった。私は仕事をしながら合間あいまに本を読んで過ごした。右に掲げた本のほかにも、岡田尊司『ネオサピエンス―回避型人類の登場』（文藝春秋、2019）、尾島正洋『総会屋とバブル』（文藝春秋、2019）、ターリ・シャーロット『事実はなぜ人の意見を変えられないのか』（上原直子訳、白揚社、2019）、福岡伸一『ナチュラリスト―生命を愛でる人』（新潮社、2018）、天野彬『SNS変遷史』（イースト・プレス、2019）、実重重実『生物に世界はどう見えるか―感覚と意識の階層進化』（新曜社、2019）を読んで、宇宙の果てにも、現在の若者の世界にも、過去の地球にも、動物から見た世界にも出かけたのである。平和な日本に住んでいるおかげである。

★会社組織に動的平衡を見る

「ローヤー進化論」『BUSINESS LAW JOURNAL』2020年5月号

ルリボシカミキリの話を聞いたのは、ＮＨＫのラジオ高校講座でだった。そこで、福岡伸一氏のルリボシカミキリの青色についての文章が紹介されたのだ。現代国語の授業だった。ほう、そんな美しい虫がいるのかと思い、早速インターネットで調べた。もともと私は虫に興味があるほうではなく、ただ、少年だった福岡氏の人生を決定づけた昆虫が、いったいどんな色形なのかを知りたかったのである。

その時は、ちょうど福岡氏の著書である『ナチュラリスト―生命を愛でる人』（新潮社、２０１８）という本を読んでいる途中でもあった。何冊もの本を並行して読む習慣のある私は、その本の優先度を上げ、すぐに読み切ってしまった。

読み切ると、２２９頁に紹介されていた「『動的平衡』の生命観について」を読まずにはいられない思いにとらわれた。『新版 動的平衡―生命はなぜそこに宿るのか』（小学館、２０１７）である。幸い平川南氏の推薦書（日本経済新聞２０２０年1月4日付け朝刊「リーダーの本棚」）であったことから、既に手に入れていた。

初めに「ほう」と思ったのは、加齢と時間の感覚についての説明だった。「歳をとると1年が早く過ぎるのは『分母が大きくなるからではない』」

この分母とは、自分の年齢で1年を割って分数としたときの分母を指している。同じ1年が、3歳なら3分の1、30歳なら30分の1というわけである（43頁）。

分母が大きくなるからではなく、「タンパク質の新陳代謝速度が、体内時計の秒針である」から、「私たちの新陳代謝の速度が加齢とともに確実に遅くなるということである。つまり体内時計は徐々にゆっくりと回ることになる」というのが真実なのだ。あからさまに言えば、「実際の時間の経過に、自分の生命の回転速度がついていけてない」（47頁）ということなのである。

私は、それまで漠然と1年が早く過ぎたと感じられるのは、新しい経験が減ってくるからだと思っていた。同じことの繰り返しが多くなり、一刻いっこくに新鮮さがなくなるからだろうと思っていたのである。年々歳々花相似たり。私の中の体内時計が遅れがちになっていたからだとは夢にも感じないでいた。

「胃の中は『身体の外』」という節は、「消化管の内部は、一般的には『体内』と言われているが、生物学的には体内ではない」という文章に始まる（73頁）。

これは、以前にも何かの本で読んだことがあった。だから、消化管は「口、食道、胃、小腸、大腸、肛門と連なっているが（中略）それはチクワの穴のようなもの、つまり体の中心を突き抜ける中空の管である」（同頁）とあっても、「そうかそうか」と思った程度であった。

しかし、消化管に神経回路網があり、それは「脳と比べても全然リトルではないほど大がかりなシステム」であって、「私たちはひょっとすると、この管で考えているのかもしれない」などとは思いもしなかった（78頁）。

そこはタンパク質がアミノ酸にまで分解されて、消化管壁を通過して体内に入る場所なのである。体内に入ったアミノ酸は血流に運ばれて新たなタンパク質に再合成され、新たな情報＝意味をつむぎ出す。

「新たなタンパク質の合成がある一方で、細胞は自分自身のタンパク質を常に分解して捨て去っている。なぜ合成と分解を同時に行っているのか？」

愚問であると福岡氏は言う。「合成と分解の動的な平衡状態が『生きている』ということであり、生命とはそのバランスの上に成り立つ『効果』であるからだ」（80頁）

「サステイナブル（持続可能性）ということは、常に動的な状態なことである。一見、堅牢強固に見える巨石文化は長い風雨にさらされてやがて廃墟と化すが、リノベーション（改築改修）を繰り返しうる柔軟な建物は永続的な都市を造る」（80頁）

ここに到って、私はまるでコーポレートガバナンスについての議論を聞く思いにとらわれた。サステイナブルな会社であるためには、改築改修、すなわち後継者の選定・育成が不可欠である。いかに優れた経営者であっても、人はいつか舞台から去らなくてはならない。しかし、会社は都市のように永続しなくてはならない。それならば、と思ったのである。

次は受精卵とES細胞である。

37兆個の細胞を持つ人間も、初めはたった一つの受精卵から始まる。その受精卵がお互いコミュニケートして何になるか、例えば君は皮膚に僕は脳にと話し合い、「互いを律しながら分化を進めていく」（157頁）。

それを停めておいて、「一時停止していたプログラムを再開する」、それが「ES細胞の凄さ」なのである（162頁）。山中伸弥氏らの「iPS細胞とは（中略）ES細胞を人為的に作出することができることを示した画期的な発見だった」（165頁）。

私はそういうことだったのかと唸った。

では、なぜ「動的平衡」なのか？

それはエントロピー増大の法則、熱力学の第二法則、宇宙のすべての現象は乱雑さが増える方向にしか進まないという法則、それに反することは誰にもできないという条件の中で、生命が運動を繰り返そうとしているからである。

「生命とは何か？」という問いに対する福岡氏の答は、物質が下ろうとする坂を、絶えず上り返すという、あてどのない往還、とどまるところのないシーソー運動が繰り返されること、つまり「動的平衡」だということ、である（286頁）。

福岡氏の答に私は、岩を谷底から山頂に押し上げ、成功する直前にまた谷底に転げ落ちた岩を追って、同じことを永遠に繰り返すというシジフォスの神話を思い浮かべた。

「動きながら常に分解と再生を繰り返し、自分を作り替えている。それゆえに環境の変化に適応でき、また自分の傷を癒すことができる」（262頁）、「絶えず自らを分解しつつ、同時に再構築するという危ういバランスと流れ（中略）これが生きていること、つまり動的平衡である」（297頁）という福岡氏の言葉に、私は改めて会社という組織を思った。

「生命というプロセスはあくまで時間の関数であり、それを逆戻りさせることは不可能だ」と福岡氏は言う。しかし、会社は生命以上の何かなのかもしれない、とも思ったのである。

法の支配が続く未来を見据えて

「ローヤー進化論」『BUSINESS LAW JOURNAL』2020年6月号

ケンタウロスという、人と馬とが一体になったギリシア神話に出てくる想像上の生き物がいる。昔からいろいろな絵画で見てはいるのだが、どの絵にも無理があると感じてきた。それはそうであろう、上半身は人間の男、下半身は馬なのである。馬の首の部分に人間の上半身が、両腕ごと付いている。いかにもバランスが悪いのである。人間の体は、それなりに完成されている。もっとも、すべて単なる慣れなのかもしれないが。

『カメの甲羅はあばら骨』（SBクリエイティブ、2019）という本を見た。イラストが満載で、そのイラストが本の価値の大半に思われるので、読んだというのにはなじまない。川崎悟司という名前の47歳のイラストレーター兼古生物学者の方が出した、なんとも興味深い本である。私は、朝日新聞の書評（2020年2月15日付け朝刊）に「とにかく表紙のイラストが目を引く」とあり、小さな写真がついているのを見て、早速購入した。横倒しにした大きな壺のようなものに人がすっぽりと入って、顔と両腕が外に出ているイラストである。

イラストが何枚も出てくる。好みがある。こうした絵は気持ちが悪いという方もいるだろう。実は私も初めはそう感じていた。特にワニの絵（28頁）。なるほど、「もしも人間がその構造を持っていたら」という解説の付された「ワニ人間」のイラストはわかりやすいが、グロテスクでもある。人の目から下が急に張り出していて皮膚は人間のまま、ワニの顔になっているのである。閉じている口から歯が外にはみ出しているからクロコダイルである。

説明を読むとよく分かる。「ヒトは下アゴを動かすことで口を開きますが、ワニの場合は下アゴが地面に近いため、上アゴのほうが開く構造になっています」。確かに、ワニが大口を開けた映像を観ることがあるが、いつも上アゴが大きくぱっくりと開いている。

鳥が大空を飛ぶためにどれほどの筋肉が必要かということも、131頁のイラストを見ると一目瞭然である。大きな籠を胸に抱えているほどの量の筋肉がなければ空を飛ぶことはできない。もちろん鳩胸どころではない。

ゾウも一見の価値がある（42頁）。鼻が長いだけかと思っていたら、上唇と鼻が一緒になって伸びているのである。

なぜ伸びたのか？　昔、3500万年前は短く、バク程度だったようである。それが、体が大型化したために巨大な臼歯や頭骨のあるゾウは、首を伸ばしたり前脚を曲げてひざまずき、地面まで口を持っていって食事をすることができなくなってしまった、ということなのだそうだ。鼻が長くなれば、ホースのように草を搦《から》めとることも水を吸い上げることも自由自在。それでその方向に進化したと考えられているという。

カメは、表題になっているだけあって、驚きである。なぜカメはあんな甲羅を持っているのだろう。私は昔から不思議でならなかった。爪と同じようにタンパク質が硬化したものなのか、まさか骨でもあるまいが、と。眼鏡の縁になっている鼈甲から察すると、どうもタンパク質のようだと思ってきたのだが、今回、それがはっきりした。

カメの甲羅は二重構造なのである。骨甲板という肋骨（あばら骨）と背骨がくっついて板のようになったものと、角質甲板という骨甲板をコーティングするような薄い板状になった鱗でできているのだという（12頁）。カメの甲羅は骨にタンパク質を貼り付けたものなのである。

それにしても、どうしてあばら骨が体の外側に、と思わずにはいられない。まるで甲殻類のようではないか。調べてみれば、外骨格という点では共通するらしい。

ではキリンは？　フラミンゴは？　カバは？

すべてこの本に出ている。なるほど人間とここが違うのかと納得のいくイラストである。

私は、コウモリの翼が人間でいえば親指以外のすべての手の指が傘の骨のように細長く伸びて、その間に皮膜が張られているものだと初めて知った。漠然と手のひらが広がったのではないか程度に考えていたのだが、111頁のイラストを見ると氷解である。

ところで、川崎氏には「古世界の住人・川崎悟司イラスト集」というウェブサイトがある。好奇心にかられて覗いてみると、5億4200万年前のカンブリア紀から現在まで、さらには未来の地球の様子までが描かれている。いくつもある地球のうち、例えば500万年後の地球をクリックしてみる。すると、そこには日本列島は存在していない。氷河時代になってしまっているようなのである。

弁護士というのは、500万年後どころか、今日、明日を生きているのだなとつくづく思う。もちろん、訴訟になれば何年もかかることもある。現に私が最初に携わった国際的な大訴訟は、6年経ってやっと第一審判決が出て、解決までにはさらに数年を要した。

しかし、仕事のうえで500万年後を想像することはない。

だが、と思う。最近よく耳にするサステナビリティというのは、そこまでも視野に入れてのことなのかもしれない。500万年後に氷河時代が来るにしても、それまでに地球が温暖化して人類が住むことができない星になってしまっていては、無意味な話になってしまうからである。

そんな長期的な問題に資本主義が立ち向かうことができるのかどうか、怪しい限りである。しかし、今日、明日が資本主義の世の中である以上、どんな遠い未来もそこは資本主義の先にしかないことだけは確かである。尊敬する岩井克人氏の語る『岩井克人「欲望の貨幣論」を語る』

（丸山俊一ほか、東洋経済新報社、２０２０）を読んでもそう思う。岩井氏は「アリストテレスは『資本主義を』発見してしまったのです」というのだ（１３７頁）。５００万年後に法の支配があるのかどうかは分からない。だが、それまでの間、当面、弁護士のしなければならないことは少なくないようである。

新型コロナウイルスと私

「ローヤー進化論」『BUSINESS LAW JOURNAL』２０２０年７月号

新型コロナウイルスのせいで、私の事務所も在宅勤務を原則とすることとなった。世の中には、こと志に反して店を閉じ、営業を休止しなければならない人々も多い。法律事務所は別段休業はしないで済む。ＩＴのおかげである。世間では、休止といってもそれが廃止になるのではないかと恐れているという声も聞く。何ともお気の毒にと心から同情しないではおれない。自営業の身、また中小企業の身、とても他人事とは思えないからである。

そうした直接に被害を受ける方々でなくとも、先の見えない状況に多くの人々が不安を口にする。無理もない。感染していても自覚がなく、そのうえその状態で他人に感染させる可能性すらある。それが新型コロナウイルスだというのだ。始末に負えない。

しかし、私はいずれ近々に薬ができるだろうとも思っている。その程度には現代の医学を信頼しているということである。思えば、文明の具体的恩恵は医学に極まるといっても過言ではないのではないか。今回の事態にしたところで、14世紀にヨーロッパを襲ったペストと比べてみれば、我々は何ともありがたい時代に生きているということになる。

スペイン風邪のことも人々は言う。ほんの100年前のことに過ぎない。それでも、この100年の医学の進歩は目覚ましい。ほかの世界でも似たことが起きているのだろうが、私は生身の人間として、実感するのである。例えばガンは以前のように不治の病ではなくなった。ガンは確かに怖い。しかしガンの告知が死の告知である時代は過ぎ去っている。

ふと、「あの多くの年若い少年たちにとって戦争がなんであったかを思い出してみるがいい。それは四年間の長い休暇だったのだ」（レイモン・ラディゲ『肉体の悪魔』新庄嘉章訳、新潮社、1954 9頁）という一節を思い出す。戦争に比べてみれば、性悪の面がありはするが、突然空から爆弾が降ってきたり、食事の途中で防空壕へ逃げ込まなければならなかったりすることがないだけ、耐えられる度合いが高いはずと自らを励ます。だが、と思う。1914年7月、第一次世界大戦が始まったとき、人々はクリスマスを自宅で祝う気でいた。しかし、戦争が終わるまでに4年間もかかったのだ。

薬ができるまでの辛抱。そのことは、私個人において事態を心配していないということではまったくない。私は、客観的に見て薬ができるまでの間に、自分と身近な人たちがコロナウイルスに感染し重症化するかもしれないと深刻に憂慮している。最悪の場合には、と覚悟せざるを得ない。

しかし同じことが、病気に限らず別の理由で我が身に起きるかもしれないともう一度とらえなおしてみれば、問題は目の前のコロナウイルスだけではない。それこそが人の世の定め、釈迦の時代も同じだったのだ。

そんなことよりも、私はコロナ後を思う。多くの人々が経済と社会に与える影響について語っているのを読むと、ああ、災いの渦中にあると人間は過剰に悲観したり楽観したりするものなのだと改めて感じる。70年の経験で知っているのだ。

私は、ワクチンができてしまえば、元のような日常が戻ってくるだろうと思っている。1年なのか2年なのか。１０９年も前に鷗外はこう書いている。「人間の大厄難になっている病は、科学の力で予防もし治療もすることが出来る様になって来た。(中略) 人間の命をずっと延べることも、或いは出来ないには限らないと思う」(『妄想』)。確率からいえば、私は、コロナウイルス蔓延の一時期を生き延びた後、今のインフルエンザ同様の気づかいをしながら生きていくのだろう。

ただし、経済の極端な収縮が何をもたらすのかは別の話である。それが社会にどんな変化をもたらすのかと思う。日本に不可逆的で決定的な変化が起こるとは考えていない。手が打たれるからだ。だが、ＥＵなどの国際組織の下にあった人々は結局のところ国しか頼りにならないと身に沁みたはずである。グローバリズムが後退してナショナリズムが主導権を握るのか。第二次世界大戦を戦った旧ソ連が、ドイツとの戦いを「大祖国戦争」と呼ぶことによって、「ナショナリズムと共産主義体制を合一させるのに成功した」（『独ソ戦』大木毅、岩波書店、２０１９　１１５頁）ことを思い出す。つまり、グローバリズムがなかった時代に戻るわけではない。だがヨーロッパは確実に変わる。ブレグジットだけではなくコロナまであったのだ。中国という強大な引力を持った国がその鍵になるような気がしてならない。

事務所がテレワークになって、少しばかり時間に余裕ができた。そこで私は勇躍、『開国の作法―平川祐弘決定版著作集』（勉誠出版、２０２０）を読み始めた。１０００頁になろうという大部の本である。そこには「私の見た平川祐弘」という私の文章も出ている。平川先生は私の大学時代の担任の先生である。私は、平川先生がフランス語の試験の際に「教室で私の顔をまじまじと見ながら、『君はあんまり見かけない顔だね』と穏やかにおっしゃられた」と書いている（８６８頁）。

平川先生は、私にとって仰ぎ見る富士山のような方である。「テーベス百門の大都」という形容は平川先生にこそふさわしい。その平川先生にお声をかけていただき、あろうことか私は、

『森鷗外事典』（平川祐弘編、新曜社、２０２０）に２項目書かせていただく機会を頂戴した。上記の平川先生についての文章に、私は平川先生が熊本日日新聞に書かれた文章を引用してこんなことも書いている。

「師は『法学士で作家も務める人はいるのか、いないのか』と自ら設問された後で、何と私の名前に言及されたのだ。『牛島信は日本人離れしている。（中略）新聞の学芸欄よりもビジネス欄で有名である』」。平川先生は、そんな変わった男に鷗外のことを書かせてみたら何か面白いことを言うかもしれない、と思われたのではないだろうか。どれもこれも汗顔の至りである。

『時間はどこから来て、なぜ流れるのか？』（吉田伸夫、講談社、２０２０）という本も読んだ。中学以来、何回目かの一般相対性理論への挑戦である。先日はカルロ・ロヴェッリの『時間は存在しない』（冨永星訳、ＮＨＫ出版、２０１９）という本も読んだ。歪んだ空間。どうもピンと来ないままである。どうやらこのまま終わってしまうかもしれない。再挑戦しなければならない。

★経済成長は「おとぎ話」か

「ローヤー進化論」『BUSINESS LAW JOURNAL』２０２０年８月号

私たちは、コーポレートガバナンスの話をして、おとぎ話ばかりをしているのだろうか？

おとぎ話という言葉は、皆さんに「貴方がたが話せるのは、お金のことや、永遠に続く経済成長というおとぎ話ばかり」（all you can talk about is money, and fairy tales of eternal economic growth）と言う、グレタ・トゥーンベリさんを思い出させるに違いない。

たしかに私たちはサステイナブルな、持続可能な社会を目指している。であればこそそのコーポレートガバナンスであり、ＥＳＧであり、ＳＤＧｓだと信じている。

しかし、岩村充氏はトゥーンベリさんにそう言われて、「返す言葉がない」と言う（『国家・企業・通貨』新潮社、２０２０　２３４頁）。「成長を続けるための仕掛けとしての株式会社のことばかりを前提に議論を続けて来た」とも述べる。

「人口、環境、そして技術進歩の限界、それらのすべてが19世紀から20世紀にかけての西欧型成長モデルが通用しなくなっていることを私たちに示唆している」にもかかわらず、「限界に来つつある経済を無理やり成長させようとする金融政策がピケティの「ｒ＞ｇ」を作り出し、格差の問題を生じさせているのだ」（２９２頁）。

私たちは、経済成長というおとぎ話に賭けているのだろうか？

ＥＳＧにせよＳＤＧｓにせよ、私は未来を託すに足る発想の一つだと積極的にとらえてきた。

であればこそ、２０１９年８月に米国主要企業の経営者団体であるビジネス・ラウンドテーブルが、株主第一主義を見直し従業員や地域社会などの利益を尊重すべきであると宣言したときに、我が意を得たりという思いがしたのだ。私はもともとジョンソン・エンド・ジョンソンの「我が信条（Our Credo）」を素晴らしいと考えて来た。第一に顧客、ついで従業員、地域社会、もっと広く全世界の共同社会を挙げ、最後に四つ目として株主を挙げる、その順序には人々を納得させないではおかないものがある。

ところが、岩村氏はビジネス・ラウンドテーブルの宣言を「深い」と評し、以下のように絵解きする。

岩村氏は、コースの定理を図入りで紹介して、過大な企業活動レベルと過小な企業活動レベル、そしてその間にある最適な企業活動レベルについて、株主に帰属する利益の大きさを説明する。岩村氏が「深い」と表現する理由は、「経営者たちが上手に交渉すれば、それは株主利益を増やすものにもなり得るはずだから」である（３００頁）。

株主利益は、過大な企業活動レベルのときに比べて最適な企業活動レベルのときには一見減るように見える。しかし最適から過大とすることによる株主利益は、過小から最適への株主利益に比べて小さい。実はその小さい株主利益を犠牲にすると従業員たちに言っているのである。「企業スタンスとしては控えめを心がけるから、賃金や勤務条件については我慢してほしい」（３００頁）。つまり、経営は過大な企業活動を控えて最適な企業活動に留める。だから、従業員も過大な企業活動の結果としての損失を避けることができるではないか。損失を避けることができたことによる得の部分を、株主と適切な割合で分け合ってほしい、と交渉するのである。その交渉の巧拙によっては、実は、株主は過大な企業活動をしたときよりもさらに多くの利益を得ることができる場合もある、というのである。岩村氏の表現によれば、「株主第一主義の放棄などではなく、進化という面すらある」（300頁）ということである。

岩村氏はビジネス・ラウンドテーブルの宣言を否定しているのでは決してない。むしろ「株主利益は当然に善だという信念から疾走してきた米国の経営者たちが、それだけでは世界が長期的に維持できないということに気付き始めているのならば、これは良い変化です。数少ない希望の一つのような気もします」とまで言ってもいる（301頁）。

問題は格差である。岩村氏の読みは何とも深い。「『ステークホルダー』が互いの利益を意識して交渉すれば、企業活動をステークホルダー合計という意味で最適化する可能性が得られるということだけで、それは富の分配についての修正を直ちに意味するものではない」と見抜くからだ。だから、「今回の宣言だけからは何も言えないのです」（301頁）ということになる。それでも「良いニュースの一つだ」（302頁）と思っているという岩村氏の見解は、私を励ます。

同時に、「コースの定理と水俣の海」という短いコラムに私は感嘆する。

「コースの問題意識は、こうした公害の蔓延を国家の直接介入に拠らず、人々がもっと賢くなることで解決できないかというところにあったと言える」としたうえで、「病気の原因がチッソの排水だと同定できたのは、さまざまな圧力のなか問題を追及し続けた熊本大学医学部の人たちなど多くのひとびとの地道な努力による」（302頁）と警告するのである。そして取材中に暴行を受けた写真家ユージン・スミスの写真を掲げる。

富への欲望が、賢く管理されれば、世の中は良くなるという発想は、単純すぎるのでなければ、何かを誤魔化すための発想なのかもしれない。私は、それを教えてくれた岩村氏のこの本に感謝したい。法律実務家である私の実感とも一致する。

しかし、上記はこの本の一部を私が勝手に切り取ったものにすぎない。

「個人情報保護法は空洞化寸前」（218頁）という岩村氏は同時に「国土という名の物理的空間を支配する国家に代わり、あるいは国家と手を結んで、私たちの心を支配する新しいタイプの企業の登場を予感させる」（14頁）と述べている。ICOやSTOをめぐり、さらにリブラにも触れる。中央銀行とは何かという分析は「詐欺師とされた経済学者」、ジョン・ローへの言及となる（69頁）。

読書は時として私を夢中にさせることがある。時の経つのを忘れるのだ。分野を問わない。新型コロナウイルス感染拡大による自粛期間中、私は『デカメロン』（ボッカッチョ著、平川祐弘訳、河出書房新社、2012）だけではなく、たくさんの本を読んだ。この本はそのうちで大いに啓発される本であった。敢えて皆さんにご紹介させていただいた所以である。

歴史の証人たる木戸幸一

「ローヤー進化論」『BUSINESS LAW JOURNAL』2020年9月号

木戸幸一という名前をご存じだろうか。

維新三傑と言われた木戸孝允、通称・桂小五郎の孫といえば、ああ、と思われるだろうか。木戸孝允の爵位を継いでいるから侯爵であった人物である。

内大臣として、12歳年下の昭和天皇を支え続けた。具体的には、アメリカとの戦争直前に東条英機を首相にするよう昭和天皇に推薦し、4年後終戦の決断を昭和天皇に勧めたことで知られる。米国との開戦時、昭和天皇は40歳であった。ちなみに二・二六事件のときには35歳である。そのとき木戸は、商工省を経て内大臣府秘書官長という立場にあった。

私は、『木戸幸一』（川田稔、文藝春秋、2020）を読んで、それまで断片的にしか知らなかった木戸幸一について、ある程度の系統的な知識を持つことができた。それは昭和天皇を中心としたごく一部の人々が日本の運命を決めた年月である。

1936年の二・二六事件で当時の内大臣であった斎藤実《まこと》が殺されてしまっていたから、木戸は実質的に内大臣に代わって、天皇に反乱軍の鎮圧に集中することを強く勧めた。集中するというのは、事態収拾と内閣の更迭の二本立てにしないということである。岡田啓介首相が暗殺されたと思われていたのだから、後継内閣は当然といえた。しかし、木戸は、前年に暗殺された陸軍省軍務局長の永田鉄山の言葉を覚えていて、内閣更迭に大きな危機感を抱いたのだ。反乱軍は、陸軍省と参謀本部と警視庁を押さえれば、天皇に「強要」して好きな内閣を作ることができる。事態収拾前に後継内閣を組織するとは、反乱の成功を意味する、というのである（45〜47頁）。

二・二六事件に際しての昭和天皇の「朕が最も信頼せる老臣をことごとく倒すは、真綿にて朕が首を絞むるに等しき行為なり」という有名な言葉の背後には、この木戸の考えがあったのだ。

内大臣と言っても、今ではピンと来ない。要するに「実際には統帥権を含む国策などについて、天皇を補佐する」立場にあったのであるが、それだけではない。「日常的に天皇のさまざまな判断や意思決定を常時補佐する職責にあった」のである（96、97頁）。殊に木戸の場合は、最後の元老であった西園寺公望《きんもち》が高齢化するにつれ、その役割は飛躍的に重いものになっていった。

実のところ、私がこの本を読み始めたのは、東条英機を首相にした際の昭和天皇の木戸幸一への言葉、「いわゆる虎穴に入らずんば虎子を得ずということだね」が念頭にあったからである。木戸は「唯一の（戦争に突入しないための）打開策と信じた」がゆえにそう奏薦したのである（274頁）。

もちろん、昭和天皇は虎穴に入ったが虎子を得ることはできなかった。言うまでもない、東条が米国との戦争を始めたからである。それは広島、長崎につながる道であり、東京での三・一〇大空襲を招き、満州での悲劇を引き起こしてしまった決断である。

今になって、戦後生まれの私が考えてみるに、日本がどうして米国との戦争を決意したのか、どうしても不思議でならない。

私の父は大正4年、1915年に生まれ、東京で大企業の社員をしていた男だったが、米国を相手にした戦争に勝てる気はしなかったと常々言っていた。しかし、日本が負けるなんてことがあるとは思えなかったんだよ、と付け足してもいた。

私はあの戦争が始まって、どう終わったかを一応知っている。戦争は、沖縄などを除き、日本国内で戦われたわけではない。日本の軍隊が日本の外に出ていって、そこで軍事力を行使したのだ。もちろん戦いは無人の荒野であったわけではない。どこにもそこで暮らしている人々がいたのだ。

近衛首相はルーズベルト大統領との直接会談で、「中国からの撤兵や三国同盟の破棄など、思い切った対米譲歩をおこなってルーズベルトとの合意を得る、それを陸海軍の頭越しに直接天皇の裁可を受けるかたちで承認・決定する」という案を持っていた（224頁）。昭和天皇も首脳会談に期待をかけていた（225頁）。近衛は、「（自分の）生命のことは考えない」と言い、米国に日本を売ったと非難されることも覚悟していたという。木戸も同じ考えで、「勅裁による非常手段に積極的に協力しようとしていた」(227頁)。もちろん昭和天皇にもその思いは伝わっていたと想像される。

だが、米国の意向で首脳会談は開かれず、近衛は辞め、東条が首相となって真珠湾で戦端が開かれた。日本には首脳会談に懸ける理由があったが、米国にはその必然性がなかったということだろう。

もし首脳会談が開かれていたら?

「陛下が日本の不利益を忍んでまでも、どうしても日米国交を調整されようとお考えになっているのに対し、東條はそのことが国家百年のために不利であると考えるのならば、東条はどこまでも陛下をお諫め申し上げなくてはならない」と、開戦前に東条は言っていたこともある。つまり、陸軍は天皇に強制してでも所信を断行したかもしれないのである(334頁)。

未来は誰にも読むことはできない。

それにしても、なぜ今さら木戸幸一なのか?

過去75年間、日本は常に米国の下風に立ってきた。北朝鮮に日本人を拉致されても完全に救い出すことができないでいる。近い将来、中国との関係が緊迫すれば、米国を頼るしかない。

なぜそうなのか?

すべてあの戦争を始め、負けたからである。

だから、日本の将来を思う者はすべからくあの戦争を思い返す必要がある。「木戸という存在は、彼を通して、昭和天皇や陸軍、西園寺、近衛など、昭和史の重要アクターと諸事件を見渡せる、絶好のポジションにあった」(366頁)。だから、木戸幸一は、過去どこで日本が間違ったのか、これから先どうしたらよいのかを教えてくれる貴重な歴史の証人なのである。コロナウイルスでの自宅勤務の間、弁護士業を続けながら、私はこうしたことにも時間を使うことができた。今回はその報告である。

法の支配が担う文化の一翼

「ローヤー進化論」『BUSINESS LAW JOURNAL』2020年10月号

紅旗征戎は我がことにあらず、と言ったのは藤原定家である。彼からすれば、大事なのは芸術であって、政治ではないということだろう。

私は学生時代、弁護士についての統計に、弁護士という職業に就いている人々の多くが政治に興味を抱いていない、少なくとも保守的であると見て驚いたことがある。漠然と弁護士というのは野党的な人々の集団だと思っていたからである。

青雲の志という言葉は、定家の反対ということになろう。後に総理大臣になった中曽根康弘が昭和22年、敗戦によって荒廃した祖国の国土と人心を復興再建することを目的として始めた活動の拠点の名が青雲塾といった。

その中曽根氏は、総理大臣になりながらも「長年の信念である憲法改正は、首相としての彼の政治課題とはされなかった」（『昭和の指導者』戸部良一、中央公論新社、２０１９　33頁）。

現実的理想主義者と自任し、「自らの政権の目標を、吉田路線の『平和と経済の国』から『政治と文化の国』へと転換を図ることだと語っている」（34頁）。中曽根氏らしく、できることをできる範囲でギリギリまでやった、ということなのだろう。

また、祖国といえば、「マッチ擦るつかのま海に霧ふかし身捨つるほどの祖国はありや」という寺山修司の22歳の時の歌を思い出す。いつも疑問に思うのである。１９３５年生まれの彼、あの戦争に負けたときに9歳だった彼にとっては、祖国とは当然ながら命をかける価値のあるもののはずだったのだろう、と。

いずれにしても、日本の話である。

その日本の花といえば桜、なかでもソメイヨシノであろう。今の豊島区駒込の辺りにあった染井村でできあがった、葉が開く前に花が咲く種類の桜である。であればこそ、「春の宵　さくらが咲くと花ばかり　さくら横ちょう」と加藤周一は歌い、芥川龍之介は盛りの桜を「一列の襤褸のよう」と評した。花で桜色一色に塗り込められるのである。

１８６０年、英国の植物学者が「これほど大掛かりに売り物の植物を栽培しているところは世界中にどこにもないと目を見張った」（岡崎守恭『遊王　徳川家斉』文藝春秋、２０２０　１２３頁）という。化政文化の代表格である。

化政の時代には、ほかにもお寺が繁盛し、相撲、祭礼が盛んとなり、御召縮緬《おめしちりめん》といわれる高級絹織物が生まれた。そして歌舞伎と浮世絵である（１４２頁）。なんのことはない、我々が日本として世界に誇るもののいくつかは、この時代に生まれたのである。

文化である。

そういえば、冒頭の定家も和歌の大家である。

「政治権力は、本来、文化に奉仕するものです。文化発展のため、文化創造のためのサーバント（奉仕者）なのです」と中曽根氏も言っていたと戸部氏の著書にある（20頁）。

現在の日本の文化といえば、漫画またはアニメだろうか。

だが、私は仕事が弁護士だからなのだろうが、法の支配もまた文化の重要な一翼を担っている気がしている。日本では犯罪行為をすれば適正な手続きによって処罰され、権利を侵害された者は裁判手続きで回復することができる。そのためのインフラが整っている。十分ではなく、ＩＴ化が必須であることは言うまでもない。しかし、法の支配に誰もが服することを疑う日本人は少ない。

「実証的に見て刑罰は犯罪の抑止になっていないことが多い。上手な制度設計さえあれば、民法を媒介とする人々の契約のみで犯罪の少ない成熟した社会が維持できる」（『銀河の片隅で科学夜話』全卓樹、朝日出版社、2020　139頁）。全氏の紹介する法哲学者、吉良貴之氏の刑法不要説である。

全氏はまた、トロッコ問題に関連して、MIT（マサチューセッツ工科大学）のイヤド・ラハワン博士の、地球全体を網羅した、なんと4000万の回答からなる「倫理学ビッグデータ」にも言及する。その結果、人類の倫理的判断は、三つのブロックに分かれるという。東洋、南洋、西洋である。もちろん日本は東洋に属する。東洋では救える人命の数を重視し、合法的な行動をとる人を優先し、また、老人を尊重する一方、男女を等しく扱う傾向だという。

南米諸国の属する南洋では、社会的地位の高い者、若者、そして女性の命が尊重されるようだ。西洋はバランスよく考える傾向が強く、強いていえば事態への介入を避けるという。

まことに興味深い。こうした違いは、それぞれの国での法の支配の実態にも影響しているに違いないと考えると、日々の弁護士業にも関わってきそうな気がしてくる。

ところで、刑法不要説は、最近書いた一節を思い出させた。岩村充氏が、その著書『国家・企業・通貨』（新潮社、2020）で述べていたコースの問題意識のことである（本書507～508頁）。人々の地道な努力なくして水俣病の原因は同定されることはなかったろうという部分である。

適正な手続きが犯罪者であると疑われた者に適用されるためには、例えば刑事裁判官の、一つひとつの事件を怠りなく読み解く目がなければならない。起訴された場合の有罪率が99％であろうとなかろうと、個々の事件を厳格に読み解く努力である。

その前提には、起訴すべき者を起訴し、裁判官に有罪を説得しようとする検察官の努力がある。

長い間法律実務家をやってきた私の実感としては、刑法のない世界では民事・商事の取引も不可能だという気がしてならない。もし詐欺師が捕まるかもしれないと恐れなければ、詐欺を働く者はもっと増えるだろう。街角に警官がいてくれなくては、街歩きもできなくなる。

いや、街角に警官がいるから恐ろしいのだと感じる人々が米国の諸都市にいる。この世のことは、まことに複雑であり、私など、日本に生まれたことをはじめ、偶然の重なりのままに生き延びているにすぎないと思わないではいられない。

「ローヤー進化論」『BUSINESS LAW JOURNAL』2020年11月号

答えようのない問い

「人生で一番、うれしかったのはどんなときだっただろう」

この本の最終頁まで読み進んできて、この一行に出逢った。はて、私にとって人生で一番うれしかったときとは、と考えてみた。

『生き物の死にざま』という本を読んだのである（稲垣栄洋著、草思社、2020 210頁）。

おやと思われた方もいらっしゃるかもしれない。同名の本が前年に、同じ著者、同じ出版社で出ているからである。2020年のほうには「はかない命の物語」という副題が付いている。去年の10月、こちらを読んでいたく感激した記憶が鮮やかにあったから、新聞広告を見て、いささかいぶかしく思いながらも、勇躍注文した。農林水産省のお役人から大学の先生になられた方だと覚えていた。

著者は文章力に富んだ方である。心の琴線に触れる表現が頻出する。詩人の魂を持った方である。ただし、ただの詩人ではない。生物学者なのである。

例えば、「熱殺蜂球」という言葉が出てくる（183頁）。巣を襲われたミツバチが、5倍にもなる大きさのオオスズメバチに立ち向かってゆく話である。「オオスズメバチに、小さなハチの針は通用しない。次々にやられてしまう。それでも、小さなハチは恐れることなく、次々に襲いかかる。仲間がやられても、なお襲いかかる」

「数百匹で次々に飛びかかり、ついには、オオスズメバチを覆い尽くすのである」

だが、「もちろん、最凶の昆虫であるオオスズメバチがそれだけでやられてしまうはずもない」。

小さなハチたちの次の作戦は、「筋肉を収縮させたり、羽を細かく動かして、体温を上げていく。そして、中にいるオオスズメバチを蒸し殺してしまうのである」。だから、熱殺蜂球なのである。勘所は、オオスズメバチは45度で死滅するのに対して、小さなハチは49度まで耐えられるというところにある。蜂球の温度は46度まで上がるのだ。

この章のタイトルは「日本ミツバチ」という。私たちがふだん目にするハチは、明治時代に導入された西洋ミツバチなのだそうだ。そして、西洋ミツバチもオオスズメバチと勇敢に戦うが、日本ミツバチと違ってその襲来に太刀打ちできない。「戦った結果、全滅してしまうことも珍しくない」のだという。

著者は「西洋ミツバチが分布を広げると、日本ミツバチは次第に追いやられ、今では山に近いところで生息している」と記す。西洋ミツバチに比べて一回りほど体が小さく、力も弱いのだそうだ。

その弱者が、「やられてもやられても、ミツバチたちは飛びかかり、ついには蜂球を完成させるのだ。（中略）しかし、49度にまで温度が上がれば、ミツバチも死んでしまう。ギリギリの暑さの中で死んでしまうハチもいる。間違いなく犠牲を伴う戦いなのだ。決死の覚悟が必要な作戦なのだ」。

著者は愛情をこめてこう言う。「この戦いで、自らの命が尽きるとしても、その犠牲によって

多くの仲間たちが守られる。そして、巣のなかの子どもたちの命も守られるのだ」（186頁）

続けて著者は大きく飛躍する。しかし、その叙述はそれを感じさせない。

「かつて日本ミツバチの住む『日本』という国が戦火に見舞われたとき、この国のために命を捧げた大勢の若者たちがいた。いや、おそらく彼らは、国のために命を捧げたわけではないだろう。彼らは、ある人にとっての父であり、ある人にとっての恋人や夫であり、ある人にとっての息子であった。

かつて誰かのために死んだ命がある。

そして、かつて誰かの死によって、守られた命がある。

それは、ミツバチの世界の話ではない」

私は、吉田満の『戦艦大和ノ最期』の一節を思い出していた。

「敗レテ目覚メル、ソレ以外ニドウシテ日本ガ救ハレルカ（中略）俺タチハソノ先導ニナルノダ日本ノ新生ニサキガケテ散ル　マサニ本望ヂヤナイカ」と21歳と7か月で死んだ将校が語る（講談社、1994　46頁）。

次いで私は、その『戦艦大和ノ最期』と占領軍の検閲について江藤淳が詳細に論じた『落葉の掃き寄せ─敗戦・占領・検閲と文学』（文藝春秋、1981）を読んでいたことも思い出した。検閲が現時点でも世界中で大きな問題であることは、私などが指摘するまでもない。

その連想だったのかもしれない。もう1か所、この本で江藤氏について思い出した箇所があった。

稲垣氏は、草野心平の詩を引用している（146頁）。

「地球さま。
永いことお世話さまでした。

さようならで御座います。

ありがたう御座いました。
さやうならで御座います。
さやうなら。」（「婆さん蛙ミミミの挨拶」）

百舌《もず》のはやにえになった蛙についての話の中にある。「こんな言葉を残して死ぬことができたら、どんなに幸せだろう」と稲垣氏は書いている。

私はこの詩に初めて出逢った。だが、どこかで読んだことがある気がした。

私の記憶にあったのは、伊東静雄の「夏の終り」という詩だった。

白い雲が「気のとほくなるほど澄みに澄んだ　かぐはしい大気の空をながれてゆく」光景、そ

の雲の落とす影の流れゆくさまを歌った中に、
「…さよなら…さやうなら…」
と同じ言葉が4回出てくるリフレーンがあった。新仮名遣いと旧仮名遣いを交えたこの詩が、私の中で、草野心平の「さやうならで御座います」と反響したのだった。伊東静雄の詩は、『江藤淳は甦える』（平山周吉著、新潮社、2019）の103頁以下に出ている。

冒頭に戻ると、著者は「人生で一番、うれしかったのはどんなときだっただろう」と問いかけ、そのすぐ後で「あなたの死にざまは、どのようなものなのだろう」と答えようのない問いを重ねる。

初めの問いへの答は決まっている。まだ生きているので分からない、だ。

では、実務の法律家として永い間生きてきた「私の死にざまは、どのようなものなのだろう」。私は知らない。知ってみてもどうにかなることではないのだろうが、できるだけ健康に過ごすように気をつけている。心、身、ともに、である。

装幀
トサカデザイン（戸倉 巌、小酒保子）

本書は『月刊ザ・ローヤーズ』2014年9月号〜2017年1月号と
『BUSINESS LAW JOURNAL』2014年10月号〜2020年11月号の連載を改稿したものです。
肩書き、データなどは連載当時のママです。

日本音楽著作権協会（出）許諾第2008548-001号

◎著者紹介

牛島 信（うしじま・しん）

東京大学法学部卒、検事を経て牛島総合法律事務所主宰。日本生命社外取締役、朝日工業社社外監査役、NPO日本コーポレート・ガバナンス・ネットワーク理事長、一般社団法人不動産証券化協会監事、一般社団法人日本女子プロゴルフ協会監事。小説『株主総会』『少数株主』（ともに幻冬舎文庫）他著書多数。

身捨つるほどの祖国はありや　日本と企業

2020年11月10日　第1刷発行

著者　牛島 信
発行人　見城 徹
編集者　箕輪厚介　山口奈緒子　木内旭洋
発行所　株式会社 幻冬舎
〒151-0051 東京都渋谷区千駄ヶ谷4-9-7
電話 03(5411)6211［編集］
03(5411)6222［営業］
振替 00120-8-767643
印刷・製本所　図書印刷株式会社

Printed in Japan　ISBN978-4-344-03699-4　C0095